KU-187-724

COMHGHUAILLITHE
NA
RÉABHLÓIDE
1913 - 1916

Leabhair Thaighde
An 14ú hImleabhar

COMHGHUAILLITHE NA RÉABHLÓIDE 1913-1916

PÁDRAIG Ó SNODAIGH

An Clóchomhar Tta
Baile Átha Cliath

An Chéad Chló

Dundalgan Press a chlóbhuail

AN CLÁR

GRIANGHRAFANNA

Le caoinchead an Stiúrthóra, Musaem Náisiúnta na hÉireann

AN RÉAMHRÁ

I bhFORÓGRA NA POBLACHTA, Luan Cásca, 1916, thrácht an Rialtas Sealadach ar ' a cuid fear a eagrú agus a oiliúint trína heagraíocht rúnda réabhlóideach, Bráithreachas Phoblacht na hÉireann, agus trína cuid eagraíochtaí míleata poiblí, Óglaigh na hÉireann agus Arm na Saoránach. . . .' Sa leabhar seo déanfar scrúdú trí cibé foinsí atá le fáil, ar an bpáirt a ghlac na heagraíochtaí seo sna himeachtaí a tharla roimh Éirí Amach 1916, agus go háirithe ón am ar bunaíodh na ' heagraíochtaí míleata poiblí,' is é sin timpeall mí na Samhna, 1913. Cíorfar go mion an caidreamh a bhí eatarthu i gcaitheamh na tréimhse atá i gceist agus taispeánfar cén uair agus cén chaoi ar dhruideadar le chéile agus comhaidhm réabhlóide acu. Tráchtfar chomh maith tríd an anailís go léir ar eagraíocht eile seachas iad, eagraíocht a ghlac páirt san Éirí Amach freisin. Cé nach luaitear iad san Fhorógra, agus nach mór a dtábhacht ón taobh míleata de—mar gheall ar laghad a líon—is díol spéise iad ina dhiaidh sin féin, ní hamháin ó thaobh na staire de ach de bhrí gur minic is féidir léargas a fháil uathu ar dhearcadh na ngluaiseachtaí eile. Tá tagairt déanta dóibh faoin ainm A.O.H. (Irish American Alliance) ach is faoina n-ainm ceart, na Hibernian Rifles, fobhuíon den drong chéadluaite, is mó atá trácht orthu. Dream ab ea iad a scar ón sean-A.O.H. (atá againn fós), cumann comharthacaíochta Caitliceach a bhí ina chumhacht ghníomhach pholaitiúil agus é fite fuaite sa Pháirtí Éireannach i Westminster agus san United Irish League sa bhaile. Tharla an scoilt idir an dá dhream i 1905.[1] Agus na teachtaí Meiriceánacha anseo i 1909 ba shoiléir go raibh athrú mór tagtha ar an A.O.H. (I.A.A.), nár chumann comharthacaíochta iad a thuilleadh de réir údair amháin[2] (cé gur ghníomhaigh siad sa cháil sin le linn stailc 1913, mar shampla). Cuireadh ina leith gurbh é a bhí iontu go léir ' lucht leanúna polasaí dá ngairtear Sinn

---

[1] *The Hibernian*, 10 Iúil, 1915.

[2] J. J. Bergin, *History of the Ancient Order of Hibernians*, l. 77.

Féin.'[3] Scríobh an staraí céanna faoi theachta Meiriceánach amháin a bhí báúil leis an I.A.A.:

> Ba é an míniú a thug sé ar ' Pholaitíocht ' ag an gcomhdháil gurbh é dualgas Náisiúnaithe na linne seo fir óga a ghríosú chun ullmhú i gcóir gluaiseachta réabhlóidí in Éirinn agus caoi a thabhairt dóibh iad féin a oiliúint in ealaín an chogaidh.[4]

Scríobh an Cairdinéal Ó Móráin chuig ' Wee Joe ' Devlin an 26 Iúil, 1909, tar éis chuairt na dteachtaí Meiriceánacha:

> Gabhaim buíochas leat as ucht a fheabhas a d'oibrigh tú chun na Hibernians in Éirinn a choinneáil dealaithe ó Chlan-na-Gael i Meiriceá. Déarfainn go mbeadh an iomad contúirte ag baint le comhcheangal idir na Hibernians agus an Clan.[5]

I dtaca leis sin de is díol spéise é gurbh é an ' Clan-na-Gael Div. Hall '[6] a thugadh an A.O.H. (I.A.A.) ar an halla a bhí acu i Sráid na Feise agus gur ghlac a gcomrádaithe sna Stáit Aontaithe páirt in imeachtaí Chlan-na-Gael ann.[7]

Cé gur mór an méid a scríobhadh faoi Éirí Amach 1916, níor dearnadh iarracht roimhe seo an pháirt a ghlac an I.R.B. (Bráithreachas Phoblacht na hÉireann nó an Bráithreachas as seo amach) i ngach ar tharla sna blianta roimhe sin a mheas. Tosach ab ea leabhar Dhiarmaid Lynch, *The I.R.B. and the 1916 Insurrection*, ach ní cuntas iomlán ná cuntas marthanach é. Dá ainneoin sin, is foinse thábhachtach é. Toisc an Bráithreachas a bheith ann, mar a bhí an A.O.H. (I.A.A.) roimh 1913, tá sé chomh maith roinnt a rá faoi ag an bpointe seo. Tuairim is 2,000 a bhí san eagraíocht,[8] fir ' atá toilteanach oibriú chun Rialtas saor, neamhspleách, Poblachtach a bhunú in Éirinn.'[9] In áit eile deir an Bunreacht:

> Agus é ag gníomhú chun Éire a ullmhú lena saoirse a bhaint amach arís le lámh láidir, cloífidh Bráithreachas Phoblacht na hÉireann, le linn síochána, le tionchar

[3] *Ibid.*

[4] *op. cit.*, l. 81.

[5] *op. cit.*, l. 83.

[6] *The Irish Worker*, 27 Nollaig, 1914.

[7] *The Gaelic American*, 8 Márta, 1913.

[8] Lynch, *The I.R.B. and the 1916 Insurrection*, l. 35.

[9] Alt 1 de Bhunreacht an Bhráithreachais, Lss. Hobson LNE 13163.

morálta a bheith acu—le haontas agus grá dá chéile a chothú i measc fhir na hÉireann—le prionsabail Phoblachtacha a chraobhscaoileadh agus le heolas ar chearta náisiúnta na hÉireann a scaipeadh.[10]

An bholscaireacht a bhí idir lámha acu díreach roimh an tréimhse atá á plé againn, rinneadh í trí phaimfléid Phoblachtacha a d'fhoilsigh na Dungannon Clubs, trí thacaíocht a thabhairt do Shinn Féin anuas go dtí 1910, agus trí eagrú an Wolfe Tone Memorial Fund—maraon le gníomhaíocht i dtaca le comóradh mairtíreach an Phoblachtais, ar nós Robert Emmet agus Mairtírigh Mhanchuin. Sa bhliain 1910, chaill Sinn Féin an chuid is mó dá lucht tacaíochta agus ní raibh ansin ach eagraíocht díbheo go dtí a hathbheochan i ndiaidh an Éirí Amach. In ionad tacaíocht a thabhairt d'iris an Ghríofaigh, tar éis chineál réabhlóid pháláis sa Bhráithreachas chuir siad tús le hiris a bhí níos so-aitheanta mar iris scarúnach, is é sin *Irish Freedom.* Gnó eile a bhí idir lámha acu, eagrú an fhorais phoblachtaigh don aos óg, na Fianna. Faoin ngné seo dá gcuid gníomhaíochta scríobh Éamon Martin mar leanas:

> . . . I 1911, bunaíodh ciorcal ar leith den Bhráithreachas do chomhaltaí na bhFianna, ciorcal Sheáin Mhistéil, le Con Ó Colbaird ina fhear-láir agus Pádraig Ó Riain ina rúnaí agus d'fhreastail na hoifigigh de na Fianna a bhí ina gcomhaltaí[11] de ar chruinnithe an chiorcail nuair a tháinig siad go Baile Átha Cliath. Ba é an nós cruinniú den chiorcal seo a thionól an oíche roimh gach Ardfheis, le Hobson ina ' chuairteoir,' agus ag an gcruinniú seo a shocraítí ceisteanna polasaí.[12]

Seachas na nithe seo, roimh dheireadh 1913, chaith Ardchomhairle (Supreme Council) an Bhráithreachais

cuid mhór dúthrachta le tuairiscí ar staid na heagraíochta sna ranna éagsúla, ar airgeadas, agus ar fhoilseacháin, ar

---

[10] Alt 2, *op. cit., loc. cit.*

[11] Sa stair a scríobh Éamon Martin deir sé: ' I would say that all the senior officers through the country were members ' thart ar 1913.

[12] Éamon Martin, *A Brief Outline of Fianna Éireann 1909-1916.* Chun cabhrú liom leis an leabhar seo thug Éamon Martin an chlóscríbhinn ar iasacht dom.

imeachtaí ar nós Chomórthaí Wolfe Tone agus Emmet, ar bhealaigh chun Teagasc Poblachtach na hÉireann a chur chun cinn agus ar an láimh eile, le deireadh a chur leis na scéimeanna dínáisiúnaithe.[13]

Sa bheartú deiridh seo, feictear ar an liosta, Conradh na Gaeilge a dhéanamh ' sábháilte ó thaobh dhearcadh Bhráithreachas Phoblacht na hÉireann.'[14] Á dhéanamh sin dóibh, thuill siad naimhdeas dhuine amháin de na daoine is tábhachtaí sa scéal atá romhainn, is é sin Eoin Mac Néill[15]—mar aon le naimhdeas Dhúglás de hÍde.[16]

Cé gur dhealraigh sé go raibh a n-aidhm—an tsaoirse—i bhfad uathu, is dócha go raibh Bulmer Hobson ró-dhian orthu nuair a scríobh sé fúthu nach raibh iontu ach ' gluaiseacht bheag rúnda a bhíodh ag cruinniú i gcúlsheomraí,' is é sin ' sular bunaíodh na hÓglaigh.'[17]

Tá Hobson féin ar na daoine is suimiúla i stair na tréimhse seo. Bhí sé ar dhuine de na daoine ba ghníomhaí sa Bhráithreachas anuas go dtí an t-am ar thug sé vóta ar son glacadh le hionadaithe Sheáin Mhic Réamoinn ar Choiste Sealadach na nÓglach i Meitheamh, 1914. Dúirt sé go raibh an Ardchomhairle ag ' gníomhú glan in aghaidh bhunreacht Bhráithreachas Phoblacht na hÉireann ' nuair a chinn siad ar ' éirí amach roimh dheireadh Chogadh na hEorpa.'[18] Rud is suimiúla fós is ea go raibh smut den fhírinne ag Hobson, mar go bhfuil sé leagtha síos i mBunreacht na heagraíochta réabhlóidí seo gur chóir pobalbhreith a bheith ann roimh éirí amach ! :

> Fanfaidh Bráithreachas Phoblacht na hÉireann le breith Náisiún na hÉireann a thabharfaidh tromlach de mhuintir na hÉireann faoin uair a bheidh oiriúnach chun cogadh a thosú in aghaidh Shasana, agus go dtí go dtiocfaidh uair na práinne, tabharfaidh sé tacaíocht do gach aon ghluaiseacht

---

[13] Lynch, *op. cit.*, l. 23.

[14] *ibid.*, l. 28.

[15] Deir *The Irish Worker*, 16 Bealtaine, 1914, faoi Mhac Néill, gurbh é a bhí ina ' squelcher of " separatists " on Gaelic League Executive.'

[16] Lynch, *op. cit.*, l. 27.

[17] Ráiteas Hobson chuig Joe McGarrity i 1934. Lss. Hobson, LNE 13171.

[18] *ibid.*

a bhfuil saoirse na hÉireann mar aon le caomhnú a hionracais féin mar aidhm aici.[19]

Téann an t-alt seo i gcoinne spioraid agus stair na bhFíníní agus is ait é taobh leis na codanna eile seo den Bhunreacht céanna:

> Ní bheidh dul thar údarás na hArdchomhairle ag aon duine atá, nó a bheidh amach anseo, ina gcomhaltaí de Bhráithreachas Phoblacht na hÉireann agus dearbhaítear leis seo gurb í an Ardchomhairle aon-Rialtas Phoblacht na hÉireann go fírinneach agus ó cheart, agus go bhfuil údarás aici cánacha a ghearradh, iasachtaí a shocrú, cogadh a thosú agus síocháin a choinneáil agus aon rud eile, atá riachtanach chun Poblacht na hÉireann a chosaint, a dhéanamh.[20]
>
> Coimeádann an Ardchomhairle a ceart chun plé le náisiúin bháúla faoi cheist ar bith i dtaobh leasa na hÉireann agus cur chun cinn chúis Shaoirse na hÉireann.[21]

Ach dá ainneoin sin, bhí an t-alt úd ann—cuireadh isteach é i ndiaidh achrann sa Bhráithreachas i ndeireadh na 19ú haoise—agus b'fhéidir gurbh é ceann de na cúiseanna é leis na scoilteanna a tharla díreach roimh Éirí Amach 1916.

Bhí Óglaigh Uladh mar a bheadh dúshlán d'eagraíocht scarúnach ar nós an Bhráithreachais—is cinnte gur cheann de na 'corraíola geolaíocha' a raibh Butterfield ag trácht orthu iad—agus i mí Meithimh, 1913,[22] bhí Bord Lárionaid Bhaile Átha Cliath ag cíoradh na ceiste arbh fhéidir tús a chur le heagraíocht mhíleata oscailte. Chuir Óglaigh Uladh fuadar chun gnímh faoi dhaoine seachas iadsan mar a bheidh soiléir sa chéad chaibidil thíos nuair a phléifear bunú Óglaigh na hÉireann.

Ós rud é nach bhfuair mé cead roinnt den ábhar a scrúdú, cuirfear leis an eolas atá sa leabhar seo ar ball. Ní bhfuair mé

---

[19] Alt 3 de *Bhunreacht an Bhráithreachais* i lámhscríbhinn i bpáipéir Hobson, LNE 13163. Tá sé ag O'Hegarty, *A History of Ireland under the Union 1801-1922*, l. 44, chomh maith.

[20] Alt 8 de *Bhunreacht na hArdchomhairle* i bpáipéir Hobson, LNE 13163.

[21] Alt 9, *op. cit., loc. cit.*

[22] Litir ó Hobson chugamsa ar 12 Nollaig, 1961, chun ll. 15, 16 dá leabhar, *A Short History of the Irish Volunteers*, a shoiléiriú. (Tugadh 'ciorcal' ar gach craobh den Bhráithreachas agus 'fear láir' ar thaoiseach gach craoibhe.)

cead na páipéir atá i seilbh Rialtas na Breataine Móire a chíoradh ná páipéir Eoin Mhic Néill—cé gur gealladh iad sin dom, geall nár comhlíonadh—ní bhfuair mé cead an bunábhar as ar tógadh *Devoy's Post Bag*, thart ar 200 litir ó Shéamas Ó Conghaile chuig William O'Brien, ná an t-eolas a bhailigh an Búró Staire Míleata, a scrúdú ach oiread—cé go bhfuair mé cead cóipeanna príobháideacha, de chuid mhaith de na ráitis a fuair siadsan, a léamh. Nithe eile a chuir le deacracht na hoibre a bheith ag plé le heagraíochtaí rúnda ar nós an Bhráithreachais agus an A.O.H.—gan leabhair chuntais ná miontuairiscí, etc. Tá mórán eolais thábhachtaigh imithe le deatach chomh maith óir dhóigh foireann Ard-Oifige na nÓglach mórchuid páipéar Aoine an Chéasta, 1916, rud a rinne siad faoi stiúrú Bulmer Hobson a raibh eagla air go bhfaigheadh údaráis an Chaisleáin nó Arm na Breataine seilbh orthu.[23]

Chíor mé gach foinse eile arbh fhéidir liom teacht uirthi—agus ba mhór an líon acu a bhí ann. Fuair mé cabhair ó ráitis a shínigh cuid mhaith de chomhaltaí an Bhráithreachais nó na nÓglach—W. J. Brennan-Whitmore, Earnán de Blaghd, Éamonn T. de hÓir, Bulmer Hobson, G. Ua Huallacháin, Denis MacCullough, Éamon Martin agus Deasún Ó Riain. Ba thorthúil na ceartaithe a rinne William O'Brien agus na moltaí a thug sé dom agus chuir mé spéis i ngach ar dhúirt Liam Ó Briain, M. J. O'Mullane, Robert Page agus Geraldine Dillon liom.

Tá súil agam sa deireadh thiar gur obair fhiúntach a bhí idir lámha agam agus an t-eolas á bhailiú, óir is é an leabhar seo an chéad iarracht a tugadh ar an eolas go léir atá le fáil a chur i gcomhchoibhneas chun staidéar a dhéanamh ar an gcaidreamh a bhí idir na Gluaiseachtaí Réabhlóideacha agus an tionchar a bhí acu ar a chéile sa tréimhse mhúnlaitheach seo de nua-stair na hÉireann.

---

[23] Hobson chuig McGarrity i 1934. Lss. Hobson, LNE 13171.

CAIBIDIL I

AN CHÉAD MHÍR
(go dtí Meitheamh, 1914)

CÉ go raibh mór-ré na Rialtas Liobrálach ag teacht chun deiridh, d'fhág an dá thoghchán i 1910 go raibh 120 vóta níos lú ag aontas na gCoimeádach agus na nAontachtaithe ná mar a bhí ag na Liobrálaithe, páirtí an Lucht Oibre agus na teachtaí as Éirinn le chéile. Nuair a bagraíodh tiarnaí a chruthú as éadan, chonacthas don Fhreasúra go bhféadfadh rialtas daingean ' Hóm-riúil ' (mar a thug Tomás Ó Criomhthain air) a bhrú trí dhá Theach na Parlaiminte. Faoi threoir Carson—fear as Baile Átha Cliath—thosaigh Aontachtaithe Uladh, agus Bonar Law á ngríosú, ar phlean armála agus comhraic a leagan amach. An intinn a bhí ag Bráithreachas Phoblacht na hÉireann do na cúrsaí seo, ba intinn í a léireofaí arís agus arís eile le linn na tréimhse atá á meas sa leabhar seo, intinn a léiríodh go follasach in eagarfhocal in *Irish Freedom* faoin teideal ' The Arming of Ulster.' D'fháiltíodar roimh armáil Uladh ag cuimhneamh dóibh ar an uair úd, céad tríocha bliain roimhe sin, nuair a thosaigh a leithéid in Ulaidh cheana agus ar leathnaigh sé ar fud na tíre. Thiocfadh an lá, dar leo, nuair a bheidís go léir ag seasamh le chéile gualainn ar ghualainn, ag smaoineamh ar na daoine ar fad a d'oibrigh agus a fuair bás ar son na tíre.[1]

---

[1] *Irish Freedon,* Nollaig, 1910. ' History has a fashion of repeating itself, and we welcome with a shout this revival of public arming in Ulster. One hundred and thirty years ago it began also in Ulster, but it did not end there; it only ended where the four seas of Ireland stopped it. It will spread again, my merry hearts of Ulster. . . .

Arm then, Unionists of Ireland, and keep your powder dry ! We have no fear of your making a shameful use of your weapons, and bye-and-bye when the time comes we will stand shoulder to shoulder remembering Orr and Tone, and the ' eccentric ' Bishop and all the other true hearts who worked and died that our common country might live.'

Níl aon fhianaise ann gur chuireadar rompu mar phlean a bheith chomh maith leo nó cuid díobh féin a dhéanamh díobh. Craobh-scaoiltear ' Dóchas an Fhínín ' ag súil le

> Náisiún athnuaite ag féin-íobairt na réabhlóide,
> ionghlanta ag baiste na fola, ag cothú a nirt leis
> an spiorad a ghinfí ar an gcaoi sin. . . .[2]

agus ag léiriú ' gurbh í an obair a bhí le tabhairt chun críche againn Poblacht Éireannach neamhspleách a bhunú sa tír seo.'[3]

Tá easpa foighde le hargóintí i gcoinne Shóisialachais le feiceáil—' Sóisialaí é Mac an tSaoir ach déanann Sóisialaí Poblachtach agus déanann Poblachtach Scarúnaí,'[4] ach is soiléir go raibh siad ag taobhú leis na ceardchumainn ó alt in *Irish Freedom* i nDeireadh Fómhair, 1911, nuair a cháineadar ní hamháin an *Irish Independent* ach *Sinn Féin* chomh maith, de bhrí gur chuireadar araon i gcoinne na n-oibrithe a bhí ar stailc i Loch Garman ag an am.

B'fhéidir go sílfeadh strainséir nach raibh sa dóchas a bhí á thuar i sliocht áirithe in *Irish Freedom*, Meán Fómhair, 1911, ach mar bheadh comhairle in aice lena dtoil ach dóibhsean a bhí sásta éisteacht le glór na poblachta, bhí tuiscint bhaothdhána iontu ar a bhféadfadh tarlú sna blianta a bhí ag teacht. Dúradh sa sliocht seo go raibh an taoide ag casadh in Éirinn, go mbeadh deireadh go luath le smacht Shasana agus go bhfeicfí fós poblacht neamh-spleách sa tír.[5]

Tugtar le fios cén chaoi a bhféadfadh sé seo tarlú in *Irish Freedom*, Samhain, 1911:

> Má thugann Éire, mar sin, cabhair don Ghearmáin, agus má bhuann an Ghearmáin i gcogadh le Sasana, beidh Éire ina náisiún neamhspleách.

---

[2] *Irish Freedom*, Feabhra, 1911.

[3] *Irish Freedom*, Lúnasa, 1911.

[4] *Irish Freedom*, Lúnasa, 1911.

[5] ' The tide is turning . . . when the tide turns in Ireland it means revolt, insurrection, another fight for freedom—and *the tide has turned*. . . .
This then is our message for Ireland—*the tide has turned*, the days of crawling to England, of compromise and debasement, will soon be over. . . . *Let the people get ready*, for if they are true to themselves they may well see an independent republic established in their country after a while.
The future of Ireland and the future of her children depend upon this next few years. . . .'

B'shin mar a bhí clár oibre an Bhráithreachais, nó an méid de a bhí nochtaithe acu go poiblí. Bhí an sean-nath ' is é cruachás Shasana deis na hÉireann ' fíor fós agus ba é an cogadh, a bhí á thuar chomh fada siar ar a laghad le 1903, nuair a foilsíodh *The Riddle of the Sands* le Erskine Childers, a bhí chun an deis sin a chur ar fáil.

Ach leis sin féin, ní raibh cosúlacht ar bith ann go raibh aon ní cinnte beartaithe don teagmhas seo ó thaobh cur le líon na gcomhaltaí ná leis an stóras arm a bhí ag an mBráithreachas—cé gurbh fhéidir fós airm a cheannach go hoscailte i mBaile Átha Cliath—ná thairis sin faoi theagmháil a dhéanamh leis an gcomhghuaillí a bhí ar aigne acu.

Cibé acu go comhfhiosach nó de thaisme é, chítear iarracht chinnte ar staid an lucht oibre agus staid na Sóisialaithe a thuiscint; is léir sin as an sraithfhoilsiú a rinneadh ar an *History of Ralahine* le Hobson a thosaigh in *Irish Freedom*, Deireadh Fómhair, 1912, ó shraithfhoilsiú an aistriúcháin a dhein Liam Ó Rinn ar *Fields, Factories and Workshops* leis an bPrionsa Kropotkin a thosaigh in *Irish Freedom*, mí na Nollag, 1912, agus fós ó na haltanna le hEarnán de Blaghd faoi ' The Co-operative Commonwealth ' san iris chéanna ó mhí na Feabhra, 1913. Ní raibh an ghníomhaíocht seo gan a réamhshampla, óir ghlac Páirtí Sóisialach Poblachtach na hÉireann faoi Shéamas Ó Conghaile páirt in imeachtaí chuimhneachán '98 agus ar Choiste an Transvaal.[6] Chomh fada siar le 19 Samhain, 1905 ba é an t-ionad a bheadh ag an sóisialachas san Éirinn a bhí rompu, a bhí mar ábhar díospóireachta ag Clubanna Dhún Geanainn i mBéal Feirste.[7] Bhí leithéidí Hobson, D. Mac Con Uladh, Seán Mac Diarmada agus Pádraic Colum chun tosaigh san eagras sin.[8] Thug comhalta eile den Bhráithreachas, P. S. Ó hÉigeartaigh, moladh ar an sóisialachas sa bhliain 1908.[9]

Seans gurbh é an forás a tháinig ar éifeacht eagraíochtaí an Lucht Oibre a thug ar Bhráithreachas Phoblacht na hÉireann

---

[6] Henry, *The Evolution of Sinn Féin*, l. 101.
[7] Lss. Hobson LNE 12175.
[8] *ibid.*
[9] *The Peasant*, 26 Nollaig, 1908.

aird níos mó a thabhairt orthu. Faoin ainm cleite ' Crimal ' scríobh Deasún Ó Riain in *Irish Freedom*, Eanáir, 1913, faoi dheighilt mhí-ámharach, gan gá, idir dhá dhream a bhí sásta rud ar bith a dhéanamh chun a n-aidhmeanna a bhaint amach, agus dhearbhaigh sé go raibh siad araon ag troid in aghaidh dhá ghné éagsúla den ansmacht céanna agus go raibh sé riachtanach d'obair dhream amháin acu, cuspóir an dreama eile a chur i gcrích. San uimhir chéanna de *Irish Freedom* bhí alt ag Seán Lester faoin teideal ' The Economic Basis of a Revolutionary Movement,' alt a d'iarr ar an ngluaiseacht phoblachtach clár sóisialta a leagan amach. Thart faoin am seo chomh maith tugadh léacht do Pháirtí Sóisialach Poblachtach na hÉireann faoi ' the need for a Revolutionary Party.'[10]

Ach fiú i measc daoine a bhí fabhrach go leor don ghluaiseacht shóisialach, bhí de réir cosúlachta roinnt nach raibh réidh fós chun glacadh le haontas deimhnitheach idir an dá dhream. Thosaigh díospóireacht fhada faoin gceist seo le halt de chuid Aodha Uí Eithir (faoin aimn cleite ' Rapparee ') in *Irish Freedom*, Feabhra, 1913, nuair a nocht sé go raibh sé i gcoinne aon aontais ' between Democracy and Separatism.' Thug an Rianach (' Crimal ') freagra air in uimhir na Márta agus bhí freagra eile ó Sheán Ó Cathasaigh[11] san uimhir chéanna. Bhí ionsaí an-phearsanta ann ar an gCathasach i mí Aibreáin; bhí sé chomh fíochmhar sin go ndearna an t-eagarthóir iarracht deireadh a chur leis an gconspóid, ach in uimhir na Bealtaine labhair ' Northman ' (Seán Lester) amach ar son an aontais a bhí beartaithe agus san uimhir sin chomh maith bhí alt le Æ ar an ' Co-operative Commonwealth.'

Ach bhí ' corraíola geolaíocha ' chun crot eile a chur ar an scéal agus páirteanna na n-aisteoirí a athrú. Ar 7 Iúil, 1913, chuaigh an Bille Home Rule ó Theach na dTeachtaí go dtí Teach na dTiarnaí an dara huair, agus den dara huair dhiúltaigh na Tiarnaí do. Bhí agóid na nAontachtaithe ag fás sa Tuaisceart, agus i mBaile Átha Cliath bhí Bord Lár-ionaid Bhaile Átha Cliath den Bhráith-

---

[10] *Freeman's Journal*, 1 Eanáir, 1913.

[11] Bhí an Cathasach sa Bhráithreachas san am sin—cf. a leabhar *Drums under the Window*, ll. 188, 189.

An Maor Seán Mac Giolla Bhríde agus Éireannaigh Chicago i gCogadh na mBórach

reachas,[12] a raibh Hobson ina chathaoirleach air, ag beartú gluaiseacht oscailte míhleata a bhunú. Ní dhearna siad aon ní cinnte faoi. Mar a dúirt Hobson, measadh go bhfásfadh an ghluaiseacht níos tapúla mura gcuirfí tús léi go ceann cúpla mí go dtí go mbeadh ceacht foghlamtha ag daoine ó Ghluaiseacht Uladh agus cinneadh ar an gceist a fhágáil mar sin ar feadh tamaill.[13]

Thart fán am céanna, áfach, thosaigh comhaltaí an Bhráithreachais i mBaile Átha Cliath ag druileáil faoi stiúradh oifigeach de chuid Fhianna Éireann.[14]

Ach neartaíodh brí an cheachta nuair a tháinig Comhairle Aontachtaithe Uladh le chéile i mBéal Feirste, 24 Meán Fómhair, 1913, agus thugadar Lár-Údarás Rialtas Shealadach Uladh orthu féin. Bhí an scéal níos dáiríre anois agus cé go raibh cartún ar *The Leader*, 4 Deireadh Fómhair, 1913, ag magadh faoi Carson ag iniúchadh a chuid trúpaí agus iad armtha le raidhfilí adhmaid, b'é sin geall leis an uair dheiridh a raibh an fonn fonóide sin le feiceáil.

Scríobhadh faoi fhórsa Óglaigh Uladh in *Irish Freedom* i Meán Fómhair na bliana sin—go gcaithfí déileáil leo, ní trína scriosadh ach trí aithris a dhéanamh orthu . . . idir an dá linn, bíodh cead armála ag na hUltaigh agus coinnídís a gcuid arm faoi láimh.[15]

Ach arís níor nochtaíodh conas a bhí sé beartaithe an feachtas seo a chur i ngníomh agus cé go raibh forógra in *Irish Freedom* i nDeireadh Fómhair, ' To the Young Men of Ireland,' ag iarraidh

---

[12] Hobson chugamsa, 12 Nollaig, 1961, ag soiléiriú an ábhair ar l. 17 dá leabhar *A Short History of the Irish Volunteers*. Tá constaic mhór amháin a chuireann teorainn le tábhacht an leabhair seo mar fhoinse staire agus nocht Hobson í i litir chuig St. John Ervine ar 14 Eanáir, 1944 (Lss. Hobson LNE 13161(9)): ' In my history of the Volunteers many names were not mentioned. You will have observed the book was issued as passed by Censor. There was a military censorship at the time and one did not tell the authorities things they did not know already.'

[13] Hobson, *A Short History*, l. 17: ' It was felt . . . that the movement would have a better chance of rapid growth if the actual start was delayed for a few months while the lesson of the Ulster Movement sank into the minds of the people and it was decided to leave the matter rest for a time.'

[14] Hobson chugamsa, 9 Lúnasa, 1962. *Iris Teoin*, 1950, l. 46.

[15] ' Ireland must deal with them, not by exterminating them but by assimilating them . . . in the meantime let Ulstermen arm and keep their arms handy.'

ar óigfhir na hÉireann a bheith réidh chun seasamh le chéile in arm na tíre,[16] ní thugtar aon eolas don léitheoir faoin áit a bhfuil an t-arm seo le fáil. B'fhéidir nach raibh ann ach réamhfhógra ar mhaithe le meon an phobail a ullmhú, óir bhí Bord Lár-ionad Bhaile Átha Cliath ag obair arís, an mhí chéanna, ar an tseift a chuireadar ar athló i mí Iúil roimhe sin.[17]

Mí ghuasachtach ab ea Deireadh Fómhair, 1913, mar bhain an stailc mhór agus an frithdhúnadh, a tháinig mar bhuaic ar achrann na n-oibrithe i mBaile Átha Cliath, siar as an gcairdeas a bhí cuid, ar a laghad, de Bhráithreachas Phoblacht na hÉireann ag iarraidh a bheith eatarthu féin agus Páirtí an Lucht Oibre. Níor ghá go leanfadh seo trioblóidí an Lucht Oibre ach bhí a gcás chomh práinneach sin gur tharla gangaid agus searbhas nár laghdaigh go ceann i bhfad ina dhiaidh sin. Sampla de seo ab ea an t-ionsaí a rinneadh ar Sheosamh Máire Pluincéad i *The Irish Worker*, 25 Deireadh Fómhair, 1913, ar chúis é a bheith ráite go raibh tithe slumaí ar mhaoin a mháthar. Bhí Seosamh, mar eagarthóir ar *The Irish Review*, tar éis alt a iarraidh ar Shéamas Ó Conghaile le haghaidh eagrán Lúnasa, 1913, agus b'eisean a d'eagraigh an Dublin Industrial Peace Committee, d'fhonn fadhbanna na n-oibrithe a réiteach. Dá ainneoin sin uile, mhol *The Irish Worker* dó, má bhí sé dáiríre, tosú le staid na n-oibrithe a bhí faoina mháthair a fheabhsú.[18]

Bhí an fhuil chomh hard sin gur shamhlaigh díospóireacht thosach na bliana sin a bheith i bhfad uathu agus cé nárbh ionann

[16] '. . . . Ireland wants men ! . . . Her hour approaches. Will you young men of Ireland stand by while your country strives to break the ignoble chains of seven centuries. . . . Consider, then, young men of Ierland, and all the thought and the hope of your hearts will send you to the ranks of Ireland's patriot army . . . two paths lie before you, one promises bodily ease the other all the dangers of revolution. . . .'

[17] Hobson, *A Short History*, l. 17. '. . . . At the beginning of October the Committee came to the conclusion that an immediate start should be made and were busy canvassing national opinion in Dublin.' Réitíonn sé seo le leagan amháin dá stair atá i Lss. Hobson LNE 12178, l. 35, agus is beag an difríocht atá idir é agus leagan eile a scríobh sé, leagan atá i Lss. Hobson LNE 12177, ll. 28, 29.

[18] '. . . . If he is in earnest and smitten with the reforming zeal that does sometimes manifest itself in the middle class he could start by improving the lot of the sweated employees of his mother. . . .'

dearcadh *Sinn Féin*[19] ar na stailceoirí agus dearcadh *Irish Freedom*[20] níor thuill comhbhá iris an Bhráithreachais aon bhuíochas ó chinnirí an Lucht Oibre.

As brúidiúlacht na bpóilíní agus gátar na n-oibrithe agus spreagadh an Chaptaein Seán de Faoite a d'fhás Arm na Saoránach i dtosach mí na Samhna, 1913.[21] Cé gur thaobhaigh an Piarsach leis an ngluaiseacht nua[22] bhain Seán Ó Cathasaigh casadh as a chuid focal níos déanaí d'fhonn é a lochtú.[23] Bhí an Cathasach éirithe as an mBráithreachas faoin am seo ach bhí sé le bheith ina chúis trioblóide agus conspóide acu féin agus ag Óglaigh na hÉireann ar feadh sé mhí eile.

Idir an dá linn tháinig cumraíocht bheo ar an bhfritoradh a lean bunú Rialtas Sealadach Uladh nuair a bunaíodh Óglaigh Lár na Tíre in Áth Luain am éigin thart ar dheireadh Mheán Fómhair[24] nó tosach Dheireadh Fómhair. Cé gur mheas *Irish Freedom* gurbh eagras Réamonnach a bhí iontu[25] bhí sé de thoradh orthu gur athraigh *The Leader* ó bheith ag fonóid faoi Óglaigh Uladh, mar a bhí sé sa chartún in eagrán 4 Deireadh Fómhair, 1913, go dtí an dearcadh a léirigh sé 25 Deireadh Fómhair, 1913, á mheas nár tugadh aird sách mór ar bhunú an Fhórsa Óglach in Áth Luain agus gur chóir—cé go rabhthas ag magadh faoi fhórsa Carson—an seans a ghlacadh chun fórsaí Óglach a bhunú ar fud na tíre.[26]

---

[19] Bhí Art Ó Gríofa go mór i gcoinne na stailceoirí in eagrán 25 Deireadh Fómhair, 1913, ach

[20] Bhí an Piarsach agus Tomás Ó Cléirigh go mór ina bhfabhar in *Irish Freedom* (Deireadh Fómhair) mar a bhí an t-eagarthóir an mhí ina dhiaidh sin.

[21] *Irish Times*, 14 Samhain agus 19 Samhain, 1913.

[22] *An Claidheamh Soluis*, 8 Samhain, 1913.

[23] *The Irish Worker*, 21 Feabhra, 1914.

[24] *Irish Times*, 15 Deireadh Fómhair, 1913. *Westmeath Independent*, 18 Deireadh Fómhair, 1913. Féach chomh maith alt liomsa i *Studia Hibernica*, 1965.

[25] Eagrán mhí na Samhna, 1913.

[26] 'We do not think that enough attention has been given to the formation of a Volunteer Force in Athlone. It is all very well to look with contempt on the wooden guns of the Carsonite force as we all do, but Nationalist Ireland might do worse than take the opportunity to raise volunteer forces throughout the country.'

Ar 8 Samhain bhí an *Leader* ar an deilín céanna arís. Ba é a dtuairim go raibh an-fhonn ar fhir óga Bhaile Átha Cliath dul isteach in Óglaigh na hÉireann.[27]

Tá sé suimiúil chomh maith gur scríobh Ruairí Mac Easmainn chuig Alice Stopford Green ar dhá ocáid i mí na Samhna ag moladh an mhéid a bhí déanta in Áth Luain, ag lua go raibh sé ag súil go leathnódh an ghluaiseacht sin agus ag beartú ar thacaíocht éigin a thabhairt don leathnú sin.[28]

Bhí daoine chomh corraithe sin go mb'fhíor do Hobson nuair a scríobh sé ' if the men who organized the Irish Volunteers had not undertaken that task in October, 1913, many weeks would not have elapsed before others would have come forward to do that necessary work.'[29] Is leor mar chruthú ar a ndúirt sé, a mhire is a leath na hÓglaigh ar fud na tíre tar éis a mbunú i mBaile Átha Cliath. Ach is iad na nithe a tharla atá le ríomh anseo againn, ní hiad na nithe a d'fhéadfadh tarlú.

Tugadh céim mhór chun cinn in ullmhúchán Bhord Lár-ionaid Bhaile Átha Cliath den Bhráithreachas nuair a rinneadh teagmháil le hEoin Mac Néill tar éis dó alt faoin teideal ' The North Began ' a fhoilsiú sa *Chlaidheamh Soluis*, Lá Samhna, 1913. Bhí cáil mhór ar Mhac Néill mar ollamh agus mar dhuine de chinnirí Chonradh na Gaeilge. Ní raibh an t-alt atá i gceist chomh réabhlóideach is a mheastar. Beagnach ón am ar tháinig an t-alt os comhair an phobail tá míthuiscint ar dhaoine faoina ndúirt Mac Néill ann. Ar dhá ocáid, mar shampla, i mí na Samhna, 1913, chuir *An Claidheamh Soluis* ina leith gur mhol sé san alt go mbunófaí Óglaigh na hÉireann.[30] Le deireanas rinneadh an botún céanna.

---

[27] ' We have reason to believe that many young men in Dublin are now full of the idea, and are impatient of an opportunity to fall into the ranks of Irish Volunteers.' agus

' The important thing is to get Volunteer companies started. Athlone has led the way, who will follow suit ? '

[28] Lss. Green LNE 10464.

[29] Hobson i leagan dá chuid staire i Lss. Hobson LNE 12178, l. 34. Sa leagan eile in ionad ' undertaken that task ' léitear ' taken the preliminary steps.' (Lss. Hobson LNE 12177, l. 27).

[30] An 22 Samhain, 1913, léitear an méid seo faoi Óglaigh na hÉireann: ' An chomhairle a thug Eoin Mac Néill uaidh sa gClaidheamh tá an chomhairle sin á cur i bhfeidhm. Tháinig daoine . . . i gceann a chéile . . . agus chinneadar ar Óglaigh Éireann do chur ag cleachtadh arm . . .' agus an 29 Samhain, 1913, deirtear ' ba é Eoin Mac Néill do chomhairligh an obair sa gClaidheamh i dtosach.'

Dúirt an tAthair F. X. Martin, O.S.A., ' Mac Neill in his article in *An Claidheamh Soluis*, having advocated the foundation of such a force . . .'[31] agus ' the article suggested the organization of another volunteer corps throughout the rest of Ireland.'[32] Scríobh Cathal Ó Seanain[33] faoi bhunú na nÓglach ' in November, 1913 on Mac Neill's suggestion, the first made in public, a proposal eagerly acted upon by the Supreme Council of the I.R.B.[34] with Hobson[35] as its agent to MacNeill.' Mar an gcéanna scríobh Deasún Ó Riain ' An Claidheamh Soluis . . . had carried an article " The North Began " by MacNeill proposing the starting of the Irish Volunteers.'[36]

Bhí an Gríofach níos mó ar seachrán fiú ná iadsan nuair a thug sé ' political party article '[37] ar alt Mhic Néill. De réir cosúlachta tháinig an meon seo as gangaid an ghetto, a bhí cosúil leis an ngangaid sin as ar fhás an t-ionsaí thuasluaite ar an bPluincéadach,[38] óir leanann sé leis chun gearán a dhéanamh faoi Mhac Néill de bhrí go raibh Mac Néill ' only a few months ago . . . on a public platform in Dublin to denounce politics in the Gaelic League.'

De bharr an mhéid mínithe contráilte atá tugtha air, tá sé chomh maith anseo na codanna is tábhachtaí d'alt an-fhada Mhic Néill a bhreacadh síos arís:

> . . . Mr. Arnold White has been proving in elaborate detail that the present available resources of the British Army are not sufficient to put down the Volunteer Movement in four of the thirty-two counties. In any case it appears that the British Army cannot now be used to prevent the enrolment, drilling and reviewing of Volunteers in Ireland. There is nothing to prevent the other twenty-eight counties from calling into existence citizen forces to

[31] *The Irish Volunteers, 1913-1915*, l. x.

[32] *I.H.S.*, iml. xii, uimh. 47, l. 227.

[33] *Evening Press*, 24 Aibreán, 1961.

[34] Dúirt D. Mac Con Uladh i litir chugamsa, 15 Eanáir, 1962, ' no directive (go mbunófaí na hÓglaigh) came from the S.C. *per se*.'

[35] Ba é an Rathghailleach, nach raibh sa Bhráithreachas, a dhein an teagmháil le Mac Néill.—Hobson, *A Short History*, l. 17.

[36] *Irish Press*, 24 Aibreán, 1961.

[37] *Sinn Féin*, 8 Samhain, 1913.

[38] cf. l. 6 thuas.

> hold Ireland " for the Empire." It was precisely with that object that the Volunteers of 1782 were enrolled, and they became the instrument of establishing self-government and Irish prosperity. Their disbanding led to the destruction alike of self-government and of prosperity and the opportunity of rectifying a capital error of this sort does not always come back again to nations. . . . Sir Edward Carson may yet, at the head of his Volunteers, "march to Cork" If so their progress will probably be accompanied by the greetings of ten times their number of National Volunteers and Cork will give them a hospitable and memorable reception. Some years ago, speaking at Toome Feis in the heart of " homogeneous Ulster " I said that the day would come when men of every creed and party would join in celebrating the Defence of Derry and the Battle of Benburb. That day is nearer than I expected.

Ar ndóigh, níorbh é seo an chéad uair ar moladh go hoscailte go mbunófaí Óglaigh na hÉireann[39]—níor moladh ar chor ar bith é. Ní mholann sé is ní chéad-mholann sé faic ann. Is é is dóichí go raibh eolas ag Mac Néill ar bhunú Óglaigh Lár na Tíre agus go raibh fhios aige gur mhol *The Leader*, 25 Deireadh Fómhair go leathnófaí an ghluaiseacht sin tríd an tír uile. Bhí Arm na Saoránach i mBaile Átha Cliath chomh maith. Séard a bhí san alt úd dáiríre léirmheas ó thaobh na staire is na polaitíochta de, ar cheann de na cúrsaí ba thábhachtaí in Éirinn sa bhliain 1913. Is é an tábhacht is mó atá leis an alt ná an úsaid a baineadh as.

Sa chéad eagrán eile den *Chlaidheamh Soluis*[40] thagair an Piarsach d'alt Mhic Néill in alt an-bhunúsach agus ceann a chuir na fiacla, mar adéarfá, sa mhéid a bhí scríofa ag Mac Néill. Scríobh an Piarsach go mbeadh fuadar mór faoi dhreamanna éagsúla ag réiteach le haghaidh réabhlóide. Dúirt sé nach bhfaigheadh Éire gan arm ach an méid a d'fheilfeadh sé Sasana a thabhairt di; go bhfaigheadh Éire armáilte an tsaoirse a bhí uaithi; agus go mba mhaith leis gach uile dhream de shaoránaigh na hÉireann a

[39] Mar a cheap Cathal Ó Seanain, *Evening Press*, 24 Aibreán, 1961.
[40] 8 Samhain, 1913.

bheith armáilte.[41]

Bhí cumas corraithe sa teideal ' The North Began ' a d'úsáid Mac Néill—as dán de chuid an Dáibhísigh—rud is léir nuair a d'athluaigh an Piarsach é. Agus ba leor gur bhaineadar beirt macalla as an alt ' The Arming of Ulster ' ó *Irish Freedom,* Nollaig, 1910,[42] a thrácht chomh maith ar an tosach a bhí déanta sa tuaisceart—ba leor é sin chun aird Bhord Lár-ionaid Bhaile Átha Cliath, a bhí

---

[41] ' There will be in the Ireland of the next few years a multitudinous activity of Freedom Clubs, Young Republican Parties, Labour organisations, Socialist groups and what not; ' Good men and Bad men ' many of them seemingly contradictory, some mutually destructive yet all tending towards a common objective, and that objective . . . the Irish Revolution . . . Professor Eoin Mac Néill pointed out last week that we have at this moment an opportunity of rectifying the capital error we made when we allowed ourselves to be disarmed; and such opportunities, he reminds us, do not always come back to nations.

A thing that stands demonstrable is that nationhood is not achieved otherwise than in arms, in one or two instances there may have been no actual bloodshed but the arms were there and the ability to use them. Ireland unarmed will attain just as much as is convenient for England to give her; Ireland armed will attain ultimately just as much freedom as she wants. These are matters which may or may not concern the Gaelic League as a body; but they concern every member of the Gaelic League and every man and woman in Ireland. I urged much of this five or six years ago in addresses to the Ard-Chraobh but the League was too busy with resolutions to think of revolution. . . . I am glad that the North has ' begun.' I am glad that the Orangemen have armed. . . I should like to see the A.O.H. armed. I should like to see the Transport Workers armed. I should like to see every body of Irish citizens armed. . . .'

Seans gurb é atá san alt seo ná an forógra, nár foilsíodh ariamh (mar fhorógra), a luaigh Le Roux i *La Vie de Patrice Pearse,* l. 230: ' Patrice Pearse désespérait de voir quelqu'un de plus qualifié que lui prendre les devants et il rédigea lui-même un appel au pays invitant la nation à s'armer. Au même moment parut dans le presse un manifeste de Mac Neill et Pearse annula le sien. . . .' Do réir cosúlachta níor léigh Le Roux ' Un manifeste de Mac Neill '—dá mba rud é gur léigh ní thiocfadh leis ' un manifeste ' a thabhairt ar alt gan smior mar é.

Deir Henry, *The Evolution of Sinn Féin,* l. 127, go ndúirt an Piarsach go raibh sé ag scríobh do *Irish Freedom* ' with the deliberate intention . . . of goading those who shared my political views to commit themselves . . . to an armed movement.' Tá sampla dá chuid scríbhneoireachta ag an am in *Irish Freedom,* Samhain, 1913: ' I think the Orangeman with a rifle a much less ridiculous figure than the Nationalist without a rifle.'

[42] Thuasluaite, l. 1 agus nóta 1.

mar a chonacthas thuas[43] ' busy canvassing national opinion in Dublin '[44] d'fhonn Óglaigh na hÉireann a chur ar an saol, a tharraingt orthu beirt.

Ní hionadh mar sin nárbh fhada go ndearnadar teagmháil le Mac Néill, fear a raibh cáil air ar fud na tíre agus fear a bhí, ó thaobh na polaitíochta de, ina Fhéin-Rialaí Liobrálach.[45] Cé nach raibh an Piarsach sa Bhráithreachas ag an am seo[46] bhí sean-aithne air mar réabhlóidí,[47] agus tugadh cuireadh dósan freisin chuig an gcéad chruinniú de chéad Choiste Sealadach na nÓglach in Óstlann Wynn, 11 Samhain, 1913.[48]

Thug Piaras Béaslaí i gcuimhne an toradh a bhí ar alt Mhic Néill in alt suimiúil dá chuid féin i 1961. Dúirt sé cé nár thug an pobal aird mhór ar chaint Mhic Néill, gur tháinig Éamonn Ceannt agus Bulmer Hobson ar cuairt chuige féin, 10 Samhain, agus gur

---

[43] l. 6 (nóta 17).

[44] Hobson, *A Short History*, l. 17 agus an dá leagan dá stair i lss. i measc Lss. Hobson LNE 12178, l. 35 agus LNE 12177, ll. 28, 29.

[45] Mar is léir óna litir san *Irish Independent*, 5 Deireadh Fómhair, 1914.

[46] Deir Le Roux, *Tom Clarke and the Irish Freedom Movement*, ll. 120, 121, 126, 127, go ndeachaigh sé faoi mhóid i dtosach 1913 ach deir an Rianach, *The Phœnix Flame*, l. 288, gur i mí na Samhna, 1913, a chuaigh sé isteach sa Bhráithreachas. Dúirt Hobson, a ghlac isteach sa Bhráithreachas é, gur i mí na Nollag, 1913, a glacadh é (litir chugamsa, 2 Lúnasa, 1962). Níl meon an Bhráithreachais le feiceáil san alt a scríobh an Piarsach don *Chlaidheamh Soluis* ar 8 Samhain, 1913, go háirithe sa mhéid de a bhaineann leis an A.O.H. Is cuimhin le Diarmaid Lynch, *The I.R.B. and the 1916 Insurrection*, l. 23, an Piarsach a fheiceáil ag mór-chruinniú den Bhráithreachas i mí na Nollag, 1913, ' occupying a seat at the rear of the hall.'

[47] cf. l. 11, nóta 41, thuas. Tá fótostat de litir a scríobh an Piarsach chuig Seán T. Ó Ceallaigh an 28 Márta, 1912, i Lss. LNE 10192. Scríobh sé: ' Táim ag gairm roinnt carad cum tionól big deanfar i dtigh Ósta Muighe Rátha i Straid na Trionóide Dia Máirt so cugainn 2 Aibreán. . . Fath an tionól chum cumann do chur ar bun darab aon gnó lucht labartha na Gaedhilge do bhailiúgadh do conghnamh Gaedheal ag troid dóibh ar son saoirse.' Sa bhailiúchán lss. tugtar ' summons to a meeting in Moira Hotel *re* setting up clubs for forwarding the physical force movement among Irish speakers ' ar an litir seo.

[48] Tugann Hobson, *A Short History*, l. 17, an dáta " towards the end of October " don chruinniú seo ach ós rud é nár foilsíodh alt Mhic Néill go dtí 1 Samhain agus nár deineadh teagmháil leis go dtí ina dhiaidh sin, is follas go bhfuil an dáta a thugann Béaslaí (nóta 49) ceart.

iarr Hobson air a bheith i láthair ag cruinniú in Óstlann Wynn an lá ina dhiaidh sin, chun bunú fhórsa Óglaigh na hÉireann a phlé. Dúirt Hobson leis go raibh Mac Néill le bheith ag an gcruinniú freisin.[49]

Tá sé soiléir ó Hobson nárbh é Ceannt a rinne an chéad teagmháil le Mac Néill, ach an Rathghailleach—cé nach raibh seisean sa Bhráithreachas (bhí sé sa Chonradh agus ina Shinn Féiní)—is é is dóichí go ndearnadh teagmháil leis sa chanbhasáil thuasluaite[50] faoi Dheireadh Fómhair.

Labhair an Rathghailleach le Mac Néill agus d'aontaigh seisean a bheith ag an gcruinniú, 11 Samhain. Bhí a fhios ag Mac Néill cé as a dtáinig an cuireadh seo. 'Ní raibh aon amhras orm ná gur tháinig an bheirt[51] fhear seo chugam ó sheanpháirtí na láimhe láidre arbh í a n-eagraíocht Bráithreachas Phoblacht na hÉireann agus ní raibh mórán amhrais orm ach oiread faoin méid a rabhthas ag súil leis uaimse.'[52] Tá athleagan ar chuid eile de chuimhní cinn

---

[49] *Irish Independent*, 24 Aibreán, 1961. '. . . . in an organ read by Gaelic Leaguers only; it did not attract much attention from the public. But it was noticed by some I.R.B. men—notably Éamonn Ceannt, who had only just joined the Brotherhood. . . . It is recorded in my diary* that on Monday, November 10th I was visited in the *Evening Telegraph* office in Middle Abbey Street by Bulmer Hobson, who was " centre " of my I.R.B. circle and who was accompanied by Ceannt, who had recently been sworn in to the same circle.

Hobson referred to the article in the *Claidheamh Soluis* and told me that contact had been made with Mac Neill (probably through Ceannt) and that he had agreed to attend a meeting to discuss the possibility of starting a force of Irish Volunteers. The meeting, he said, would be in Wynn's Hotel on the following night. He asked me to attend and I promised to do so. My diary states that we had a long discussion on the subject.

Later I called round to the office of *Irish Freedom*, the I.R.B. monthly journal . . . and found Seán Mac Diarmada . . . I arranged to meet him on the following night and to go with him to Wynn's Hotel."

* Níor tugadh cead dom an dialann seo a iniúchadh.

[50] cf. nóta 17 thuas.

[51] Deir Hobson, *A Short History*, l. 17 agus an Rathghailleach, *Irish Times*, 8 Meitheamh, 1914, go raibh an Rathghailleach ina aonar nuair a rinne sé an chéad teagmháil le Mac Néill. Is dócha gur luaigh an Rathghailleach gur ó Hobson a tháinig sé agus go raibh cruinniú eile ann ag an triúr acu agus gurbh í an teagmháil seo a bhí in aigne Mhic Néill.

[52] Tagairt do Chuimhní Cinn Mhic Néill (nár foilsíodh) ag an Ath. F. X. Martin, O.S.A. in *I.H.S.*, iml. xii, uimh. 47, l. 260.

Mhic Néill tugtha ag an Athair F. X. Martin, O.S.A.[53] mar leanas:

> Deir sé ansin go raibh sé de cháil air féin ar fud na tíre i ngeall ar a chuid oibre i gConradh na Gaeilge go mba fear tírghrá é a raibh tuairimí measartha polaitíochta aige agus dá bharr sin go mb'oiriúnach é mar cheann le náisiúnaithe nach raibh ar aon tuairim le chéile a thabhairt chun aontais.

Chuir Mac Néill féin leis an méid seo:

> Níl aon amhras orm ná gurbh é seo an chaoi ar cheap cuid de lucht molta na láimhe láidre mise a bheith úsáideach. Ó mo thaobhsa de, níorbh aon teoirí mé, ar son na láimhe láidre ná ina haghaidh.[54]

Nuair a fuair Hobson scéala ón Rathghailleach go raibh Mac Néill toilteanach comhoibriú leo[55] chuireadar beirt amach na cuiridh don chéad chruinniú. I láthair ann bhí Eoin Mac Néill, an Rathghailleach, Seán Mac Giobúin, Seán Mac Diarmada, Éamonn Ceannt, Piaras Béaslaí, Séamas Ó Conchúir, Roibeard Page, Pádraig Mac Piarais, W. J. Ryan, Séamas Deakin, Seosamh Mac Cathmhaoil, agus Colm Ó Lochlainn.[56] Bhí seachtar acu seo ina gcomhaltaí den Bhráithreachas: Seán Mac Diarmada[57]

---

[53] *loc. cit.* Nuair a thosaigh mé ar an obair seo i 1960 tugadh le tuiscint dom go mbeadh deis agam páipéir Mhic Néill a úsáid. Níor tugadh an cead dom áfach agus níor freagraíodh an litir dheiridh a sheolas chuig an sealbhaitheoir.

[54] *loc. cit.*

[55] Hobson, *A Short History*, l. 17 agus na leaganacha dá stair i LNE 12178, l. 36 agus 12177, l. 29.

[56] Tá an liosta i Hobson, *op. cit.*, ll. 17, 18. Níl ainm an Lochlannaigh sa leagan ls. i LNE 12177, l. 29. Níl ainmneacha Page, an Chonchúraigh ná an Lochlannaigh ag an Rathghailleach i measc na ndaoine a bhí i láthair ag an gcéad chruinniú, *The Secret History of the Irish Volunteers*, l. 3. Ag éirí as sin, dúirt Hobson níos déanaí (luaite ina chuidsean de *The Irish Volunteers 1913-1915*, l. 26, F. X. Martin, eag.), go raibh seans nach go dtí 14 Samhain, 1913, nuair a bhí cruinniú eile ann, a tháinig an triúr sin isteach ar an gCoiste. Tá Hobson níos fearr mar fhoinse agus mar staraí ná an Rathghailleach—bhí cúiseanna eile seachas stair le paimfléad an Rathghailligh—agus bhí cóip den phaimfléad sin ag Hobson agus a stair idir lámha aige. (Féach leis Hobson i 1947, LNE 13170.)

[57] Lynch, *The I.R.B. and the 1916 Insurrection*, l. 96.

Ceannt,[58] Deakin,[59] an Béaslaíoch,[60] an Conchúrach,[61] Page,[61a] agus an Lochlannach.[61b] Níorbh fhada go mbeadh an Piarsach leo agus ós rud é nár ghlac Ryan ná Seosamh Mac Cathmhaoil a thuilleadh páirte in eagrú na gluaiseachta is follas gurbh é an Bráithreachas a bhí á heagrú. Bhain an Rathghailleach agus an Giobúnach le Sinn Féin. Níor ghlac Deakin a thuilleadh páirte sa ghluaiseacht ach oiread. Seans gur de bharr go raibh sé ar Ard-chomhairle Bhráithreachas na Poblachta a measadh gurbh fhearr gan scarúnaí chomh clúiteach leis a bheith ar an gCoiste Sealadach. Más rud é go rabhthas ag smaoineamh mar seo mhíneodh sé cén fáth nach raibh Hobson féin i láthair ag an gcéad chruinniú. Tugann Muiris Ó Mórdha níos mó eolais faoin gceist seo dúinn:

> D'fhonn droch-amhras do sheachaint, coimeádadh amach, le lán-toil a dtaoisigh féin (Tomás Ó Cléirigh), daoine gurbh eol iad do bheith ina réabhlóidithe.[62]

Ní thugann an Mórdhach a fhoinse don eolas seo dúinn áfach agus níor éirigh liom é a aimsiú i measc a chuid páipéar. Bhí Hobson ar ais arís ar an ardán nuair a bunaíodh na hÓglaigh go poiblí ag cruinniú sa Rotunda an 25 Samhain, 1913, agus d'éirigh Deakin an an mBráithreachas am éigin sa bhliain 1914.[63]

Nuair a bunaíodh í go poiblí tharraing an ghluaiseacht nua roinnt daoine isteach inti a bhí cheana féin ag beartú rud éigin cosúil léi a eagrú. Orthusan bhí Mícheál Mac an Bhreithiúin,[64]

---

[58] *ibid.*

[59] Lss. Hobson, LNE 13171.

[60] Lynch, *op. cit., loc. cit.*

[61] *ibid.*

[61a] *ibid.*

[61b] *ibid.*

[62] *Tús agus Fás Óglach na hÉireann*, l. 23. Níl an abairt thábhachtach seo sa leagan Ls. i LNE 10555 agus ní raibh sé sa leagan a sraithfhoilsíodh san *Irish Press* i 1938. Is dócha gur cuireadh isteach é sa leagan a tugadh do Liam Ó Rinn le haghaidh aistriúcháin.

Féach freisin *Seán T.*, l. 129.

[63] Hobson chugamsa 12 Nollaig, 1961.

[64] I *The Irish Nation*, 22 Iúil, 1916, scríobh Mícheál Mac an Bhreithiúin: '. . . In July, 1913, I endeavoured to interest some of my friends in the formation of a body of Nationalist Volunteers but owing to the manner in which the Ulster movement had been treated as a huge joke. . . I did not succeed in arousing any enthusiasm among those whom I consulted with one exception . . . Mr. Peter O'Reilly.' Bhí Peadar Ó Raghallaigh ar an gCoiste sealadach chomh maith, agus is léir gur de bharr a gcéad iarrachtaí a glaodh ar an mbeirt seo.

ball den A.O.H., duine an-neamhspleách mar a fheicfear nuair a bheidh mé ag trácht ar an gcleamhnas éigeantach a bhuail Mac Réamoinn ar an ngluaiseacht sa Samhradh, 1914, agus arís ar an scoilt a tháinig leis na Réamonnaigh i Meán Fómhair, 1914. Is féidir Ruairí Mac Easmainn a áireamh orthusan a bhí ag beartú rud éigin a dhéanamh faoin gceist.[65] Fear é a raibh ainm tuillte aige i seirbhís Chonsalachta na Breataine, a bhí geallta leis an gConradh, a thug tacaíocht do *Sinn Féin* agus a bhí ina sheanchara agus ina phátrún ag Hobson. Fear eile ar féidir é a áireamh orthu Muiris Ó Mórdha,[66] duine de na corr-shaighdiúirí gairmiúla a tháinig isteach sna hÓglaigh gan morán moille i ndiaidh a mbunaithe.

Bhí bonn leathan faoin gCoiste Sealadach ach ní raibh aon duine a bhí go hoscailte i measc lucht leanúna Mhic Réamoinn air de bhrí nach bhfuair an eagraíocht nua a bheannachtsan, agus d'imíodar saor gan aire uaidh ar feadh cúpla mí.

Ach díreach nuair a bunaíodh Óglaigh na hÉireann ba léir go raibh na hairm eile a bheadh ar ball ina gcomhghuaillithe acu, is é sin Arm na Saoránach agus na Hibernian Rifles, níos faide uathu ná mar a bhí riamh.

Ba ghlórach iad comhaltaí Arm na Saoránach sa Rotunda ag cur i gcoinne chuid de chomhaltaí an Choiste Shealadaigh.[67] Cé go raibh Séamas Ó Conghaile níos cúramaí ná iad, mar sin féin scríobh sé gurb é céad-ghnó lucht oibre an domhain an scéal a réiteach idir iad féin agus a gcuid máistrí—ag tosú ina dtír féin.[68]

---

[65] Féach l. 8 thuas faoi fhórsa Óglaigh Lár na Tíre, agus an teileagram a sheol sé chuig an gcruinniú den Civic League as ar bunaíodh Arm na Saoránach, teileagram inar nocht sé go raibh sé as súil go leathnófaí an druileáil is an armáil. Tá focail an teileagraim i White, *Misfit*, l. 25.

[66] I Leagan dá stair (Lss. LNE 10555) scríobh an Mórdhach: '. . . the idea wasn't new to my mind. I had often in the past considered how and under what guise such a body could be formed. . . .' Agus sa leabhar léitear go raibh sé tar éis críoch a chur le ' cunntas ar shaoghal Sheoirse Hanraí Uí Mhordha, fear do tharraig suas, sa bhliain 1861, scribhinn gur theideal di " First Ideas for Irish Volunteers." '

[67] *The Irish Worker*, 29 Samhain, 1913.

[68] *ibid.* ' The first duty of the working class of the world is to settle accounts with the master class of the world—that of their own country at the head of the list.'

San uimhir chéanna den *Irish Worker*[69] bhí fógra ó na Hibernian Rifles á rá go raibh siad réidh chun comhoibriú go síochánta le haon Fhórsa Náisiúnta óglach a bhunófaí as sin amach. Is é an tábhacht atá leis an bhfógra sin dúinne anseo ná nach raibh an fógra céanna le feiceáil i leathanaigh *Irish Freedom*, ná an *Volunteer Gazette*, ná fiú san *Irish Volunteer* nuair a thosaigh sé sin i mí na Feabhra, 1914, cé go mbíodh sé go rialta le feiceáil san *Irish Worker*. Rud eile faoin A.O.H. (I.A.A.) gur cuireadh le cibé cabhair airgid a fuair a gcuid comhaltaí ón gCeardchumann an fhad a lean an frithdhúnadh trí tháille a ghearradh ar na comhaltaí nach raibh ar stailc.[70]

Agus muid ag plé leis an A.O.H. (I.A.A.) táimid ag plé le heagraíocht leathrúnda agus, mar is gnáth le heagraíochtaí mar í tá sé fíor-dheacair teacht ar pháipéir ná ar aon fhoinse a thabharfadh fianaise dúinn ar a gcuid gnóthaí ó lá go lá. Tá níos mó eolais le fáil ó Bhealtaine, 1915, nuair a tháinig a n-iris *The Hibernian* ar an saol. Chonacthas sa réamhrá[71] an méid a cuireadh ina leith ó thaobh an tionchair a bhí ag Clan-na-Gael orthu. Séard a bhí i gClan-na-Gael, gan an iomad de stair inmheánach na gluaiseachta sna Stáit Aontaithe ó 1873 anall a ríomh, ná an chuid Mheiriceánach de Bhráithreachas na Poblachta. De ghnáth ní mór an tionchar a bhí acu ar a raibh an eagraíocht in Éirinn a dhéanamh agus go ginearálta ba é a bhí mar chuspóir acu gach tacaíocht ab fhéidir leo a thabhairt don Bhráithreachas sa bhaile.[72] Níl ach tagairt amháin don A.O.H. (I.A.A.) i *Devoy's Post Bag*, litir a scríobhadh chuig Devoy, 5 Feabhra, 1907, á iarraidh ar cibé tionchar a bhí aige ar an A.O.H. sna Stáit Aontaithe a úsáid d'fhonn an I.A.A. d'aithint. Tá seans gurbh í sin an litir ba chúis le cuairt na dteachtaí Meiriceánacha i 1909, a luaitear sa réamhrá.[73] B'fhéidir gur ábhar tábhachtach é seo i bpolaitíocht inmheánach na nGael i Meiriceá ach ní dhealraíonn sé gur mó an bá a bheadh leo ag an mBráithreachas ná ag na hÓglaigh, mar nár ceadaíodh idirdhealú ó thaobh creidimh ná aicme iontusan an uair gur Chaitlicigh amháin a bhí san A.O.H. (I.A.A.). Taispeánfar thíos

[69] *The Irish Worker*, 29 Samhain, 1913.

[70] *The Irish Worker*, 27 Nollaig, 1913.

[71] ll. i agus ii, thuas.

[72] *Devoy's Post Bag* (O'Brien agus Ryan eag.), iml. ii, ll. 434-4.

[73] cf. R. i agus ii thuas.

nach ró-charthanach a bhí dearcadh an Bhráithreachais orthu.[74] Tá sé tábhachtach go leor mar sin na difríochtaí a bhí eatarthu i Samhain, 1913, a thabhairt faoi deara, agus ag an am céanna pragmatachas Arm na Saoránach a aithint tráth ar ghlac siad leis an bhfógra úd. Comhartha é go raibh Arm na Saoránach sásta a dtualangacht mar chomhghuaillí san am a bhí le teacht a chothú. D'fhan Arm na Saoránach naimhdeach don Bhráithreachas agus do na hÓglaigh ar feadh roinnt míonna fós, cé go ndealraíonn sé gur ó bheirt—Séamas Ó Lorcáin agus Seán Ó Cathasaigh—a tháinig an chuid is mó den aighneas sin mar a bheidh soiléir síos anseo.[75]

Tháinig an Coiste Sealadach le chéile de thoradh 'mutual invitation'[76] agus comhthoghadh. Tá sé chomh maith mar sin cleamhnú na gcomhaltaí a ríomh. Roimh theacht lucht leanúna Mhic Réamoinn tríocha an méid is mó a bhí ar an gCoiste agus orthusan bhí sé dhuine dhéag ina gcomhaltaí den Bhráithreachas de réir liosta Dhiarmaid Lynch.[77] Ba iad sin an Piarsach, Mac Donncha, an Pluincéadach, Hobson, Ceannt, an Máirtíneach, an Colbardach, Pádraig Ó Riain, an Lonargánach, Page, Seán Mac Diarmada, an Maolíosach, an Conchúrach, an Béaslaíoch, an Lochlannach, agus an Maicíneach. Oifigigh de chuid Fhianna Éireann a bhí i gcúigear acu seo—an Máirtíneach, an Colbardach, an Rianach, an Lonargánach, agus an Maolíosach, agus is dócha gur thug a leas-uachtarán Hobson isteach ar an gCoiste iad.[78] Ba i ndiaidh bunaithe na nÓglach a chuaigh an Piarsach[79] agus an Pluincéadach[80] faoi mhóid an Bhráithreachais agus is dócha go mb'ionann scéal do Thomás Mac Donncha. I liosta de chuid Hobson, liosta a d'ullmhaigh sé do Joe McGarrity i 1934, luann sé Page mar 'non-party.'[81] De bhrí go raibh Page i láthair ag an gcéad chruinniú, 11 Samhain, 1913, tá mé ag glacadh leis go bhfuil liosta an Loinsigh cruinn, go háirithe ó tharla go ndúirt Page é

[74] Féach l. 31 thíos.

[75] Féach ll. 23, 29, 30, 32, 40, 41, 43, 44, 46, 47, 48, 49, 53, 54 thíos.

[76] Oráid Mhic Néill ag an gcéad Chomhdháil de na hÓglaigh, *Irish Volunteer*, 31 Deireadh Fómhair, 1914.

[77] Páipéir Lynch, LNE 11130. Lynch, *The I.R.B. and the 1916 Insurrection*, l. 96.

[78] *Na Fianna Éireann* (Baile Átha Cliath, 1912).

[79] cf. nóta 46 thuas.

[80] Hobson chugamsa 9 Lúnasa, 1962.

[81] Lss. Hobson LNE 13171.

féin liom[82] go raibh sé ina chomhalta ag an am. Ar na daoine eile a bhí ar an gCoiste bhí Mac Néill,[83] an Mórdhach,[84] an Rathghailleach,[85] Ruairí Mac Easmainn,[86] Mícheál Mac an Bhreithiúin[87] agus Peadar Ó Raghallaigh[88] luaite cheana féin. Mar aon leo bhí Labhrás Mac Coitil, Seán Mac Giobúin, S. Breathnach, S. Ó Lionnacháin, P. de Faoite, S. Gore, L. S. Gogán agus am éigin i mí na Feabhra nó i Mí Márta, 1914, T. M. Mac Coitil. Ba shaineolaí ar mhionairm é Labhrás Mac Coitil agus fear mór raon raidhfil leis, a bhí i gceannas ar Oibreacha Aibhléise Bhardas Átha Cliath,[89] áit a mbíodh P. de Faoite[90] ag saothrú freisin. De bhrí go raibh Ceannt ag obair leis an mBardas chomh maith is dócha gurbh eisean a thug an cuireadh dóibh beirt. Bhí an Conchúrach ag obair in oifig an dlíodóra, Gore,[91] agus ós rud é gur chomhalta den Banba National Rifle Club é an Breathnach[92] tá gach cosúlacht ar an scéal gur ó L. Mac Coitil a tháinig an cuireadh chuigesean. Bhí an Lionnánach san A.O.H.[93] agus is é is dóichí gur le Mícheál Mac an Bhreithiúin a tháinig seisean isteach. Bhí an Giobúnach gníomhach i Sinn Féin,[94] rud a thabharfadh le tuiscint gurb é an Rathghailleach a rinne teagmháil leis-sean, agus ba é a thug an cuireadh do L. S. Gógan.[95] Ní raibh aon Réamonnach mór le rá

[82] Seanduine a bhí ann san am agus ní raibh sé sásta aon rud a scríobh síos dom. De bhrí gurbh é an t-aon chomhalta den Bhráithreachas a chuaigh ón gCoiste Sealadach go dtí na hÓglaigh Náisiúnta nuair a tharla an scoilt le lucht leanúna Mhic Réamoinn, i Meán Fómhair, 1914, is dócha go ndearna Hobson dearmad go raibh Page tráth ina chomhalta den Bhráithreachas.

[83] cf. ll. 8-10, 12 thuas.

[84] cf. l. 16, thuas.

[85] cf. ll. 13-14 thuas.

[86] cf. ll. 8, 15 thuas.

[87] cf. l. 15 thuas.

[88] cf. l. 15 (nóta 64) thuas.

[89] An Piarsach chuig Devoy, 12 Bealtaine, 1914, i *Devoy's Post Bag*, Iml. ii, lch. 440.

[90] An Piarsach *Op. cit.*, l. 441. Ba scairshealbhóir i gComhlacht Clódóireachta Shinn Féin P. De Faoite tráth (Lss. Sinn Féin LNE 2138) agus tá seans gur dá bharr san a glaodh air.

[91] *The Irish Worker*, 20 Meitheamh, 1914.

[92] Col. D. Bryan, *University Review*, iml. ii, uimh. 11, l. 52.

[93] An Piarsach, *loc. cit.*

[94] *ibid.*

[95] *Irish Times*, 26 Samhain, 1963.

ar an gCoiste go dtí gur comhthoghadh Tomás Mac Coitil ar an gCoiste agus ba é an duine deiridh é a comhthoghadh.[96]

Ach más rud é nach mór an tionchar a bhí ag na Réamonnaigh ar an gCoiste thiocfadh leat a rá gurbh é an Maicíneach, iarbhardasach den Lucht Oibre[97] agus ball de Cheardchomhairle Átha Cliath, an t-aon duine den tríocha a raibh aon teagmháil aige le cinnirí na n-oibrithe d'ainneoin, mar a chonacthas thuas, chomh báúil is a bhí *Irish Freedom* lena gcúis. Ba chara leis an gConghaileach an Máirtíneach ó 1912 i leith[98] agus chuir sé an Maolíosach in aithne dó. Chuidigh deirfiúr Grace Gifford,[99] a phós an Pluincéadach ar ball, le deis a thabhairt don Lorcánach a óráid dhrámatúil—cé gur ghearr mar óráid í—a dhéanamh ar 31 Lúnasa, 1913, ó cheann d'fhuinneoga an Óstlann Imperial. Bhí deirfiúr eile pósta le Tomás Mac Donncha agus bhíodar beirt faoi anáil an Chuntaois Markievicz.[100] Tá nasc caidrimh eile le feiceáil i bhFianna Éireann ina raibh An Chuntaois, Hobson, an Lonargánach, an Colbardach, an Rianach, an Máirtíneach, agus an Maolíosach mar oifigigh. Bhí clann mhac an Lorcánaigh ag freastal ar Scoil Éanna san am.[101] Ach níor tháinig bláth ar an gcaidreamh seo ó thaobh comhoibriú ná cairdis ná ó thaobh gníomhaíocht a chomheagrú sna laethanta tosaigh seo mar gheall ar choimhlint aonarach na n-oibrithe agus gangaid an Chathasaigh.

Agus gluaiseacht na nÓglach ag forleathadh ar fud na tíre rinne cuid de chiorcail an Bhráithreachais iarracht ar chomhaltaí den Bhráithreachas a chur sna hoifigí ba thábhachtaí. Go luath i Mí na Nollag, 1913, bhí comhthionól den Bhráithreachas san Foresters Hall ag ar thug D. Mac Con Uladh agus Diarmaid Ó Loinsigh óráidí. De réir an Loinsigh ba é fáth na hócáide:

---

96 Mac Néill chuig Mac Réamoinn, 4 Iúil, 1914, Lss. Hobson LNE 13174 (10) Mac Néill chuig Figgis, 12 Bealtaine, 1914, Lss. Hobson LNE 13174 (3).

97 An Piarsach, *loc. cit.* Dúirt a fhear láir sa Bhráithreachas—George Lyons—le Diarmuid Lynch go raibh an Maicíneach, ' nominated,' ' because of his appeal to Labour.' (Lss. Lynch LNE 11130).

98 An Máirtíneach chugamsa, 10 Lúnasa, 1962.

99 An Faolánach, *Countess Markievicz*, l. 164.

100 *The Cork Examiner*, 8 Bealtaine, 1916.

101 Deasún Ó Riain i léacht dar teideal *St. Enda's Fifty Years After* ar Radio Éireann, 10 Aibreán, 1958. (Foilsíodh an léacht sin níos déanaí ar uimhir Iubhaile an *University Review* agus thug an Rianach seach-chló de dom chun cabhraithe liom san obair seo.)

COISTE ÓGLAIGH LÁR NA TÍRE

Ar chúl, ó chlé : Peadar Ó Briain, Alf Warby, Seán Ó Maoileanaigh, Patsaí Ó Dúnaigh
Chun tosaigh, ó chlé : Mícheál Mac Thoirealaigh, Séamas Mac Eochaidh
Pádraig Mac Conchruachan

béim a chur ar dhualgas an Bhráithreachais tacaíocht iomlán a thabhairt i mbunú complachtaí d'Óglaigh na hÉireann, agus comhaltaí den Bhráithreachas a thoghadh ina n-oifigigh nuair ab fhéidir é.[102]

Cé gur trí thoghchán a ceapadh na hoifigigh ba léir go raibh sé oiriúnach go roghnófaí mar oifigigh iadsan a raibh taithí acu ar chúrsaí míleata agus ar dhruileáil. Ós rud é go raibh an Bráithreachas cheana féin ag baint usáide as oifigigh Fhianna Éireann chun druileála[103] bheifí ag súil go mbainfeadh na hÓglaigh úsáid astu freisin. Chuige sin ghlac Fianna Éireann le riail a leag síos go n-aistreofaí gach Fiannaí, a bhí seacht mbliana déag d'aois agus a raibh céim Leifteanaint bainte amach aige, go dtí Óglaigh na hÉireann.[104] Deir an Máirtíneach níos mó fúthu:

> Tuigeadh fiúntas na bhFianna agus tugadh aitheantas dó nuair a bunaíodh Óglaigh na hÉireann i 1913. Gach áit ar bunaíodh Complachtaí de na hÓglaigh—rud a bhí ag tarlú go han-sciobtha—sholáthraigh na Fianna áitiúla oifigigh agus teagascóirí dóibh. Bhí na hoifigigh a raibh baint acu le Bráithreachas Phoblacht na hÉireann, agus Liam Ó Maolíosa, ina gcomhaltaí den Choiste Sealadach agus toghadh ar an gCoiste Feidhmeannais iad ag an gcéad Chomhdháil d'Óglaigh na hÉireann. Bhí baint acu freisin leis an bhFochoiste Míleata agus nuair a d'fhaighidís céim Chaptaein ar na hÓglaigh, théidis thart ó halla go halla, oíche i ndiaidh oíche chun Oifigigh Neamhchoimisiúnta a thoghadh agus chun treoir a thabhairt faoin gcúrsa traenála. Mar a bheifí ag súil, toghadh na fir óga ó Bhráithreachas Phoblacht na hÉireann mar Oifigigh Óglach tar éis a dtraenála. Nuair a bunaíodh an eagraíocht do dhaoine fásta ligeadh an Maolíosach saor ó na Fianna le bheith ina Eagraí ar an dream nua.[105]

Bhí na socraithe seo uile ar fheabhas ó thaobh an Bhráithreachais de ach le mear-fhás na gluaiseachta tríd an tír ar fad níor leor iad chun greim daingean a choimeád uirthi. Mar shampla,

---

[102] Lynch, *The I.R.B. and the 1916 Insurrection*, l. 23.

[103] cf. l. 5 thuas.

[104] Eamon Martin, *A Brief Outline of Fianna Éireann, 1909-1915*. Níl an saothar seo i gcló ach thug an t-údar clóscríbhinn de ar iasacht dom.

[105] Martin, *op. cit.*

níor dearnadh aithris ar an modh inar choinnigh an Bráithreachas greim ar Fhianna Éireann.[106] B'fhéidir go raibh an Coiste Sealadach ró-mhór do ghníomh mar é. Is é mo mheas go raibh Óglaigh na hÉireann ró-mhór le bheith faoi choimeád ag aon dream amháin agus nach raibh a ndóthain fear ag an mBráithreachas agus ag na Fianna le chéile chun iarracht a thabhairt faoi. Dúirt an Mórdhach,[107] mar shampla: ' Ba mise an t-aon oifigeach traenáilte in Óglaigh na hÉireann ach bhí sáirsintí agus ceannairí gan teorainn againn a bhí ábalta agus sásta gach rud a dhéanamh a raibh gá leis don traenáil tosaigh. Thairis sin, bhí tuairim 20,000 cúltacaí agus fir taca speisialta mar chnámh droma láidir san eagraíocht.'

Ba é sin an saghas eagraíochta a tháinig ar an saol, gach aicme páirteach ann idir comhaltaí den Bhráithreachas agus cúltaca arm Shasana. Más rud é nár thug Mac Réamoinn aon aird orthu i dtosach báire níorbh amhlaidh do Rialtas Shasana a d'aithnigh go luath a dtualangacht agus a d'fhoilsigh Forógra Ríoga i gcoinne importáil arm go hÉireann chomh luath le 4 Nollaig, 1913.[108] Is cinnte go raibh Óglaigh na hÉireann ar aigne acu agus an Forógra sin á fhoilsiú. Chuir sé cosc ar ndóigh le haon mhór-importáil ach de réir cosúlachta bhí stoc ag roinnt de na soláthraithe arm i mBaile Átha Cliath fós—feictear fógra, mar shampla, in eagrán an Aibreáin de *Irish Freedom* ag tairiscint gunnaí fiaigh agus gunnán.

Toradh amháin a tháinig ar an bhForógra ná an chéad ghníomh cairdis ó aon chinnire de chuid an Lucht Oibre. Rinne an Conghaileach comhbhrón leo san eagarfocal ar an *Irish Worker*, 13 Nollaig, 1913, ach tugadh ionsaí faoi Mhuintir Mhic Coitil sa chéad eagrán eile, rud a laghdaigh éifeacht an chomhbhróin.

D'athoscail Deasún Ó Riain an tseandíospóireacht, áfach, san eagrán sin den *Irish Worker* le halt faoin ainm cleite ' Granuaile.' San alt seo dúirt sé go raibh cogadh ar bun in Éirinn idir an tImpiriúlachas agus an Náisiúnachas, chomh maith leis an troid idir aicmí. Chuir sé i gcoinne argóintí eacnamaíochta an Ghríofaigh in aghaidh ghluaiseacht an Lucht Oibre agus thagair sé do Shéamas Ó Conghaile mar phointe aontais. Is suimiúil é go raibh

---

[106] cf. l. iii thuas.

[107] Lss. an Mhórdhaigh, LNE 10560.

[8] *Royal Commission of Enquiry*, l. 119.

alt fada in *Irish Freedom*, Nollaig, 1913, fabhrach don Lucht Oibre chomh maith.

Ach bhí sé ró-luath fós le go mbeadh toradh ar chomharthaí cairdis mar seo agus ba é a tháinig astu ná sciolladóireacht ó pheann an Chathasaigh—' An Open Letter to Workers in the Irish Volunteers.'[109]

Tháinig an *Irish Volunteer* ar an saol beagáinín ina dhiaidh sin, ach dhiúltaigh siad páirt a ghlacadh san argóint seo leis an gCathasach. Níor thaitnigh an ciúnas seo leis an gCathasach agus tá beagáinín den éadóchas san ' Open Letter.' Mar a tharla, bhí comhaltas Arm na Saoránach, a bhí tráth suas le 1,000 fear,[110] ag titim, ní hamháin mar gheall ar dheireadh na stailce is an fhrithdhúnadh ach freisin trí tharraingt na gluaiseachta nua a bhí ag dul ó neart go neart is ó réim go réim.[111]

Ach d'fhill Deasún Ó Riain ar an argóint leis agus arís san *Irish Worker*[112] in alt faoin teideal ' Labour Nationality and the Political Question ' bhreac sé síos dearcadh an Chathasaigh mar

---

[109] *The Irish Worker*, 24 Eanáir, 1914:

'Many of you have been tempted to join the much talked of movement by the wild impulse of genuine enthusiasm. You have allowed yourselves to be carried away by words—words—words. You have momentarily forgotten that there can be no interests outside of those identified with your own class. . . . Workers, this movement is built on a reactionary basis, that of Grattan's Volunteers. Are you going to be satisfied with a crowd of chattering well-fed aristocrats and commercial bugs coming in and going out of College Green ? Are you going to rope Ireland's poor outside the boundaries of the Nation ? . . .

They tell us too the Volunteers are for all classes. . . . It is stated that their manifesto is signed by a member of the Sinn Féin Executive, the U.I.L. Executive and the A.O.H. Executive—a blessed and unimpeachable political trinity !

There is no mention of the Workers' Executive. We know why. There must be hundreds of workers in the volunteer movement. To you I say, don't make d . . . fools of yourselves. Stand by no movement that does not avow the principles of Tone and Mitchell and Lalor. . . .

Use or reserve for ultimate use all your mental and physical energies towards the advancement of your own class.'

[110] P. Ó Cathasaigh, *The Story of the Irish Citizen Army*, l. 31.

[111] *Op. cit.*, ll. 8, 9, 11.

[112] 31 Eanáir, 1914.

> . . . dhearbhú gur rud gan chiall é an tírghrá i gcomórtas le coimhlint aicmeach, sin nó meon seanaimseartha nach bhfuil oiriúnach in aois idirnáisiúnta. . . .

agus ghearán sé faoi

> bholscairí áirithe ar son Sóisialachais agus ar son an Lucht Oibre, a thug oilbhéim gan gá do mheon agus traidisiún Náisiúnta, le díograis inmhaite agus le agóid chorraithe in aghaidh éagóra i gcúrsaí saolta.

Bhí an Rianach cairdiúil go leor ach níorbh aon chabhair dó sa chás seo freagra eile ar an gCathasach, an uair seo ó Shéamas Mac Gabhann.[113] Dúirt seisean go raibh an chuid is fearr de mhuintir na hÉireann sna hÓglaigh agus dá leanfadh oibrithe na tíre de réir a dtraidisiún, go bhféadfadh Poblacht na hÉireann a theacht ar an saol go luath in ainneoin ghrágaíl leithéid Sheáin Uí Chathasaigh.[114]

Cé go raibh freagra mar seo sothuigthe is follas nár réitigh sé cleiteacha an choiligh dheirg i Halla na Saoirse.

Taobh le taobh leis an díospóireacht leanúnach seo tá fianaise ann nach ró-mhaith a bhí ag éirí leis an mBráithreachas agus a gcuid pleananna do na hÓglaigh, a bhí mar a dúirt mé ró-mhór anois le bheith faoi smacht ag mionlach ar bith—dá dhoichte a smacht orthu. Ná ní raibh an chaithréim gan bhac ag na hÓglaigh ach oiread.

Cé go gcuireann *Irish Freedom*, Feabhra, 1914, meath beag i líon na gcomhaltaí i bhFianna Éireann i leith na nÓglach agus an méid a thug na Fianna dóibh[115] agus cé go gcuireann siad béim air, agus iad dáiríre faoi, gur chreideadar gur comhoibriú iomlán idir na fórsaí uilig a bhí eagraithe in aghaidh Shasana ab fhearr

---

[113] *The Irish Worker*, 7 Feabhra, 1914.

[114] 'I regret to see that Seaghan Ó Cathasaigh sounds the discordant note on the question of the newly-formed Irish National Volunteers. . . . The Volunteer Movement provides a common meeting ground for the best and most progressive elements in Irish life. . . .

This movement, in spite of the croaking of self-constituted prophets like Seaghan Ó Cathasaigh, will yet make history and if the workers of Ireland prove true to their traditions an Irish Republic may be an event in the near future. The fact that men like Pearse, Macken and honest Tom Kelly are identified with the organisation is sufficient guarantee that the interests of the workers shall not be trampled upon'

[115] cf. ll. 21, 22 thuas.

a thabharfadh toradh ar an idéal a bhí acu,[116] ag an am céanna mheasfá nach ar an dóigh ab ansa leo a bhí an ghluaiseacht nua ag cruthú.[117]

Bhí gach cúis acu a bheith neirbhíseach faoin dóigh a raibh siad ag cruthú óir bhí alt ag an saighdiúir ba chlúití ar na hÓglaigh, an té a bhí le bheith mar Chigire Ginearálta orthu, Muiris Ó Mórdha, san *Irish Volunteer* inar scríobh sé faoi ghnó na nÓglach ' gurbh é sin an chéad uair ó am na gCogadh Seacaibíteach a bhí Náisiúnaithe na hÉireann ar thaobh Cirt Bhunreachtúil agus Rialtais Pharlaiminte,' agus ag plé teagmhas ionraidh dó ba ionsaí ón nGearmáin a bhí i gceist aige, rud nár réitigh an Bráithreachas leis, mar a chonacthas thuas.[118]

Bhí Mac Néill áfach níos daingne ina chuid smaointe ná sin:

> Ní ghéillfidh muid arís do rialtas a úsáideann fórsa nó coirptheacht. Ach más é seo atá de rogha againn ar rialtas dár gcuid féin agus cinnte níl aon rogha eile ann, caithfidh muid a bheith réidh le cur ina aghaidh.[119]

agus bhí insint eile, seachas insint an Mhórdhaigh, ar ghnó na nÓglach sa Bhunreacht Sealadach, foilsithe san uimhir chéanna:

1. To secure and maintain the rights and liberties common to all the people of Ireland.
2. To drill, discipline, arm and equip a body of Irish Volunteers for the above purpose.
3. To unite for this purpose Irishmen of every creed and every party class.[120]

Ach ba rud réalach an Forógra Ríoga agus is follas go raibh sé ag cur bac ar na hiarrachtaí a bhí á ndéanamh chun an dara cuspóir sin a chur i ngníomh. Cé go raibh Mac Néill ag plé cheist an Fhorógra go réchúiseach, bhí teannas le mothú sa mhéid a scríobh sé.

---

[116] '. . . we believed, and still believe, that our ideal is best served by co-operation with all the forces organized against England and we are proud of the fact that we have been able to co-operate. . . .'

[117] 7 Feabhra, 1914. ' In a sense, then the Fianna have been the pioneers of the Volunteers; and it is from the ranks of the Fianna that the Volunteers must be recruited.'

[118] cf. l. 2 thuas.

[119] *Irish Volunteer*, 7 Feabhra, 1914.

[120] *ibid.*

Dúirt sé nach mbeadh ciall le raidhfilí a cheannach as éadan agus gur chuir an Forógra cosc leis sin. Cheap sé gurbh é traenáil agus druileáil na bhfear an gnó ba thábhachtaí ag an am sin agus go bhféadfaí raidhfilí a fháil gan ródheacracht nuair a bheadh gá leo.[121]

Ar ndóigh níl fianaise ar bith ann go raibh aon duine sna hÓglaigh ag cur tuairisc faoi shaghsanna eile raidhfilí a bhí á ndéanamh, agus is beag iarracht a bhí á dhéanamh ag an am ar iad a importáil. Bhí Mac Néill, agus an ceart aige is dócha, ag cur an ama i bhfad.

Ag an am céanna áfach, tá éirí croí gan chúis, nó comhairle in aice lena thoil i bportráid Éamonn Cheannt den ' Volunteer Giant '[122]:

> Bhí daoine as gach uile pháirtí agus daoine nár bhain le pairtí ar bith ina gcarais Chríost aige. Chogar daoine áirithe go raibh amhras orthu faoi ionraiceas a thuismitheoirí, cheap daoine eile gur mhaith leo é a bheith ar a n-altramacht féin, ach ba ghearr gur éirigh tuismitheoirí agus carais Chríost chomh bródúil as agus d'fhás sé chomh hiontach sin go bhfuil an fathach beag anois, agus é naoi seachtainí d'aois, ag cur nasc idir páirtithe agus daoine mar a dhéanann leanaí . . . (ag caint leis an ' bhFathach ' anois), seans maith gur ortsa a bheidh ualach na troda ar son Éire ina náisiún.

---

[121] *ibid.* ' Anything like the wholesale purchase of rifles would have been folly, and the proclamation, perhaps, prevented that. There is little doubt that before rifles are again used in war that a vastly improved pattern will have appeared on the market. . . . At the same time there must be quite enough rifles for drill purposes, and small batches of Volunteers could be drilled in the various halls with borrowed rifles. For the present everything should be subordinated to building up the movement itself, getting men into it, seeing that they are properly disciplined and drilled and then when they are ready and when the need arises, procuring rifles will not present so much difficulty. . . .'

[122] *Irish Volunteer*, 7 Feabhra, 1914.

Ach bhí an Mórdhach le huaillmhian míleata agus polaitíochta[123]—agus é ag gníomhú sa mhéid seo go neamhspleách ar a chomrádaithe ar an gCoiste Sealadach—ag plé socraithe chun athrú iomlán a dhéanamh i stádas na nÓglach. Bhí sé ag déanamh iarracht na hÓglaigh a úsáid mar chuntar saor-reaca sa bhfeachtas i gcóir Rialtais Dhúchais. Scríobh Horace Plunkett[124] chuige faoi seo, 17 Feabhra, 1914, ag rá gur chaith sé dinnéar i gcuideachta Seely[125] an oíche roimhe sin agus go raibh sé an-sásta le scéim an Mhórdhaigh cosantóirí áitiúla a thabhairt dó mar mhalairt ar Rialtas Dúchais. Ní raibh le bheith sna hÓglaigh ach arm áitiúil eile san Impireacht. (Is de bharr easpa fianaise a bhréagnaithe a ghlacaim leis nach raibh baint ag aon chinnire eile seachas an Mórdhach leis an ngnó seo.)

Ba chosúil, nuair a fógraíodh Bunreacht Sealadach,[126] go raibh na hÓglaigh ag déanamh iarracht eagar níos fearr a chur orthu féin. Bunaíodh roinnt fochoistí i mí Feabhra, 1914, agus is suimiúil a thabhairt faoi deara an méid de mhuintir an Bhráithreachais a bhí ina gcomhaltaí díobh. Ar an bhfochoiste Airgeadais a bunaíodh ' chun déileáil le cuntais ghinearalta, iad a dheimhniú agus a chur ar aghaidh chuig an gCoiste Sealadach '[127] ba é Seán Mac Diarmada an t-aon chomhalta den Bhráithreachas a bhí ar an gceathrar a bhí ann.[128] Ar an bhfochoiste a bhí i mbun eagraithe

---

[123] Cé gur scríobh an Mórdhach ' Go deimhin féin bhraithim fuath éigin a bheith agam do shlite oibre agus do bhéasa lucht polaitíochta tar éis an easaontais i dtaobh Pharnell, agus d'fhanfainn amach uatha ' (*Tús agus Fás Óglach na hÉireann 1913-1917*, l. 44; réitíonn sé seo leis an mbunleagan Béarla atá i LNE LSS. 10555) tá dhá litir i measc páipéar eile an Mhórdaigh ann (LNE 10561) ina bhfuil a mhalairt d'insint. Is ó Mhac Réamoinn, an 3 Deireadh Fómhair, 1913 a tháinig an chéad cheann. 'I have your letter of September 21st for which I am obliged. I shall not hesitate to avail myself of your offer when opportunity offers.' Tá an dara litir ó Mhac Réamoinn, an 21 Aibreán, 1915, níos deimhnithí fós. ' I have your letter of 19th. Speaking personally I may say I would be very glad to see you in Parliament. The situation in Tipperary as far as I understood it is that there is a likelihood of a considerable number of candidates.'

[124] Lss. an Mhórdhaigh, LNE 10561.

[125] Rúnaí Cogaidh na Breataine.

[126] Cf. l. 25 thuas.

[127] Lss. Hobson LNE uimh. 13174 (1).

[128] *ibid.* Ba iad an triúr eile an Rathghailleach, an Giobúnach agus

don tír ar fad taobh amuigh de cheantar Bhaile Átha Cliath[129]—bhí ceathrar den seisear ina gcomhaltaí den Bhráithreachas: Seán Mac Diarmada, Hobson, an Rianach agus an Maicíneach.[130] Ba é an fochoiste seo a 'sholáthraigh cainteoirí le haghaidh eagraíochta' agus is iad a

> dhréacht na foirmeacha éagsúla a d'úsáid Rannóg na Faisnéise ag an am agus foirmeacha eagraíochta, agus ba iad a d'ullmhaigh Scéim Eagair na gContaetha atá i bhfeidhm faoi láthair. Rinne siad socraithe le haghaidh toghchán oifigeach, Coistí Sealadacha agus Bord Contae.[131]

Bhain triúr den chúigear ar an bhfochoiste Feistis is Lóin leis mBráithreachas—an Pluincéadach, Page agus Ceannt.[132] Faoi chúram an fhochoiste seo bhí

> éide, suaitheantais, etc., a dhearadh agus socrú faoin a ndéanamh, agus trealamh na nÓglach (taobh amuigh d'airm) a chaighdeánú.[133]

Bhí seisear ar an bhfochoiste tábhachtach a bhí ag plé le cathair is contae Átha Cliath agus a bunaíodh leis ar 3 Feabhra, 1914, agus gan ach duine acu—Ceannt—ina chomhalta den Bhráithreachas.[134]

Coinníodh ceist na n-arm ciúin go fóill cé go bhfuair ceist neamhthábhachtach an éide a lán poiblíochta, go háirithe tríd an díospóireacht fhada faoi a tosaíodh san *Irish Volunteer*, 14 Feabhra, 1914.

Ach bhí teannais eile á nochtadh féin, mar is léir ón moladh, san eagrán céanna, go meascfaí gach aicme sa tír sna complachtaí agus nach ndéanfaí druileáil mar Foresters, nó mar Hibernians, nó mar chomhaltaí de Chonradh na Gaeilge. Seans gur scríobhadh é agus Arm na Saoránach ina n-aigne acu mar ag an am seo tháinig

---

Mícheál Mac an Bhreithiúin.

[129] *ibid.*

[130] *ibid.* Ba iad an bheirt eile an Mórdhach agus Mícheál Mac an Bhreithiúin.

[131] *ibid.* Is é an 't-am' sa tagairt ná 12 Lúnasa, 1914, nuair a thug siad an cuntas as ar tógadh an sliocht thuas.

[132] Lss. an Loinsigh LNE 11130. Ba iad an bheirt eile an Mórdhach agus Mícheál Mac an Bhreithiúin.

[133] Hobson, *A Short History*, ll. 51, 52.

[134] Lss. an Loinsigh, LNE 11130. Ba iad an cúigear eile an Mórdhach, an Breathnach, an Lionnachánach, Mícheál Mac an Bhreithiúin agus an Giobúnach.

an Captaen de Faoite—ag obair as a stuaim féin sa chás seo—agus

> thairg dhá chomplacht do choiste feidhmeannais na nÓglach . . . dá gceadódh an coiste feidhmeannais dóibh fanacht neamhspleách orthu agus comhcheangailte leo.[135]

Ní bheadh an Cathasach sásta glacadh leis na cúiseanna follasacha a bhí le diúltú na tairisceana seo.[136] Rinne an Maicíneach iarracht a thaispeáint don lucht oibre go raibh cosúlacht acu féin leis na scarúnaithe. Thug sé Tone mar shampla agus dúirt sé go gcaithfeadh scaradh dul le gníomhaíocht mhíleata agus an aidhm a bheith leis Éire a shaoradh trí mheán míleata.[137]

Ní raibh an Cathasach sásta agus thug sé fogha faoi na hÓglaigh arís, ag tagairt go háirithe do litir Shéamais Mhic Ghabhann a luadh thuas.[138]

D'fhiafraigh sé conas a thug páipéar oifigiúil Sinn Féin fogha faoin oibrí agus ' honest Tom Kelly ' ar choiste feidhmeannais na heagraíochta. Dúirt sé go raibh an Piarsach níos measa ná an chuid eile—thaisteal sé ar thramanna le linn na stailce agus an fear a bhí i mbun na dtramanna tar éis a rá go bhféadfadh an t-oibrí géilleadh nó fanacht ocrach.[139]

---

[135] P. Ó Cathasaigh, *The Story of the Irish Citizen Army*, l. 29.

[136] cf. l. 33 thíos. Ní thiocfadh leis na hÓglaigh a n-aitheantas soiléir a choimeád mara mbeadh iontu ach scáth coitianta faoin a mbeadh gach uile shaghas eagraíochta ag dul i dtreo a huaillmhéin féin.

[137] *The Irish Worker*, 14 Feabhra, 1914:

' To Wolfe Tone the connection with England was the one evil to be attacked and destroyed first, if the Irish people were not to be allowed to be bled to death. Subsequent history proves him to be right . . . separation is and must of necessity be associated with the idea of militant revolutionary action and must, if sincere, purpose the freeing of Ireland by military means.'

[138] cf. l. 24 thuas.

[139] ' How is it that while honest Tom Kelly held a high position on the Sinn Féin Executive the official organ started unmercifully at the worker in the throes of an industrial struggle.' (Tagairt d'ionsaí an Ghríofaigh ar na hoibrithe i *Sinn Féin*, 25 Deireadh Fómhair, 1913.)

' Pearse is worse than all. When the workers of Dublin were waging a life and death struggle to preserve some of the " liberties " which ought to be common to all Irishmen (Fonóid faoi Bhunreacht Sealadach na nÓglach) this leader of democratic opinion consistently used the trams on every possible occasion, though the controller of the Dublin Tramway system was the man who declared the workers could submit or starve.'

Thug sé a dhúshlán do na hÓglaigh[140] agus is é an roscadh lenar chríochnaigh sé ná

> ní i ngártha sclábhaithe pá na nÓglach ach i scread ocrais dhaoine bochta an náisiúin atá glór na hÉireann le cloisint.[141]

Bhí an t-aighneas fós á choimeád as leathanaigh an *Irish Volunteer* a bhí ag an am seo idir lámha na ndeartháireacha Sears in Inis Córthaigh ach le neamhspleáchas na nÓglach a choimeád seo ba shoiléir gur faoi bhrú mór a chuir Mac Néill nóta ann ag rá mar nach raibh na hÓglaigh ar thaobh ná i gcoinne cheart vótála.[142] Ar ndóigh ba mhaith a moladh na sufragéidí i *The Irish Worker*.

Faightear spleáchadh eile ar an A.O.H. (I.A.A.) san *Irish Worker*, 21 Feabhra, 1914, i litir ó J. J. Scollan (cinnire na Hibernian Rifles) inar thaispeáin sé gur bhailigh an eagraíocht sin airgead sna Stáit Aontaithe d'fhonn na hoibrithe a raibh frith-dhúnadh ina n-aghaidh a chothú. Bhí sé seo, mar a fheicfear thíos,[143] mar a bheadh idirdhealú ó na gluaiseachtaí reabhlóid-eacha eile agus ba chomhartha eile é go raibh dhá cheann de na gluaiseachtaí, gur cuid d'ábhar an leabhair seo iad, ag obair as lámha a chéile. Rud eile faoi—ní fhacthas aon argóint i leathan-aigh an *Irish Worker* i gcoinne an A.O.H. (I.A.A.).

D'fhill Séamas Mac Gabhann ar an agóid leis an gCathasach san *Irish Worker*, 28 Feabhra, 1914. Bhí an t-aighneas ag leath-adh de réir cosúlachta óir feictear an píosa seo san eagrán céanna sna ' Cork Notes ':

> Bhí muid ag súil go dtosófaí complacht d'Arm na Saorán-ach i gCorcaigh roimhe seo, ach níor dearnadh aon rud faoi fós. Dá luaithe dá ndéantar, is ea is fearr é, mar ní rachaidh go leor in aice leis na hÓglaigh Náisiúnta . . . is leor é go bhfuil an gnó á rith ag muintir Kettle agus Mhic Néill chun é a dhamnú i súile an fhir oibre. . . . Ní féidir go bhfuil a fhios acu siúd atá ag iarraidh na hÓglaigh Náisiúnta a rith i gCorcaigh gur dhiúltaigh Coiste Sealadach Kettle agus na

140 ' I challenge the officials of the Volunteers to tell us what they stand for. . . . Is it for Home Rule ? Is it for " The King, Lords and Commons of Ireland " ? Is it for a politically free oligarchy ? Is it for an Independent Irish Republic ? "

141 *The Irish Worker*, 21 Feabhra, 1914.

142 *Irish Volunteer*, 21 Feabhra, 1914. Féach leis l. 40 thíos.

143 cf. l. 31 thíos.

> ngaotairí eile Arm na Saoránach, atá (*sic*) ar an saol roimhe, a aithint. Ní hionadh é gur theip chomh mór ar an ngnó go dtí seo.

Rinne Deasún Ó Riain iarracht ar an argóint a leathadh chomh maith nuair a scríobh sé in *Irish Freedom*, Márta, 1914, faoin ainm cleite '*Ferrogain*' ar 'The Labour Movement and the Volunteers' alt inar ndearna sé iarracht fiacla argóna an Lucht Oibre a tharraingt mar leanas:

> B'fhéidir go bhfeicfear go bhfuil gá leis na hÓglaigh a eagrú leo féin. Tá na hoibrithe neamhoilte eagraithe ag an gCeardchumann Iompair. Tá go leor oibrithe oilte imithe isteach in eagraíocht na nÓglach. Cruthófar le taithí go raibh críonnacht ag an dara dream. Féadfaidh tromlach de shaighdiúirí singil na nÓglach atá dáiríre agus ina lándúiseacht, cibé rud is mian leo a dhéanamh leis an eagraíocht. Féadfaidh mionlach dáiríre tionchar a bheith acu freisin . . . ach níor chóir dúinn beag a dhéanamh d'fhiúntas na nÓglach. . . . Tá seans bhreá againn druileáil, armáil agus fórsa traenáilte a bheith againn in Éirinn. Faoi cheann tamaill d'fhéadfadh gábh cinniúnach polaitíochta a bheith romhainn. Tá gá againn le hullmhú. B'fhéidir go gcoinneodh sé an gábh sin uainn.

Scríobh sé chomh maith ar bhealach a thuigfeadh an lucht oibre, ag trácht ar na haicmí agus céard a tharlódh dóibh sa todhcaí.[144]

San uimhir céanna de *Irish Freedom*[145] bhí alt ag 'Sarsfield'[146] ar 'The Sectarian Danger' inar scríobh sé go raibh an tAontas Meiriceánach (den A.O.H.) chomh mínádúrtha, dáiríre, leis an 'Board of Erin'—focail nár chabhraigh le haontas a shnadhmadh leis an eagraíocht sin, cé gur dóigh nár breathnaíodh fós orthu mar chomhghuaillí tualangach.

---

[144] *Irish Freedom*, Márta, 1914:
'Irish Capitalism and Irish Labour have, to put it mildly, strong points of difference. Whether the Irish middle class has enough brains, tenacity and courage to work with the Irish working class to gain the political freedom needful for both is for the future to decide. Political points of difference between various sections will be thrashed out in Ireland to-day, to-morrow, for many a day.'

[145] *ibid.*

[146] P. S. Ó hÉigeartaigh (Pádraig Sáirséal Ó hÉigeartaigh).

Níor leasc le J. J. Scollan freagra a thabhairt ar 'Sarsfield' agus is suimiúil gur san *Irish Worker*[147] a thug sé é. Thug sé a dhúshlán do 'Sarsfield' bord nó údarás ar bith a ainmniú inar bhain an A.O.H. (I.A.A.) úsáid as a thionchar chun post a fháil d'aon chomhalta amháin féin. Lean sé le gearán gur fhan *Irish Freedom* ar an gclaí le linn trioblóidí 1913.

Bhí an Cathasach ar ais ag ionsaí na nÓglach, ag gearán faoin bPiarsach is an Gríofach, ag lua nach bhfuair sé freagra fós ar litir inar iarr sé cead halla amháin, de na cinn bhí á n-úsáid ag na hÓglaigh le haghaidh druileála, a fhágáil saor d'Arm na Saoránach agus tá roscadh samplach de réir cineáil an Chathasaigh mar chríoch leis.[148]

In áit eile san eagrán céanna[149] teilgeann sé apastróf eile ina dtreo:

> A cheannairí Náisiúnta an lae inniu, marar féidir libh bhur Náisiúnachas a naomhú le hanáil an chineáltais, stopaigí ag béicíl orainn agus in ainm Dé, ligigí dúinn.

Cé a bhí ag béicíl? Ach ar ais arís sa ghleic le Séamas Mac Gabhann.[150] I litir an-phearsanta ar fad, faoin teideal 'A Last Word to Seán Ó Cathasaigh,' daorann sé 'iarracht an fhir uasail thuasluaite—iarracht gan éifeacht, féadfaidh mé a rá—na hÓglaigh a bhriseadh.' Tagann machnóir an Lucht Oibre, R. J. P. Mortished,[151] go déanach isteach sa chonspóid agus déanann sé iarracht a theacht ar bhunús éigin le Mac Gabhann.

Tá ábhar suntasach ann ó pheann an Chonghailigh[152] faoi 'Labour and the Proposed Partition of Ireland' ina gcáintear Mac Réamoinn go fíochmhar agus ina ndeirtear faoin Chríochdheighilt a bhí beartaithe:

---

[147] *The Irish Worker*, 7 Márta, 1914.

[148] *The Irish Worker*, 7 Márta, 1914:

'Let the Leaders of the Volunteers have the courage to tell us which they prefer— the Aristocracy and the propertied class, or the long suffering but all powerful people, Leaders of the Irish Volunteers! why halt between two opinions; choose ye to-day whom ye shall serve!'

[149] *The Irish Worker*, 7 Márta, 1914.

[150] *The Irish Worker*, 14 Márta, 1914.

[151] *ibid.*

[152] *ibid.*

> Ba chóir don Lucht Oibre cur ina haghaigh go láidir. Ba chóir don Lucht Oibre in Ulaidh troid go bás más gá, mar a throid ár sinsear romhainn.

Ba údar teannais in Óglaigh na hÉireann an Chríochdheighilt chomh maith—nó b'fhéidir nach raibh ann ach an ócáid. Scríobh Mac Néill[153]:

> Faoin am seo, Márta, 1914, bhí an t-uisce faoi thalamh i measc na bPáirtithe, a tháinig i ndiaidh an aontais rúnda faoi chríochdheighilt, ar bun. Ba léir ar dtús é nuair a cuireadh ciorclán rúnda chuig ranna an A.O.H. ag rá leo dul isteach sna hÓglaigh agus ceannas a fháil ar na coistí áitiúla.

Fuair na hÓglaigh greim ar chóip den chiorclán seo.[154] Bhíothas cinnte gurbh é Mac Réamoinn féin a bhí taobh thiar de[155] agus mar a bheifí ag súil

> diúltaíodh dá n-iarratas (an A.O.H.) a bheith ina gCraobhacha agus bhí ar a gcuid comhaltaí teacht isteach ina n-aonar agus tugadh ionaid dóibh, de réir mar a thit, sna complachtaí éagsúla, rud a chuir deireadh lena ndlúthpháirtíocht.[156]

B'fhéidir gur de bharr na ndeacrachtaí seo agus freisin d'fhonn gan iad a chíoradh go hoscailte ag na cruinnithe a bhíodh cácas neamhfhoirmiúil de chinnirí na nÓglach ag teacht le chéile in Óstlann Buswell—an áit a mbíodh an Mórdhach ag cur faoi. Dúirt an Mórdhach faoi 'is ann a chruinnigheadh cuid againn nuair a theastuigheadh uainn cómhrádh do dhéanamh i dtaobh na nithe bhíodh beartaithe againn,'[157] agus bhreac sé síos ainmneacha Hobson, Mhic Néill agus Ruairí Mhic Easmainn mar chuairteoirí rialta agus an Rathghailleach mar dhuine a thagadh anois is arís.[158]

Thugadh an Mórdhach eolas do Mhac Réamoinn faoin gceist arm áitiúil a dhéanamh de na hÓglaigh[159] agus tar éis an cheist a

---

153 Léirmheas gan dáta ar Stair an Mhórdhaigh atá anois in Lss. an Mhórdhaigh, LNE 10555.

154 *ibid.*

155 *ibid.*

156 P. S. O'Hegarty, *Sinn Féin; An Illumination*, ll. 44, 45.

157 *Tús agus Fás Óglach na hÉireann, 1913-1917*, l. 36. Réitíonn sé seo leis an leagan Béarla i Lss. an Mhórdhaigh, LNE 10555.

158 *ibid.*

159 cf. l. 27 thuas. Dáta na litreach i nóta 160 ná 31 Márta, 1914.

chur faoi bhráid chácas Buswell scríobh sé chuige ag rá gur cheap sé go mbeadh aontas ann faoina leithéid a dhéanamh agus go nglacfaí leis faoin tír dá molfaí é ag am oiriúnach.[160] Níl an claonadh céanna trácht ar inbheartaíocht rúnda i litir Mhic Néill chuig an Mórdhach, 7 Márta, 1914, cé nach bhfuil dabht ann go raibh a leithéid ar siúl—agus deir sé go simplí faoi cheist airm áitiúla:

> Phléigh mé ceist na hEagraíochta Áitiúla le daoine eile agus is cosúil go bhfuil siad go léir sásta go leor, nó ar a laghad, níl siad míshásta ar bhealach ar bith.[161]

Ní fheadar cé leis ar phléigh Mac Néill an cheist seachas Ruairí Mac Easmainn agus níl fianaise dá laghad ann go raibh a fhios ag aon chomhalta den Bhráithreachas go raibh a leithéid de cheist á cíoradh ar chor ar bith, is é sin taobh amuigh de Hobson a bhí an-mhór le Mac Néill faoin am seo. Ach díreach agus an cheist thábhachtach seo á cíoradh ag cácas Buswell bhí Hobson ar a bhealach go dtí na Stáit Aontaithe[162] agus mar sin ní fhéadfadh tionchar ar bith a bheith aige i bhfábhar ná in aghaidh na scéime.

Dúirt Mac Néill níos déanaí go raibh sé ag feitheamh na faille agus tá sé seo le sonrú i nóta gan dáta a chuir sé chuig an Mórdhach ag rá nár chuir sé in aghaidh an cheist a phlé le Seely mar go raibh na Liobrálaigh go mór ina n-aghaidh agus gur cheap sé go gcuir-

---

[160] Lss. an Mhórdhaigh, LNE 10561. 'You may remember that I said I had discussed the question of the territorials with some principal members of the Volunteer Provisional Committee and that they had agreed with my view.

I have now a letter from John (*sic*) Mac Neill saying that he had spoken to some others with whom, for reasons of prudence I had not communicated, and of whom we were uncertain; none of these he tells me are adverse to the proposal. The point has not been raised at a Committee meeting yet but I think you may take it for granted there will be an agreement. Also my opinion is that it will be accepted in the country, if wisely put forward at the proper time. If you approve we will advance the matter a little further among ourselves at all events. The Parliamentary Party need not commit itself for the present, unless considered otherwise. . . . I fear,however, that the events of the last few days* will have so weakened the Ministry that they will be too timid to carry out our territorial policy.'

* Is é an Curragh Mutiny atá i gceist agus is cinnte gur mhór an tionchar a bhí ag briseadh Seely, etc., ar na comhráite.

[161] Lss. an Mhórdhaigh, LNE 10561.

[162] Hobson chuig McGarrity i 1934. Lss. Hobson, LNE 13171.

feadh an comhrá feabhas ar an scéal. D'inis sé dó freisin go raibh bleachtairí á bhfaire ón tús.[163]

Nocht Ruairí Mac Easmainn a dhearcadh go han-soiléir i litir chuig an Mórdhach:

> Gan airgead agus oifigigh *caithfidh* sé go gclisfidh an rud. Tá a fhios agam ar thaobh amháin, dá molfadh muid an plean áitiúil go gcaillfeadh muid an *Spiorad*. Is chuige sin atá ár nguí—chuig na daoine féin—agus má dheireann muid anois ' tagaigí agus bígí in bhur sciathán d'Arm na Breataine in Éirinn ' d'fhágadh ár Náisiúntacht muid agus d'fhuaródh muid croíthe na bhfear óg.[164]

As cácas Buswell mar sin is féidir a rá nach raibh ach an Mórdhach agus Mac Néill (agus ceist ann faoi-sean fiú) ar son leanúint leis na comhráití sin. Ní fios arbh eol do Mhac Réamoinn gur mar seo a bhí an cás agus is cinnte nár cuireadh faoi bhráid an Choiste Shealadaigh é ach cibé ar bith ní chluintear a thuilleadh faoi na comhráití go ceann i bhfad. Seans gur cuireadh ar athló iad le himeacht Seely.

Bhí cáil agus clú ar Mhac Réamoinn fós mar a léiríodh nuair a scríobh an tEaspag Mac Aodha chuige, 21 Márta, 1914.[165] Litir an-scaollmhar a bhí inti inar impigh sé ar Mhac Réamoinn máirseáil bhealaigh na nÓglach trí Dhoire a chur ar ceal de bhrí ' go bhfuil complacht de 2,000 mhíle fear acu, iad druileáilte ag iarshaighdiúirí agus gunnáin acu uilig.' Rinne Mac Réamoinn an gearán foirmiúil a iarradh air agus tar éis litir a fháil uaidh, cuireadh an mháirseáil bhealaigh ar ceal.[166]

---

[163] Lss. an Mhórdhaigh, LNE 10555: ' You wrote to me from London about having some prospects of a talk with Sealy. I had some misgiving and discussed it with Casement. I decided to raise no objection as I believed the Liberals to be secretly very hostile to us and thought a talk might ease the situation for us. You do not mention . . . perhaps you do not know that we were watched by detectives from the outset.' Is dócha gu i 1917 nó 1918 a scríobhadh é seo ós rud é gur faoi ' Stair ' an Mhórdhaigh é.

[164] Lss. an Mhórdhaigh, LNE 10561. Níl dáta leis ach is follas go mbaineann sé le cúrsaí i Márta, 1914.

[165] Lss. Mhic Réamoinn i LNE. Ní raibh buanuimhir chláraithe acu nuair a d'iniúch mise iad.

[166] *Irish Volunteer*, 28 Márta, 1914.

Bhí ceist na n-arm ina foinse teannais eile cé gur lean an *Irish Volunteer* ag cur fad leis an am le nótaí mar seo:

> Cén déanamh raidhfil ba chóir a bheith ag na hÓglaigh? Ceist í seo a thógfaidh tamall beag lena réiteach. Agus go dtí go réiteofar an cheist seo, níor chóir mórán ceannach a dhéanamh.[167]

agus arís ' gan dabht tá fir na hÉireann díbhirceach chun raidhfilí ach níor tháinig an t-am fós chun iad a sholáthar dóibh.'[168] Ní raibh oifigeach na nÓglach go léir sásta a bheith foighdeadh mar seo mar is léir ó de Valera, an Maolíosach agus an Pluincéadach a bheith ag comhoibriú i gcnuasach roinnt geilignínte a goideadh ón monarcha arm san Inbhear Mór mar aon le 4,000 urchar .303 a ceannaíodh ó shaighdiúirí d'Arm Shasana i gCurrach Chill Dara agus ina n-aistriú níos déanaí chuig stór eile. I Márta, 1914 a tharla sé seo.[169]

Bhí líon comhaltaí an Bhráithreachais ar an gCoiste Sealadach imithe i laghad le himirce an Lonargánaigh go dtí na Stáit Aontaithe[170] agus ba léir nach ró-shásta a bhí na Poblachtánaigh le cúrsaí na nÓglach nuair a cáineadh T. M. Kettle in *Irish Freedom*,[171] nuair a ghlacadar uaidh go raibh sé i bhfábhair Críochdheighilte in Éirinn. Bhí an meas a bhí ar T. M. Kettle go hard sna hÓglaigh ag an am agus bhí sé ag comhoibriú le Mac Néill le bunreacht seasta a leagan amach dóibh.[172]

Ag an am seo bhí Arm na Saoránach ag tabhairt faoi atheagrú chomh maith, nó mar a dúirt an Cathasach, á ' athrú ó bheith ina mhionrud díomhaoin, agus á dhaingniú.'[173] Fógraíodh Cruinniú Ginearálta den Arm ar 22 Márta, 1914, chun an Bunreacht nua a ghlacadh agus chun Coiste Sealadach a thoghadh.[174]

---

[167] *Irish Volunteer*, 28 Feabhra, 1914.

[168] *Irish Volunteer*, 21 Márta, 1914.

[169] Geraldine Dillon (deirfiúr le S. M. Pluincéad) i *University Review*, Iml. ii, uimh. 9, l. 25.

[170] *Irish Volunteer*, 28 Márta, 1914; 4 Aibreán, 1914.

[171] Aibreán, 1914.

[172] Mac Néill chuig an Mórdhach, 8 Aibreán, 1914. Lss. an Mhórdhaigh, LNE 10561.

[173] P. Ó Cathasaigh, *The Story of the Irish Citizen Army*, l. 16.

[174] *The Irish Worker*, 21 Márta, 1914.

Ba é an cruinniú seo

> an chéad chéim a tógadh chun éilimh Arm na Saoránach ar Lucht Oibre na hÉireann a neartú trí Bhunreacht a chumadh agus trí Chomhairle Airm a thoghadh.[175]

Ba iad na daoine a bhí ar an gcomhairle seo, an Captaen de Faoite, Cathaoirleach; P. T. Ó Dálaigh, Partridge, Ó Fuaráin, Ó Lorcáin agus an síocháiní Sheehy-Skeffington mar Leas-Chathaoirligh; An Chuntaois Markievicz mar Chisteoir agus Seán Ó Cathasaigh mar Rúnaí.[176]

Bhí sóisialachas foghach le sonrú sa Bhunreacht nua:

> 1. That the first and last principle of the Irish Citizen Army is the avowal that the ownership of Ireland, moral and material, is vested of right in the people of Ireland.
> 2. That the Irish Citizen Army shall stand for the absolute unity of Irish nationhood, and shall support the rights and liberties of the democracy of all nations.
> 3. That one of the objects shall be to sink all differences of birth, property and creed under the common name of Irish people.[177]

Mhaolaigh bagairt na Críochdheighilte an sóisialachas idirnáisiúnta sa dara mír agus bhí an bhagairt seo ar ais nó ar éigean ag cur cuma níos náisiúnta ar ghluaiseacht na n-oibrithe, mar is léir ó chuntas san *Irish Worker*, 11 Aibreán, 1914, ar ollchruinniú i gcoinne na críochdheighilte ag an lucht oibre.

Ach bhí toradh eile ar atheagrú Arm na Saoránach—is é sin gur tosaíodh colún rialta nótaí fúthu faoin teideal 'By the Camp Fire' in iris an lucht oibre,[178] colún a thug ardán seachtainiúil don scríbhneoir—an Cathasach—ónar fhéad sé leanúint de sciúirseáil na nÓglach.

Bhí an teannas faoi airm chomh mór sin anois i measc na nÓglach nár fhéad na cinnirí é a laghdú. Ar feadh mí Aibreán uilig cuireadh béim ar an ngá san *Irish Volunteer*, mar shampla:

> Go dtí go mbeidh raidhfil caighdeánach ag an arm, ba chóir do gach earcach é a bheith de chuspóir aige ceann a

---

[175] *The Irish Worker*, 28 Márta, 1914.

[176] *ibid.*

[177] An Cathasach, *The Story of the Irish Citizen Army*, l. 14.

[178] *The Irish Worker*, 4 Aibreán, 1914.

> sholáthar dó féin. Tá roinnt mhaith raidhfilí de dhéantúis mhaithe ar an margadh atá chomh maith le raidhfil seirbhíse.[179]

Cuireadh in iúl dhá uair eile an mhí sin go raibh airm le fáil.[180]

De réir cosúlachta, chabhraigh an smaoineamh go raibh tualangacht polaitíochta ag na hÓglaigh leis an bhfuadar nua faoi airm. Cé go rabhthas lán-dóchasach fós faoi Bhille an Rialtais Dúchais, cuireadh an t-agús seo leis an dóchas sin:

> Ach ceist eile é an bhfuil bunreacht na Breataine in ann nó toilteanach a chuid socruithe a chur i bhfeidhm—ceist a réiteoidh fórsa morálta, nó fórsa eile, Óglaigh na hÉireann ar deireadh.[181]

Ach ba é Mac Réamoinn agus Páirtí an Rialtais Dúchais a bhí i mbun na hagóide i bParlaimint Shasana agus tar éis gach ar ghnóthaigh fórsa Óglaigh Uladh sa ' Curragh Mutiny ' ní hionadh é gur mhian leis anois smacht a bheith aige ar an eagraíocht nua seo a bhí fós ag méadú agus ag druileáil leo go stuama, fiú dá mba mhall é a n-armáil. Is cinnte gur mhór an tionchar a bhí ag eachtraí an Churraigh ar a leifteanant ábalta, Seán Diolún.[182]

Cé go raibh na comhráití faoin Arm Áitiúil ar ceal bhí teagmháil thábhachtach déanta ag Mac Réamoinn agus cé gur dearnadh idirluí ar scéim insíothlaithe an A.O.H. bhí tionchar acu mar gheall ar an líon acu a bhí ann—go háirithe taobh amuigh de Bhaile Átha Cliath. Mar shampla de sin, féach gurbh iad an United Irish League a chuir na hÓglaigh ar bun i gCeatharlach ag maíomh ' go raibh siad ag seasamh le Seán Mac Réamoinn agus Páirtí an Rialtais Dúchais.'[183] Bhí an Bráithreachas buartha faoin insíothlú seo agus bhí siad ag déanamh iarracht é a chosc. Scríobh Tomás Ághas chuig Devoy faoi, 27 Aibreán, 1914, ag rá gur chuala sé go raibh na hÓglaigh faoi smacht an A.O.H. agus nach bhféad-

---

[179] *Irish Volunteer*, 4 Aibreán, 1914.

[180] *Irish Volunteer*, 18 Aibreán agus 25 Aibreán, 1914.

[181] *Irish Volunteer*, 4 Aibreán, 1914.

[182] Blunt, *Diaries*, Iml. ii, l. 427, faoin dáta 20 Meitheamh, 1914. Deir sé leis: ' the vehemence of feeling in connection with volunteering had surprised.'

[183] *Irish Volunteer*, 11 Aibreán, 1914.

faí stop a chur leo mar go raibh tromlach mór acu sna hÓglaigh.[184]

Ní fios dúinn go beacht cé na hiarrachtaí a bhí á ndéanamh ag 'Seán Mac Diarmada agus Éamonn Ceannt agus cuid de na fir eile' ach is follas go raibh a gcuid tuairimí soiléir mar nuair a cuireadh tús leis na comhráití, faoi smacht a bheith ag Mac Réamoinn ar na hÓglaigh, níor luadh iad ag aon chruinniú den Choiste Sealadach.

Bhí eolas faighte ag Mac Néill faoin spéis nua a bhí an Páirtí a chur san Arm Áitiúil le linn na gcomhráití agus rinne sé iarracht tríd an Mórdhach a chur in iúl nach raibh aon naimhdeas ag na hÓglaigh don Pháirtí.[185] Ach lean an Mórdhach leis an agallamh agus timpeall 8 Aibreán, 1914, bhí Mac Néill sásta go raibh saghas éigin comhréitigh leis an bPáirtí riachtanach, rud is follas óna litir chuig an Mórdhach ar an dáta sin, litir inar mhol sé go labhródh Ruairí Mac Easmainn le Mac Réamoinn nó leis an Doibhlineach faoin gceist.[186]

Chuathas ar aghaidh leis an agallamh, cé mar a dúirt Hobson, 'gur ghníomhaigh Mac Néill agus Ruairí Mac Easmainn sa chás seo as a stuaim féin, gan dul i gcomhairle leis an gCoiste Sealadach.' Dúirt sé freisin gur cheap sé gurbh é an Coirnéal Ó Mórdha an t-aon duine eile ón gCoiste a ghlac páirt sna comhráití.[187] Ní raibh páirteach iontu ach cácas Buswell, seachas Hobson a bhí sna Stáit

---

[184] *Devoy's Post Bag*, iml. ii, l. 428: 'I am informed by men whose integrity I can vouch for that the Volunteers are practically ruled to-day by the A.O.H. Board of Erin. I am also informed that Seán Mac Diarmada and Ned Kent and some of the other boys in Dublin are doing their utmost to keep them straight, but that their efforts will be of no avail as the preponderating majority are U.I. Leaguers and Hibs.'

[185] cf. Litir a chuir Mac Néill chuig Ó Mórdha ar 7 Márta, 1914. *Tús agus Fás Óglach na hÉireann, 1913-1917*, ll. 50, 51. (Réitíonn sé seo leis an mbunleagan Béarla atá i Lss. an Mhórdhaigh, LNE 10555).

[186] Lss. an Mhórdhaigh, LNE 10561: 'You can make any arrangement that seems good to you about interviews with the Parliamentary leaders, but I hope you will come over and help us. . . . Casement is all right. In conversation he is the deadly enemy of the existing order as we all are, only that we do not let ourselves go to the same extent. In all matters of action he is wise and careful and worthy of the fullest confidence. I certainly think he ought to meet Redmond and have a good talk with him or to see Devlin if he cannot see Redmond.'

[187] Hobson chuig McGarrity i 1934. Lss. Hobson, LNE 13171.

Aontaithe nuair a thosaíodar agus ba eisean an t-aon chomhalta den Bhráithreachas a raibh a fhios aige fiú go raibh siad ar bun. Ar fhilleadh dó níor ghlac sé páirt iontu ach oiread: ' D'fhan mé amach uathu d'aon ghnó. . . . Ós rud é nár theastaigh uaim mé féin a cheangal le socrú ar bith go dtí go mbeadh moladh cinnte éigin ann le cur os comhair an Choiste.'[188] Níor chuir sé ina gcoinne áfach agus d'fhan comhaltaí eile den Bhráithreachas aineolach orthu go dtí deireadh Aibreáin. Ach luadh iad ag roinnt de na díospóireachtaí:

> Dúirt Mac Réamoinn go raibh sé as an gceist go gcomhoibreodh sé leis an gCoiste Sealadach mar gheall ar roinnt daoine a bhí ar an gcoiste. Chuirfeadh na daoine sin a luaigh Mac Réamoinn (agus luadh P. Mac Piarais agus mé féin) fáilte roimh a chomhoibriú ach ní ghlacfaidís le deachtóireacht uaidh.[189]

Ach ag meabhrú dúinn céard a dúirt *Irish Freedom* faoi Kettle i mí Aibreáin[190] ní cosúil go raibh mórán acu seachas Hobson féin réidh le fáilte a chur roimh Mhac Réamoinn ag an am sin.

Idir an dá linn bhí an Cathasach ' By the Camp Fire ' ag ionsaí *Irish Freedom* agus ag tógáil pointí díospóireachta as ráitis na nÓglach:

> Seasann muid ar son mhuintir na hÉireann, ní ar son leath an náisiúin mar a léirítear sna focail ' the rights and liberties of all Irishmen.'
>
> Aithníonn Arm na Saoránach gur saoránach í an bhean chomh maith leis an bhfear. . . .[191]

Bhain sé casadh as litir a fuair sé ag cur in iúl dó narbh fhéidir ceann de na hallaí druileála a thabhairt saor d'Arm na Saoránach de bhrí go raibh sé in úsáid go rialta, chun ' iarrachtaí chun na hoibrithe a chosc ó Hallaí Bhaile Átha Cliath a úsáid le haghaidh druileála ' a chur i leith na nÓglach.[192] Lean sé faoi seo ag cruinniú poiblí ar 24 Aibreán, nuair a nocht sé na difríochtaí a bhí idir Bunreacht Arm na Saoránach agus Bunreacht na nÓglach agus nuair a chuir sé an t-iomardú seo i gcoinne scríbhneoir na litreach úd:

---

188 *ibid.*

189 Hobson i leagan dá Stair. Lss. Hobson, LNE 12178, l. 133.

190 cf. l. 36 thuas.

191 *The Irish Worker*, 11 Aibreán, 1914.

192 *The Irish Worker*, 25 Aibreán, 1914.

Ceart go leor, Mr. Irvine. Ní ghlacfar iarratas ó dhuine d'Arm na Saoránach. 'The Liberties and rights common to all Irishmen' go deo! Seasann muid fós ar son Éire a bheith saor agus ar son oidhreachta na nOibrithe. Céard le haghaidh a seasann Óglaigh na hÉireann.[193]

Ní dheachaigh an Bráithreachas saor ó cháineadh san *Irish Worker* ach oiread. Dúradh go raibh sé róghnóthach ag eagrú Hibernians agus neamhstailceoirí chun sampla Tone, Mitchel agus smuigléireacht '67 a leanúint.[194] Baineadh úsáid as an smuigléireacht gunnaí a rinne Óglaigh Uladh ag Latharna, 24 Aibreán, 1914,[195] le fonóid a dhéanamh faoi na hÓglaigh agus faoin mBráithreachas araon.[196]

De réir cosúlachta níor chuir Latharna aon bhuairt ar an mBráithreachas—cé nach raibh aon chosúlacht ann ach oiread go raibh siad le dul in iomaíocht leis. Tá sé suimiúil gur chabhraigh comhalta amháin den Bhráithreachas le hÓglaigh Uladh san fheachtas ag Latharna. Ba é sin an Dochtúir Pádraig Mac Artáin agus thug sé a charr ar iasacht d'Óglaigh Uladh ar an ócáid sin.[197] Fear lách, cairdiúil, ab ea é agus de bharr an chairdis a bhí aige le cuid d'Óglaigh Uladh—cairdeas a bhí úsáideach dó arís óir fuair sé airm agus urchar d'Óglaigh na hÉireann uathu[198]—mheas Tomás Ó Cléirigh go raibh cuid mhaith d'Fhórsa Óglaigh Uladh

---

[193] *The Irish Worker*, 2 Bealtaine, 1914.

[194] *ibid.* 'The modern advanced physical force (farce) party is too occupied organising Hibernians and blacklegs to help as Col. Moore said . . . the police in maintaining peace in the event of local disturbance to seriously contemplate following the footsteps of Tone, Mitchel and the gun-running of '67.'

[195] *Irish Volunteer*, 2 Bealtaine, 1914.

[196] *The Irish Worker*, 2 Bealtaine, 1914. 'So Carson won again! What it is to have friends in the Government. We wonder what would happen to Larkin (and) his men if they had dared to import guns and ammunition. Have the so-called Nationalists any guts? We wonder what the men who claim to be members of the R.I.B.* think of it? It is not by association with the Kettles and other scabs you will ever accomplish things. We wonder do the American section** know what game is afoot.'

* Imirt focal ar na cinnlitreacha I.R.B., R.I P. agus b'fhéidir R.I.C.

** Bhíothas ag iarraidh ar Clan-na-Gael cabhair airgid a thabhairt do na hÓglaigh ag an am seo. *Devoy's Post Bag*, Iml. ii, ll. 431-435.

[197] Earnán de Blaghd (Beann Mhadagáin), *Inniu*, 19 Aibreán, 1963.

[198] Focail Phádraig Mhic Artáin sa *Gaelic American*, 26 Eanáir, 1918.

báúil le hÓglaigh na hÉireann.[199] Is é is dóichí áfach nach raibh ann ach cairdeas pearsanta le Pádraig Mac Artáin.

Cé go raibh léirmheas maith ar *Labour in Irish History* leis an gConghaileach in *Irish Freedom*[200] (arís ó Dheasún Ó Riain, mar ' Crimal ' an uair seo) bhí gach cosúlacht ar an scéal go raibh cibé cairdeas a bhí ann loite ag an gCathasach:

> Tá muintir Larkin le tamall anuas ag cur cogaidh ar Óglaigh na hÉireann. Measaim gur fear míshásta darb ainm an Cathasach is cúis leis seo. Tá an bhrí bainte acu leis an meon seo as bá gach aicme eile sa tír agus go speisialta as bá na haicme is airde.[201]

Ach más rud é go raibh Arm na Saoránach bithnaimhdeach, bhí an Bráithreachas buartha faoi staid na nÓglach leis, rud a nochtadh sa chomhairle neamhchruinn a tugadh dóibh gur chóir dóibh leanúint le druileáil agus armáil agus gan bacadh le caint agus rúin,[202] agus freisin san aineolas a léiríodh i litir an Chléirigh chuig Devoy, 14 Bealtaine, 1914, inar dhúirt sé go raibh tuilleadh *pourparlers* ann idir lucht na nÓglach agus Mac Réamoinn, an Doibhlinneach agus araile féachaint céard ba chóir a dhéanamh faoi ' this new development.'[203] Bhí sé le tuiscint uaidh sin go raibh a gcumhacht caillte ag an mBráithreachas faoin am seo.

Bhí an t-agallamh nach raibh an Bráithreachas cinnte faoi tar éis leanúint ar feadh mí Aibreáin agus mí Bealtaine. Ba iad na daoine a bhí páirteach iontu Mac Néill, an Mórdhach, Figgis agus Kettle ar son na nÓglach agus Mac Réamoinn, an Diolúnach, Stiophán Gwynn agus an Doibhlinneach ar thaobh an Pháirtí.

Ba é an Mórdhach an t-idirghabhálaí i dtosach báire agus bhí tosú dearfa sroiste nuair a d'éiligh an Páirtí go luath i mí Aibreáin go gcruthófaí comhairle cúigir d'fhonn an ghluaiseacht a stiúr-

---

[199] An Cléireach chuig Devoy, 14 Bealtaine, 1914, i *Devoy's Post Bag*, Iml. ii, l. 445.

[200] Bealtaine, 1914.

[201] An Cléireach chuig Devoy, 14 Bealtaine, 1914, *Devoy's Post Bag*, iml. ii, ll. 445, 446.

[202] *Irish Freedom*, Bealtaine, 1914.

[203] *Devoy's Post Bag*, Iml. ii, l. 414. An ' New Development ' a bhí i gceist ná an Bille faoi Rialtas Dúchais agus dóchúlacht ' exclusion ' i gcríochdeighilt.

adh.[204] Lean cruinniú idir an Doibhlinneach, Kettle, an Mórdhach, Mac Néill agus b'fhéidir Ruairí Mac Easmainn ag am lóin, 15 Aibreán, 1914, é seo.[205] Ba ghearr gur nocht Ruairí Mac Easmainn nach raibh sé fabharach le haontas leis an bPáirtí.[206] Bhí imní ar Mhac Néill faoin am seo agus dúirt sé leis an Mórdhach, 2 Bealtaine, 1914, go gcaithfeadh na hÓglaigh fanacht ina heagraíocht gan páirtithe[207] agus thoiligh sé dul go Londain d'fhonn an cheist a phlé le Mac Réamoinn.[208]

Ag baile tugadh dúshlán na nÓglach chun díospóireachta faoin gceist ' Why Irish workers should not join the National Volunteers,'[209]—dúshlán a tugadh, de réir an Chathasaigh, ar mholadh Jim Larkin[210] ach i bhfocail a ainmníonn é féin mar údar. Ba ghearr gur lean eagarfhocal ionsaitheach é seo san *Irish Worker*[211] as ar léir go raibh eolas éigin acu faoin agallamh a bhí ar siúl agus ina gcáintear an Bráithreachas (mar ' republicans ') go mór agus ina líomhnaítear:

> We are informed by a source that we must appreciate that the record of names, addresses, antecedents and movements of every boy and man who has been gulled into enrolling in the alleged " Irish National Volunteers " has been furnished to the Government; that an undertaking has been given by the creatures controlling the machinery of the organization at Headquarters that no ammunition will be issued at any time or place without the sanction of the Government; that on the part of certain of the leaders that they have given a sworn statement to the Government that they will have no sympathy with any movement outside Ireland; that they are good loyal men; that if any attempt is made by the Republican section to capture the organization, they will immediately inform the Government

---

204 Mac Néill chuig an Mórdhach, 13 Aibreán, 1914. Lss. an Mhórdhaigh LNE 10561.

205 *ibid.*

206 Mac Easmainn chuig Ó Mórdha, 22 Aibreán, 1914, *loc. cit.*

207 Mac Néill chuig an Mórdhach, 2 Bealtaine, 1914. *loc. cit.*

208 Mac Néill chuig an Mórdhach, 23 Aibreán, 1914. *loc. cit.*

209 *Irish Times*, 4 Bealtaine, 1914.

210 P. Ó Cathasaigh, *The Story of the Irish Citizen Army*, l. 26.

211 9 Bealtaine, 1914.

> and hand over all monies, equipment, arms, etc., to the Government agents . . . that as to communications from America, copies will be furnished the Government; any suspicious movement by any section, or any propaganda by the advanced section enrolled in the Volunteers will be notified to the Government.

Leantar é seo le fogha faoin Mórdhach agus achainí chuig Lucht Oibre na hÉireann chun a gcuid naimhde aitheanta i gcúrsaí tionscail a thréigint agus teacht isteach in Arm na Saoránach 'atá dáiríre.'

Níl fianaise dá laghad ann go raibh bun le fiú ceann amháin de na líomhaintí seo. B'fhéidir gur scríobh an Lorcánach nó an Cathasach iad chomh corraitheach sin d'fhonn an Bráithreachas a bhroideadh chun scarúint ó na hÓglaigh. Is cinnte cibé ar bith gur mór an straidhn a chuireadar ar dhílseacht a lán daoine. Seans nach raibh iontu ach iarracht ar earcaigh a mhealladh ó na hÓglaigh agus cuireann alt, 'Right About Turn! Wage Slaves in the Volunteers,' san eagrán céanna den *Irish Worker*[212] leis an insint sin ar an scéal. Deirtear san alt sin nach bhféadfadh cinnirí na nÓglach tuiscint a bheith acu ar bhochtanas agus cruatan an Lucht Oibre mar a bheadh ag an Lorcánach nó ag an gConghaileach—beirt dá n-aicme féin.[213] Leantar é seo le mír faoin mBráithreachas a bhfuil sé soiléir gurbh é an Cathasach a scríobh í.[214]

---

[212] 9 Bealtaine, 1914.

[213] 'Let us enumerate the men whom the workers are asked to unquestionably follow:—

The O'Rahilly, gentleman; John Mac Neill, Kettle, University Professors; Sir R. Casement, gentleman; John Gore, Solicitor; with the little leaven of a few Hibernians, that possibly leavens the whole lump. What have they ever done for the working class? What could they do, seemingly they know nothing of poverty, wage-slavery and the awful day-to-day struggle to maintain the vitality to perform additional prodigies of production for the rich and idle. . . . Are John Mac Neill, John Gore or Mr. Kettle to be chosen by us workers rather than such men as Jim Larkin or Jim Connolly whom we know, who are of our own class, bone of our bone and flesh of our flesh.'

[214] 'A Last word to the Republicans in the Volunteers. I marched with many of them to the grave in Bodenstown—Did they ever read what he thought of the "Volunteers" of his day? Do these stand for anything more? Are we to fall back on silly "82" or act up to manly "48"? Is the paltry constitution of the Volunteers worthy of the principles that were sealed by the blood of Wolfe Tone? Who can say yes, "for the bed is shorted that a man can stretch himself in; and the covering narrower than that he can cover himself in it."'

Agus níorbh aon chabhair dóibh an iarracht a bhí á déanamh ag Mac Réamoinn le níos mó fós a bhrú isteach sa leaba agus bhí an straidhn ar Mhac Néill ag dul in olcas. Cé go raibh sé leis féin beagnach sa pháirt a ghlac sé sna comhráití, bhí eolas fúthu á scaipeadh[215] agus cé gur méadaíodh ar an nglaoch chun armála san *Irish Volunteer* i ndiaidh éacht Latharna, mothaítear ón méad seo ó pheann Mhic Néill, 9 Bealtaine, 1914, gur mheas sé gur ghá socrú éigin a dhéanamh leis an bPáirtí:

> Níl aon Éireannach a dhéanann smaoineamh ann nach dtuigeann an géarghá atá le raidhfil. Éilíonn toil an náisiúin raidhfil. Ba chóir do stiúrthóirí an éilimh náisiúnta féachaint chuige go bhfaighidh Éire na hairm chun aidhm na hÉireann a chomhlíonadh.

Is chuig Mac Réamoinn atá an t-iarratas anseo, b'fhéidir d'fhonn go n-éileodh sé cealú an Fhorógra Ríoga.[216]

Rinneadh iarracht Mac Réamoinn a shásamh—ós rud é nár toghadh an Coiste Sealadach bhí cuid den fhírinne aige nuair a cháin sé iad de bhrí nach raibh siad ionadaíoch—nuair a fógraíodh san *Irish Volunteer*, 16 Bealtaine, 1914 (agus san *Irish Times* seachtain roimhe sin), go mbeadh comhdháil Náisiúnta de na hÓglaigh ann gan mórán moille.

Ach ní raibh Halla na Saoirse chun sos cogaidh a fhógairt agus rinneadh ceap magaidh de Mhac Néill agus Hobson i scigbhailéad ' The Gorey Grenadiers ' san *Irish Worker*, 16 Bealtaine, 1914. Níor rud nua é Mac Néill a cháineadh ach ba é an chéad uair é do ' Bubbler Obson,' mar a tugadh air, a bheith thíos leis, cé go ndúirt an Cathasach go mbíodh Hobson de shíor ag cur in aghaidh Arm na Saoránach.[217] Ó bhí Halla Fhianna Éireann i Sráid Camden ar láimh Arm na Saoránach ag an gCuntaois Markievicz[218] agus Hobson ina leas-uachtarán agus ina bhunaitheoir ar na Fianna ní léir go raibh Hobson ró-ghníomhach ag cur i n éadan an Airm—cé nár ghríosaigh an Cathasach aon duine chun cairdis,

---

[215] D'inis Mac Néill do Figgis, 11 Bealtaine, 1914, go bhfuair an Bhreithiúnach amach faoin turas a thug sé go Londain le teagmháil le Mac Réamoinn. Ní thugtar tuairimí an Bhreithiúnaigh faoi. (Lss. Hobson LNE 13174 (3)).

[216] Rinneadh gearán faoin bhForógra san *Irish Volunteer*, 9 Bealtaine, 1914.

[217] P. Ó Cathasaigh, *The Story of the Irish Citizen Army*, l. 31.

[218] *op. cit.*, l. 9.

mar a chonaic muid. Ach ós rud é nach raibh an Chuntaois fabhrach leis an aighneas leis na hÓglaigh a bhí ar siúl i Halla na Saoirse[219] b'fhéidir gur chuicise a bhí aoradh Hobson caite.

Dúirt scríbhneoir eile a bhain úsáid as 'Shellback' mar ainm cleite (níor éirigh liom a fháil amach cérbh é an duine taobh thiar den ainm sin) nach raibh aon mhuinín aige go ndéanfadh eagraíocht bhréag-mhíleata maitheas dá laghad do chás na n-oibrithe agus d'éiligh sé ar thaobh Arm na Saoránach gurbh eagraíocht idirnáisiúnta í a bhí ag tabhairt aghaidh ar namhaid idirnáisiúnta.[220]

Arís is é Deasún Ó Riain a thógann maide as uisce do na hÓglaigh in alt inar thaispeáin sé gur díríodh an cáineadh ar na hÓglaigh beagnach i gcónaí in aghaidh pearsana áirithe agus inar ghríosaigh sé na hoibrithe chun 'líon na nÓglach a mhéadú le nach ndéanfaí eagóir ar an Lucht Oibre' nó 'Arm na Saoránach a neartú' agus inar agair sé gur chuma cé acu a dtaobhódh duine leis, an fhad is a bhí an spiorad ceart aige agus an fhad is nár chuir sé bac ar dhaoine eile a bhí ag iarraidh saoirse a bhaint amach.[221]

Ach fuair an iarracht seo de chuid an Rianaigh lán iombualadh aisfhreagra ó Shéamas Ó Lorcáin in eagarfhocal. Dúirt an Lorcánaigh go raibh fir mhaithe sna hÓglaigh agus d'fhiafraigh sé cén fáth ar ghlacadar leis an dream lofa a bhí á stiúradh. Thagair sé do £500 sa bhliain a bhí Mac Néill a fháil ón namhaid.[222]

---

[219] *op. cit.*, l. 30.

[220] *The Irish Worker*, 16 Bealtaine, 1914.

[221] 'Perhaps it matters little which of the two is adopted as long as the right spirit is there. But let no worker gripped and fired with great passion of justice for his class hamper the efforts of his fellow-countrymen and countrywomen to gain a national freedom to protect the Irish nation in which he shall have yet his fitting place to save the things in Ireland whose death would darken the world.' *The Irish Worker*, 23 Bealtaine, 1914.

[222] *Ibid.* "Granuaile" is young and enthusiastic. He believes he can make a silk purse out of a sow's ear. We don't. Who could have dared a few years ago to say Eoin Mac Neill would have taken £500 a year from the enemy ?* He who sups with the enemy will get his palate burnt. Is there one reliable man at the head of the National Volunteers Movement apart from Casement who, we believe, is in earnest and honest? Now "Granuaile" give voice. We admit the bulk of the rank and file are men of principle . . . but why allow the foulest growths that ever cursed the land (the Hibernian Board of Erin)** to control an organization that might, if properly handled, accomplish great things ? '

* Tagairt do phost Mhic Néill mar ollamh i gC. O A. Masla tarcaisneach é seo i ndiaidh na hagóide go léir a bhí ann le go mbunófaí an ollscoil agus le go nGaelófaí í.

** Is leis-sean na lúibíní. NB an t-idirdhealú a dhéanann sé idir an A.O.H. (B.O.E.) agus an A.O.H. (I.A.A.), idirdhealú nár ghlac P. S. Ó hÉigeartaigh leis i leathanaigh *Irish Freedom* (féach l. 31 thuas).

Ach ar ais leis an Rianach sa troid arís ag deireadh na míosa ag rá gur ar an tromlach sna hÓglaigh a bhraith dearcadh na heagraíochta, agus ag impí ar na hoibrithe agus na poblachtánaigh labhairt amach.[223]

Ach ní bhfuair an iarracht seo ach sonc eile ón eagarthóir. Dúirt sé go raibh Óglaigh na hÉireann faoi smacht an Chaisleáin agus nach raibh an eagraíocht ann ar aon nós ach mar leithscéal ag na daoine a thréig an tír ó thaobh polaitíochta.[224]

Rud ba thábhachtaí fós, bhí an chosúlacht ar an scéal gur aontaigh an Conghaileach anois leis an Lorcánach agus leis an gCathasach (agus bhíodh seisean ag iarraidh an t-aighneas idir an dá eagraíocht a mhaolú)[225] mar scríobh sé gurbh iad an Lucht Oibre an t-aon dream a bhí in aghaidh smacht na Breataine ina iomláine agus a raibh sé d'aidhm acu Éire a athghabháil.[226] Agus dóibh siúd a bhí ag tnúth le gníomhú taobh amuigh den Pháirtí, ní raibh aon tógáil chroí dóibh in imeacht an agallaimh le Mac Réamoinn.

Rinne Mac Néill sár-iarracht chun aothú a chosc. Scríobh sé chuig an Mórdhach, 23 Bealtaine, 1914,[227] ag iarraidh go dtiocfadh Mac Réamoinn, nó a dheartháir Liam nó an Doibhlinneach anall faoi Chincís chun cainte leis an gCoiste, óir mar a mheas sé, ' d'fhéadfaimis forbairt thar cionn a dhéanamh ar aontas agus ar neart an náisiúin.' Bhí cruinniú ag Mac Néill leis an Diolúnach ina dhiaidh sin agus thug seisean cuntas feargach air do Mhac Réamoinn: ' Le linn an agallaimh soiléiríodh dúinn nach ndeach-

---

[223] *The Irish Worker*, 30 Bealtaine, 1914:
'. . . . the organization in the long run will express the will of the bulk of the organization—if the bulk is wide awake. . . . Workers, Republicans and Labourmen in the Volunteers speak out ! . . .'

[224] *The Irish Worker*, 30 Bealtaine, 1914: ' This National Volunteer Movement (?) is a movement for to excuse the political betrayal of this country, a movement organised to save the politicians from moral and political obliquy (*sic*). . . . We repeat it is a castle-controlled organisation.'

[225] P. Ó Cathasaigh, *The Story of the Irish Citizen Army*, l. 51.

[226] *The Irish Worker*, 30 Bealtaine, 1914: ' We believe that there are no real Nationalists in Ireland outside of the Irish Labour Movement. All others merely reject one part or other of the British conquest, the Labour movement alone rejects it in its entirety, and sets itself . . . the reconquest of Ireland as its aim.'

[227] Lss. an Mhórdhaigh, LNE 10561.

aigh sé i gcomhairle le haon duine dá choiste seachas Ruairí Mac Easmainn, an Mórdhach agus (inné den chéad uair) leis an Rathghailleach.'[228]

Ba sciobtha a tháinig freagra Mhic Réamoinn ar an bhfianaise seo, óir d'éiligh sé, 6 Meitheamh, 1914,[229] go gcuirfí cúig dhuine is fiche d'ionadaithe an Pháirtí ar an gCoiste Sealadach. An lá céanna, foilsíodh ' Last Word about the Volunteers ' a scríobh an Rianach éadóchasach, san *Irish Worker*. Dúirt sé:

> Is cosúil go bhfuil na míthuiscintí idir Arm na Saoránach agus na hÓglaigh imithe ró-fhada le go bhféadfaí teacht ar chomhoibriú eatarthu, rud a mbeadh dea-thoradh air don dá dhream agus a dhéanfadh maitheas don náisiún agus do na hoibrithe féin.

agus d'impigh sé:

> Idir an dá linn tá na hÓglaigh ag dul ar aghaidh; tá Arm na Saoránach ag dul ar aghaidh. Tá an Lucht Oibre ag dul ar aghaidh. Is cuma cé na nithe a thagann eadrainn, smaoinímis nuair a bheidh ár gcéad easaontas maolaithe ag am agus taithí, go bhfuil muid go léir dírithe, ar bhealaigh éagsúla, ar an gcuspóir céanna—saoirse na hÉireann.

Ba thráthúil an t-alt é. Bhí an scéala amuigh faoi éileamh Mhic Réamoinn. Eisíodh an tOrdú Ginearálta don Chomhdháil, 10 Meitheamh, 1914[230]—rud a bhí ag an am céanna ina iarracht ar chlárú agus smachtú éifeachtach a chur ar an ngluaiseacht ina raibh 100,000 fear faoin am seo[231] agus freisin ina iarracht ar Mhac Réamoinn a chur ar gcúl le toghchán a réiteodh ceist faoin gCoiste Sealadach a bheith neamhionadaíoch. D'ainneoin an sainléiriú[232] a tugadh ar fhreagra Mhic Néill ar dhúshlán chun díospóireachta, 4 Bealtaine, 1914[233]—freagra inar dhúirt sé nach raibh aon naimhdeas ag na hÓglaigh d'Arm na Saoránach, ach inar dhiúltaigh sé mar sin féin an cuireadh chun díospóireachta—bhí

---

[228] Lss. Mhic Réamoinn i LNE.

[229] Tá an téacs i Hobson, *A Short History*, ll. 108-111.

[230] Hobson, *A Short History*, ll. 114-116.

[231] *Irish Volunteer*, 30 Bealtaine, 1914.

[232] *The Irish Worker*, 13 Meitheamh, 1914. Séard atá sa léiriú: ' Is it any wonder that Labour looks dubiously upon a movement which is afraid or unwilling to give an answer for the hope that is in it.'

[233] cf. l. 43 thuas.

dóchas fós as na hÓglaigh in eagarfhocal an *Irish Worker*, 13 Meitheamh, 1914. Thug an tEagarthóir ' comrades ' orthu fiú ! Iarrann sé ar na hÓglaigh fanacht amach ó pholaitíocht agus ó lucht polaitíochta agus seasamh lena gcuspóir Éire a shaoradh.[234]

Ach tháinig an comhartha cairdis seo ró-dhéanach chun na hÓglaigh a neartú, is é sin dá mbeadh comhairle Arm na Saoránach inghlactha acu i ndiaidh snípéireacht na sé mhí roimhe sin.

Chuir an tOrdú Ginearálta Mac Réamoinn ar buile, ghlac sé leis mar dhiúltú ar a éileamh agus tháinig an fógra deiridh uaidh, 12 Meitheamh, 1914,[235] ag éileamh go nglacfaí láithreach le cúig dhuine is fiche dá chuid ionadaithe ar an gCoiste Sealadach. Lean díospóireacht challánach é seo ag an gcruinniú den Choiste ach ar deireadh thiar glacadh go mífhonnmhar le héileamh Mhic Réamoinn agus cuireadh é seo in iúl dó i litir, 16 Meitheamh, 1914.[236]

Mar sin bhí corraíl gheolaíoch eile tar éis titim amach—bhí dearcadh eagraíocht na nÓglach athraithe agus ba le léargas nua a bhí fir le breathnú ar a chéile sna gluaiseachtaí éagsúla.

Ba fhada ó chomhoibriú a bhí na ceithre gluaiseachtaí fós. Bhí lámh fós ag an mBráithreachas i gcúrsaí na nÓglach, an ghluaiseacht a thug siad chun beatha ach a bhí tar éis fás ró-thapaidh agus ró-mhór le go gcoimeádfadh an cumann rúnda greim éifeachtach smachta uirthi. Mar gheall ar iad a bheith fite fuaite chomh mór sin i ngluaiseacht na nÓglach bhí scáineadh tagtha idir iad agus an Lucht Oibre, d'ainneoin an gaol, an cairdeas agus an comhoibriú a bhíodh eatarthu blianta roimhe sin. Bhí bonn chomh leathan faoi eagraíocht na nÓglach narbh ionadh go raibh aicmí inti nár thaitnigh leis an Lucht Oibre agus daoradh na haicmí eile

---

[234] Is é teideal an eagarfhocail ' John Redmond tries to deliver the goods.' Léitear ann: ' Let us hope that the fervent spirits, the earnest men in the Volunteer movement will show the world now in hour of trial that the cause of Cathleen Ní Houlihan is something greater and nobler than the interests of a political clique. Hands off, political thugs. Be men, you Volunteers ! . . Be warned. Be true to yourselves. Be true to your cause. . . No compromise. . . Be true to the cause and Ireland will be free. But if ye waver, we must endure another purgatory. On behalf of the Citizen Army we bid our comrades to stand to the guns and let the politicians go hang themselves if necessary.'

[235] Hobson, *A Short History*, ll. 117-120.

[236] *Op. cit.*, ll. 123-127.

agus Bráithreachas Phoblacht na hÉireann de bharr a gcaidrimh leo. Ós rud é gur dhream aon-chreidmheach iad na Hibernian Rifles ní raibh siadsan inghlactha ag an mBráithreachas ná ag na hÓglaigh ach ba chosúil go raibh bá acu leis an Lucht Oibre agus d'fhan siad saor ón aithis a tugadh do na heagraíochtaí eile i leathanaigh an *Irish Worker*.

Bheadh sé i bhfad sula bhféadfaí cosúlacht a fheiceáil go ndéanfaí comhordú ar imeachtaí nó comhoibriú i ngníomhaíocht na n-eagraíochtaí, cé go bhfuarthas léargas beag ar a leithéid anois is arís.

AN DARA MÍR

(go dtí Meán Fómhair, 1914)

NÍOR glacadh le hionadaithe Mhic Réamoinn ar an gCoiste Sealadach gan an cheist dul go croí go mór i gcomhaltaí an Choiste. Cé go raibh naoi nduine is fiche ar an gcoiste ag an am[1] agus cúig dhuine dhéag acu seo sa Bhráithreachas ba léir go mbeadh easaontas ann. Tháinig an scéal ina mullach chomh tapaidh sin sa Bhráithreachas nach raibh deis acu díospóireacht a dhéanamh roimh ré[2] agus ós rud é nach raibh siad eagraithe chun smacht a choimeád ar na hÓglaigh mar a rinne siad ar Fhianna Éireann,[3] agus ar aon nós ó bhí na hÓglaigh ró-mhór mar eagraíocht faoin am sin le go dtiocfadh leo í a smachtú ní haon ionadh nuair a cuireadh fógra deiridh Mhic Réamoinn faoina mbráid, go raibh a vótaí beagnach cothrom ar an dá thaobh.

Tháinig freagra ó chuid acu ar an bpointe agus mar a bheifí ag súil leis. Tá sé le tabhairt faoi deara gur dhiúltaigh Éamonn Ceannt páirt a ghlacadh i mbunú craobh de na hÓglaigh i gCill Mhantáin nuair a chonaic sé rún i bhfabhar Mhic Réamoinn ar chlár an chruinnithe.[4] Níorbh aon ionadh mar sin a ainm a fheiceáil ar cheann litreach a d'eisigh an naonúr nach raibh sásta glacadh leis na Réamonnaigh.[5] Bhí seisear eile de chomhaltaí an Bhráithreachais a d'aontaigh leis—An Colbardach, an Máirtíneach, an Piarsach, an Béaslaíoch, an Maolíosach agus Seán Mac Diarmada. Vótáil an Breithiúnach agus an Giobúnach leo.

---

[1] An seacht nduine is fiche ar liosta na vótála a choimeád Hobson (Lss. Hobson LNE 13174 (10)) mar aon le Peadar de Faoite agus Tomás Mac Donncha a bhí as láthair.

[2] Scríobh Seoirse Ó Liatháin, lár an chiorcail ina raibh an Maicíneach, chuig Diarmaid Ó Loinsigh ar 2 Meán Fómhair, 1946: 'He (an Maicíneach) voted for Redmond's nominees on my advice as I had no instructions and we both thought it too early for a split.' (Lss. Lynch LNE 11130).

[3] cf. réamhrá l. iii thuas.

[4] *Irish Times*, 13 Meitheamh, 1914.

[5] *Irish Times*, 18 Meitheamh, 1914.

Ar an taobh eile ba é Hobson an t-aon chomhalta den Bhráithreachas a raibh eolas aige faoi na comhráití agus a bhí le cácas Buswell le linn na laethanta fiabhrasacha sin, nuair a bhíodar ag déanamh iarracht Mac Réamoinn a bhriseadh. Chonaic sé freisin na hiarrachtaí a rinne Ruairí Mac Easmainn, le fuinneamh mire, an fhadhb a réiteach[6] agus choinnigh sé Ruairí Mac Easmainn agus Mac Néill ó litir agóide a eisiúint agus éirí as an saol poiblí.[7] Mhothaigh seisean dá ndiúltóidís Mac Réamoinn go scoiltfí eagraíocht na nÓglach ar bhealach a bheadh doleigheasta.[8] D'aontaigh seisear eile de chomhaltaí an Bhráithreachais leis—an Pluincéadach, An Maicíneach, An Lochlannach, Page, An Rianach agus an Conchúrach. Bhí Tomás Mac Donncha as láthair ón gcruinniú.[9]

Díreach roimhe seo bhí iris an Bhráithreachais[10] tar éis talamh slán a dhéanamh dá ndearcadh faoin Réamonnach agus faoi Rialtas Dúchais:

> Ní thabharfaidh cumann díospóireachta ar bhruach na Life, is cuma an bhfuil ceithre nó sé chontae d'Ulaidh leo nó nach bhfuil, saoirse d'Éire. Ach tógfaidh 100,000 Éireannach armáilte agus traenáilte saoirse ó aon duine a dhéanann iarracht í a choinneáil uathu.

Dá aithle sin is dócha gur d'fhonn scoilt a sheachaint a d'eisigh an naonúr litir[11] ag rá go

> mothaíonn (muid) gurb é ár ndualgas é leanúint lenár gcuid oibre san eagraíocht agus achainíonn muid orthu siúd i measc na saighdiúirí singil a aontaíonn linn faoi seo, a gcuid tuairimí pearsanta a chur ar leataobh agus leanúint lena gcuid iarrachtaí fórsa cosanta náisiúnta armáilte, éifeachtach a dhéanamh d'Óglaigh na hÉireann.

---

6 Scríobh sé chuig Mac Réamoinn an 9, 10, 11 agus 12 Meitheamh, 1914. Lss. Mhic Réamoinn LNE.

7 Hobson chuig McGarrity i 1934. Lss. Hobson LNE 13171.

8 *ibid.*

9 Níl sé ar an liosta díobhsan a vótáil, i Lss. Hobson LNE 13174 (10). cf. freisin l. 53 (nóta 17) thíos. Seans nach raibh an Pluincéadach fós san I.R.B. Féach Geraldine Dillon sa *University Review*, iml. iii, uimh. 1, l. 63.

10 *Irish Freedom*, Meitheamh, 1914.

11 *Irish Times*, 18 Meitheamh, 1914.

Ach má dhealraigh sé ar an uachtar go raibh na heasaontais thart ba ró-shoiléir a bhí doicheall na míleatach i gcoinne Hobson agus Mhic Néill. Bhí míchlú ar Hobson i súile an Chléirigh agus Sheáin Mhic Dhiarmada—beirt den triúr a bhí ar Choiste Feidhmeannais an Bhráithreachais—agus thionól siad cruinniú den Ardchomhairle. D'éirigh Hobson as oifig mar chomhalta den Chomhairle ag an gcruinniú sin, ' níor bhuail sé leis an gCléireach' arís agus ' níor réitigh sé go maith arís le Seán Mac Diarmada.'[12] Nuair a fuair Devoy cuntas an Chléirigh ar na himeachtaí seo chuir sé post Hobson, mar thuairisceoir don *Gaelic American* i mBaile Átha Cliath, ar ceal.[13]

Tugadh freagra ar Mhac Néill chomh tapaidh céanna. Bhí sé leis an léacht chuimhne a thabhairt ag uaigh Wolfe Tone i mBaile Bhuadáin, 21 Meitheamh,[14] 1914, ach cuireadh an cuireadh ar ceal[15] agus thug W. J. Ryan an óráid ina ionad.[16]

Níor lúide díomua na nÓglach an chaoi ar ghlac an Lucht Oibre leis an scéal. Ba shearbhasach, tapaidh a léiríodh a n-intinn in alt fada faoin teideal, ' On your knees ! Provisional Committee.' San alt seo moladh an naonúr a chuir in aghaidh glacadh leis na Réamonnaigh agus cáineadh an chuid eile, á rá gur mheatacháin iad agus go raibh cuid acu nach mbeifí ag súil le gníomh níos fearr uathu.[17]

---

[12] Hobson chuig McGarrity, *loc. cit.*

[13] *ibid.*

[14] T. Ó Cléirigh chuig Devoy, 9 Meitheamh, 1914, *Devoy's Post Bag*, iml. ii, l. 448.

[15] Nóta eagarthóra i *Devoy's Post Bag, loc. cit.*

[16] *Irish Freedom*, Iúil, 1914.

[17] *The Irish Worker*, 20 Meitheamh, 1914: ' On the last day of the discussion on the Home Rule Bill and as the Irish " Nationalis " cheered, a band passed over the Bridge at Westminster playing

" Let Erin remember the days of old
When her faithless sons betrayed her."

Another band should have passed through the street when the Provisional Committee decided to pass over the Volunteers to Redmond and his dirty gang of place hunters and political thugs. Nine men opposed. Let their names go on record as honest men. . . .

Absent T. Mac Donagh and Peter White. From some . . . we did not expect anything better. From James O'Connor who is alleged to have scabbed it on the farm labourers in North County Dublin, and who is apprenticed to John Gore, we ought not to expect very much nor from

Agus óna phuilpid 'By the Campfire' chuir an Cathasach a ladar féin isteach[18] ag rá go raibh súil aige go mbeadh dream mór d'Arm na Saoránach i láthair ag uaigh Wolfe Tone ós rud é nach raibh aon dream eile ann a lean prionsabail Tone ag an am sin. Dúirt sé freisin go raibh sé in am ag na Poblachtaigh i measc na nÓglach dúiseacht arís.

Ba dheacair a bheith ag súil go bhféadfadh aon toradh deimhneach a bheith ar an tuile sheirbhe seo. Ach sa moladh don naonúr agus sa dóchas a bhí le 'athdhúiseacht na bPoblachtach' agus san fháilte a chuir Tomás Ó Cléirigh roimh Arm na Saoránach a bheith páirteach san oilithreacht go Baile Bhuadáin[19] feictear síol beag den chomhbhá a dtiocfadh as fós crann mór comhoibrithe chun réabhlóide.

Ní raibh na Hibernian Rifles orthusan a bhí páirteach san oilithreacht go Baile Bhuadáin[20]—b'fhéidir nár fheil smaointe Tone faoi 'Protestant, Catholic and Dissenter' do dhream aonchreidmheach, dá mhíleataí iad.

Cé go raibh díomá faoi Mhac Réamoinn a bheith ag dul i gceann gnó le sonrú san eagarfhocal 'The Kiss of Judas' in *Irish*

---

[18] *The Irish Worker*, 20 Meitheamh, 1914:
'We sincerely hope that as many members as possible of the Citizen Army will attend, (Baile Bhuadáin atá i gceist) forasmuch since the Provisional Committee have placed their necks for John Redmond to rest his feet, ours is the only body which gathers inspiration from the principles of Wolfe Tone ! The time is at hand for a reawakening of the rank and fil e of the Republican element in the Volunteers.'

[19] P. Ó Cathasaigh, *The Story of the Irish Citizen Army*, l. 32.

[20] *Irish Freedom*, Iúil, 1914.

---

either of the Kettles, nor from poor Pether Reilly (*sic*), nor from John Gore, nor from Lenihan, who we understand, is one of the creatures who produced the "*Independent*" during the lock-out, nor indeed from others of the gang. But what is to be said of Bulmer Hobson ? . . . We met him in the days agone in Belfast, and we were not strong enough in our views to please the great Hobson. We were not Hobson's choice in fact. But we never knuckled down to John Redmond. On the knee, Bulmer ! What is to be said of Peadar Macken, the "rebel" ! On the knee, Peadar ! Of The O'Rahilly, by virtue of British Law, of Pádraig Ó Riain or of Gogan. Ah what's to be said of any of them unless that other band should have played "Let Erin Remember . . ." And from such cowards as these . . . may God save Ireland. We notice . . . Mac Neill is to deliver the oration of Bodenstown on Sunday. Poor Tone. It is enough to make him turn in his grave.

Freedom, Iúil, 1914, ina ndúradh go raibh a bpríomhbhuntáiste caillte ag na hÓglaigh—ba é sin gan baint a bheith acu le páirtithe polaitíochta—agus go raibh aontacht an náisiúin curtha i mbaol acu,[21] baineadh macalla as litir an naonúr a chuir in aghaidh na Réamonnach, 18 Meitheamh, nuair a dúradh nach bhféadfadh Páirtí an Rialtais Dúchais an Coiste Sealadach a mhilleadh go buan agus iarradh ar gach scarúnaí fanacht sna hÓglaigh chun an eagraíocht a threorú.[22]

Rinne Mac Néill iarracht ar na hÓglaigh a chuir ar a suaimhneas nuair a dúirt sé go rabhthas ' ag baint eascairdis don ngluaiseacht a bhréagnaíonn a chuid focal as ráiteas Mhic Réamoinn ' agus nuair a dhearbhaigh sé:

> Níl i gceist an cheannais ach mionrud. Mar dá n-ainmneofaí céad fear le bheith i gceannas na gluaiseachta bheadh a laghad céanna cumhachta acu muna mbeidís ag feidhmiú thar cheann na nÓglach go léir.[23]

Ach má thit síochán de shaghas éigin ar chúrsaí na nÓglach níorbh amhlaidh d'Arm na Saoránach, mar chuaigh an Cathasach ró-fhada dá chomrádaithe sa Lucht Oibre. Bhí duine de bheirt nár aontaigh leis tar éis éirí as an Arm de bharr naimhdeas an Chathasaigh[24] agus ansin chuaigh sé i gceann an duine eile a dhíbirt. Tar éis bhua Mhic Réamoinn thionól sé cruinniú de Chomhairle Arm na Saoránach chun an rún seo a plé:

> Ós rud é go raibh baint ag Madame Markievicz, trí Chumann na mBan, leis na hÓglaigh, agus dlúthbhaint

[21] ' In surrendering . . . the Provisional Committee have given up not only the most generous and most appealing and most vital principle of the organization . . . its non-party principle, but have also jeopardized, not alone the object of the movement, but also the very thing in whose interest the surrender was made—national unity.'

[22] ' The political incompetence of the Irish Parliamentary Party added to the Committee, will hamper it, but it cannot cripple it permanently. Therefore we urge upon all separatists to remain in the Volunteer Movement, to see that it is kept to its purpose.'

[23] *Irish Volunteer*, 20 Meitheamh, 1914.

[24] I litir uaidh ar an *Irish Times*, 5 Bealtaine, 1914, dúirt an Captaen de Faoite gur éirigh sé as an Arm seachtain roimhe sin, ' doubtful of my power to prevent . . . such a policy as is in the challenge '—an dúshlán sin a bhí ar an bpáipéar céanna an lá roimhe agus go bhfuil tagairt dó thuas. (Féach l. 43 thuas).

aici le go leor de cheannairí na nÓglach agus ós rud é go raibh modhanna oibre agus cuspóirí Chumann na nÓglach in aghaidh leas an Lucht Oibre, ní fhéadfaí a bheith ag súil go mbeadh muinín fós ag an gComhairle as Madame Markievicz; agus go n-iarrfaí uirthi anois a bheith faoi réir a ceangal leis na hÓglaigh nó le hArm na Saoránach.[25]

Diúltaíodh don rún.[26] Iarradh ar an gCathasach a leithscéal a ghabháil leis an gCuntaois—rud nár thoiligh sé a dhéanamh agus d'éirigh sé as an Arm láithreach.[27] Ba é an Conghaileach a fuair an post mar rúnaí[28] agus ina dhiaidh seo tháinig maolú sonrach ar an naimhdeas do na hÓglaigh a bhíodh chomh minic sin le feiceáil san *Irish Worker.*

Bhí soláthar arm fós ina cheist thábhachtach do na hÓglaigh agus is eagarfhocal[29] dúirt Mac Néill:

> Braitheann buaine Ghluaiseacht na nÓglach ar cé chomh luath agus is féidir uimhir réasúnta raidhfilí a thabhairt isteach go Éirinn,

téama ar ar fhill sé beagáinín ina dhiaidh sin[30]:

> Caithfimid raidhfilí a bheith againn. . . . Níl ár ndóthain raidhfilí sa tír[31] agus tá na mílte fear traenáilte réidh lena n-aghaidh. . . . De réir mar atá cúrsaí anois, tógfaidh sé na blianta raidhfilí a sholáthar do na fir a d'fhéadfadh iad a úsáid go héifeachtach.

An 23 Meitheamh, 1914, tugadh an chéad chéim oifigiúil i dtreo armála na nÓglach nuair a bunaíodh fochoiste arm a bhí le hairm a cheannach lena ndíol leis na hÓglaigh. Ghníomhaigh siad go rúnda agus níor insíodh a n-ainmneacha, seachas Mac Néill agus

---

[25] P. Ó Cathasaigh, *The Story of the Irish Citizen Army,* l. 45.
[26] P. Ó Cathasaigh, *op. cit.,* l. 46.
[27] *ibid.*
[28] *op. cit.,* l. 47.
[29] *Irish Volunteer,* 20 Meitheamh, 1914.
[30] *Irish Volunteer,* 4 Iúil, 1914.
[31] De réir cosúlachta, bhí deireadh faoin am seo leis an méid a luaigh sé a bhí fós le fáil sna siopaí (*Irish Volunteer,* 23 Bealtaine, 1914).

an Rathghailleach, don Choiste Sealadach ach rinne siad a gcuid oibre faoi threoir Mhic Néill.[32]

Níl aon fhianaise ann faoin obair a rinne an coiste seo ná faoi na comhaltaí eile a bhí air. Ní cosúil go ndearnadh mionscrúdú ar cén chaoi a mbeadh na hairm le fáil nó cé na foinsí a úsáidfí.

Dealraíonn sé ó litir ón bPiarsach chuig McGarrity, 19 Meitheamh, 1914, nach raibh aon socruithe dearfacha déanta ag an mBráithreachas ach oiread. Sa litir sin luaigh sé go raibh dóchas aige go ndéanfadh an Páirtí ' cuidiú linn chun armála ' agus dá ndéanfaidís é gurbh ' fhiú go maith dúinn é gur ghéill muid dóibh.'[33]

Ba bheag seans a bhí ann go mbeadh toradh ar an dóchas sin. Fuarthas amach go raibh coiste cheithre dhuine is caoga ró-mhór le bheith éifeachtach agus bunaíodh Coiste Seasta cheithre dhuine dhéag, gan air ach comhalta amháin den Bhráithreachas—Hobson,[34] agus ó tharla an bealach ar ghlac Seán Mac Diarmada agus an Cléireach leis gur vótáil sé ar son ghéilleadh do Mhac Réamoinn, ní fhéadfaí a rá gurbh *ionadaí* ón mBráithreachas é. Ba é an t-aon chomhalta den Bhráithreachas é freisin a bhí ar an bhFochoiste Cigireachta Míleata a bunaíodh i mí Meithimh agus nach raibh

> de dhualgas air ar dtús ach cigireacht a dhéanamh, ó am go ham, ar an gcór ar fud na hÉireann ach ba ghearr go

[32] Hobson, *A Short History*, l. 52. ' It consisted of Eoin Mac Neill and O'Rahilly and any others Mac Neill might appoint. The names of the men thus appointed were not reported to the Provisional Committee and their work, the purchase of arms and their sale to the Volunteers was necessarily kept secret. The Committee as a whole never met, but individual members were assigned special pieces of work by Mac Neill.'

[33] Lss. Hobson LNE 13162. Is cóipeanna clóscríofa uilig de na litreacha ón bPiarsach chuig McGarrity atá sa chnuasach seo. Sheol McGarrity iad uilig chuig Ó Lochlainn d'fhonn iad a fhoilsiu mar leabhar ach níor foilsíodh an leabhar a bhí beartaithe aige riamh.

[34] Lss. Hobson LNE 12178, l. 175. Anseo deir Hobson gur cuireadh an Mórdhach, An Scanallach agus Seán Mac Diarmada leis an uimhir seo níos déanaí. Comhalta den Bhráithreachas ar ndóigh é Seán Mac Diarmada. Sa leagan eile dá ' Stair ' LNE 12177, l. 198 ní deir sé aon rud faoin triúr seo ná ní deir sé gurbh iad Mac Néill, Labhrás Kettle, An Doibhlinneach agus Gore a chum an liosta i dtosach.

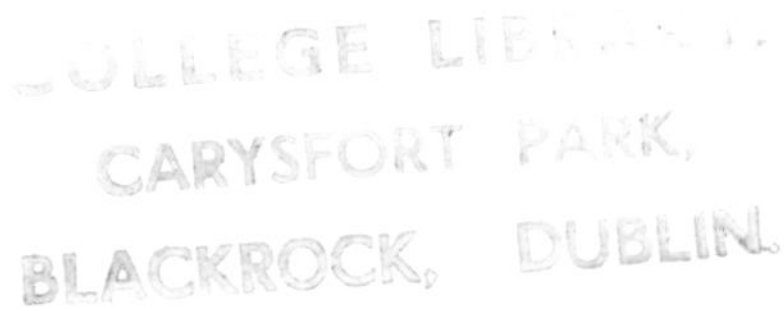

ndeachaigh an Fochoiste i gceann eagair mhíleata na gluaiseachta agus gur stiúraigh siad an traenáil mhíleata.[35]

Níorbh fhada gur baineadh an dalladh púicín de gach aon duine. Scríobh an Piarsach chuig McGarrity, 17 Iúil, 1914,[36] le cuntas a thabhairt ar an maíomh a rinne an Doibhlinneach ag cruinniú den choiste méadaithe an Mháirt roimhe sin:

> gur smugláil sé a dhóthain gunnaí isteach i mBéal Feirste chun a chuid fear a armáil agus dúirt sé freisin le duine de na comhaltaí go raibh dhá mheaisínghunna sa mhéid a fuair sé.[37]

Scríobh sé leis agus béim aige air, 'níltear le hairm a thabhairt dóibh siúd nach bhfuil faoi smacht ag Mac Réamoinn.'

Dúirt sé gur bunaíodh an Coiste Seasta 'gan fógra' agus faoi chomhaltaí an Choiste sin:

> Orthusan ní féidir a bheith lánmhuiníneach ach as Hobson[38] agus an Giobúnach. Creidim gur fear fiúntach, misniúil é an Breithiúnach (cé gur Hibernian é). Tá Mac Néill agus an Rathghailleach macánta ach tá siad lag agus an-tugtha do bheith scaollmhar.
>
> Déanfaidh an chuid eile acu díreach mar a deir Mac Réamoinn leo. Ní féidir linn a bheith ag braith ach ar chúigear ar a mhéid, as trí dhuine dhéag[39] de cheannairí na nÓglach, mar atá siad anois.

Is ar Mheiriceá a fhéachann an litir seo mar fhoinse arm, agus is í an litir seo an chéad rud cinnte faoin gceist:

> Anois, déan dá réir seo ar an bpointe le do thoil. Ná tabhair aon aird ar iarratais eile faoi láthair agus comhoibrigh le

---

[35] Hobson, *A Short History*, l. 172.

[36] Lss. Hobson LNE 13162.

[37] Bhí George Fitzharding-Berkeley ar an mbuíon chigireachta i mBéal Feirste ó 6 Iúil go 18 Meán Fómhair, 1914, agus ina chuntas faoi na laethanta sin, (Lss. Berkeley LNE 7880) deir sé gur fíor-bheag é méid na n-arm a bhí ag na hÓglaigh i mBéal Feirste. Is dócha mar sin nach raibh i maíomh an Doibhlinnigh ach é sin.

[38] Ní raibh an Piarsach chomh mór i gcoinne Hobson is a bhí cuid dá bhráithre mar a chonacthas thuas. Scríobh sé chuig McGarrity, 17 Lúnasa, 1914 (Lss. Hobson LNE 13162): 'I think they have been too hard on Hobson on your side.'

[39] Tá 14 ag Hobson (l. 57 thuas). Liam Mac Réamoinn atá in easnamh ar liosta an Phiarsaigh.

Seán Mac Diarmada, Ceannt, an Giobúnach agus liomsa le go n-armálfar fir fhiúntacha, chomh luath agus is féidir. Bainimis an méid sin maitheasa ar a laghad, as an ngluaiseacht, sula dtiteann sé as a chéile.

Nocht Ruairí Mac Easmainn an t-éadóchas a bhí air i litir chuig Berkeley, 19 Iúil, 1914. Dúirt sé gur cheap lucht na polaitíochta nach raibh ag teastáil ó fhir na hÉireann ach sochar dóibh féin agus go ndearna siad iarracht duine de na ceannairí a bhreabadh.[40]

Dúirt sé sa litir chéanna nach raibh ó Mhac Réamoinn, an Diolúnach agus araile ach na hÓglaigh a úsáid chun sochair pholaitiúil dóibh féin.[41]

Bhí Berkeley agus Ruairí Mac Easmainn araon ar na daoine a bhí ag déanamh rud éigin deimhneach faoi cheist na n-arm agus níl aon fhianaise ann go raibh baint dá laghad ag an mBráithreachas leo, seachas an bhaint bheag a bhí ag Hobson leo, ná ag Coiste Sealadach na nÓglach. Ba bheag freisin an bhaint a bhí ag Fochoiste Arm na nÓglach leis an éacht a beartaíodh.

Cairde de chuid Ruairí Mhic Easmainn i Londain ba mhó a bhí páirteach ann. Ba iad na daoine a thug síntiús airgid lena aghaidh ná Bean Erskine Childers, an Tiarna Ashbourne, an Bhantiarna Young, Máire Uasal Spring de Rís,[42] Conchúr Ó Briain, Aodh Ó Briain, Min Ní Riain agus G. Fitzharding-Berkeley[43] agus de réir a chuntais-san ba í Máire Spring de Rís a chuir tús leis an scéim.[44]

---

[40] Lss. Berkeley LNE 7879: ' These wretched men (I mean the political gang) cannot think of Irishmen doing anything except for personal gain. They tried to hint to us that if we let them have their way we would not be forgotten in the distribution of the spoils. A distinct offer to bribe one of our leading men came from Westminster in writing—were we to publish the correspondence it would not be a tribute to their intelligence or patriotism.'

[41] ' We have no reason to believe that Messrs. Redmond, Dillon and Co. have any use for the Volunteers but for political bluff. They want an army of scene shifters for political platforms in English elections, to do the very thing they so untruthfully charged Carson with doing.'

[42] Bhí scair £1 ag duine den mhuirín seo i gCumann chló Shinn Féin. (Lss. S.F. LNE 2139).

[43] Thug Berkeley £100 ar iasacht don Chiste. Tugadh eisean isteach sa scéal nuair a tháinig sé ar cuairt chuig na Childers i Londain, uair a raibh Máire Spring de Rís i láthair, agus nochtaíodh an scéim dó. (Lss. Berkeley LNE 7880).

[44] Las. Berkeley LNE 7880.

De réir Hobson[45] ba iad na daoine ba mhó fuinneamh sa ghníomhaíocht ná Ruairí Mac Easmainn,[46] Alice Stopford-Green agus Erskine Childers agus a bhean agus ba iad Darrel Figgis agus Childers a thaisteal an Bheilg agus an Ghearmáin chun na hairm a cheannach dóibh.[47] D'fhéadfaí a rá gur daoine neamhspleácha a bhí ar son Rialtais Dúchais a bhí sa ghrúpa, cairde de chuid Ruairí Mac Easmainn a chuir rompu smugláil gunnaí Latharna a chothromú i slí éigin. Is léir é sin ní hamháin ó chomhaltas an ghrúpa ach ó litir a scríobh Bean Childers chuig Mac Réamoinn,[48] 22 Meitheamh, 1916, ina ndúirt sí ' Feicim go nglactar leis gach uile áit go ndearnadh smugláil Bhinn Éadair do lucht Sinn Féin[49] áit a ndearnadh é ar son na nÓglach Náisiúnta ar fad.' Is mó de mheon a léiríonn an litir seo ná de dheimhniú ar chuspóirí ós rud é nár tharla an scoilt go dtí Meán Fómhair, 1914 agus gur tháinig na gunnaí isteach go Binn Éadair, 26 Iúil, 1914, agus go Baile Uí Ghionnáin, 3 Lúnasa, 1914.

D'eagraigh Hobson an teacht i dtír ag Binn Éadair[50] agus is dócha gur de bharr é a bheith ina sheanchara ag Ruairí Mac Easmainn agus ó bhí Ruairí Mac Easmainn é féin sna Stáit Aontaithe ag an am, a lig na daoine i Londain an rún le Hobson chun an chuid sin den ghnó a chur i gcrích.[51]

---

[45] Lss. Hobson LNE 12178, l. 183. Níl na hainmneacha aige sa leagan eile dá stair LNE 12177, l. 209 ach tá siad ar liosta i Lss. Hobson, LNE 13174 (3).

[46] Sna *Diaries* a foilsíodh (eag. Curry) ar l. 27, tagraíonn Ruairí Mac Easmainn do ' my pre-arranged coup for landing the guns at Howth ' agus i litir uaidh, 29 Iúil, 1914, chuig Bean Green (sínithe aige go spóirtiúil ' The Fugitive Knight ') deir sé: ' We have done what we set out to do. . . . and all we planned went well." (Lss. Green LNE 10464).

[47] Lss. An Mhórdhaigh LNE 10555. Figgis, *Recollections of the Irish War*, 21-39.

[48] Lss. Mhic Réamoinn LNE.

[49] Díreach nuair a tharla an scoilt thosaigh an Páirtí agus na nuachtáin a thaobhaigh leo ag gairm ' Sinn Féin Volunteers ' ar an méid a d'fhan dílis don seanchoiste. Is dócha gur théarma tarcaisneach é ' Sinn Féin ' mar bhí Sinn Féin, mar eagríocht, beagnach imithe ó 1910. Seans maith leis, gur thug an t-ainm mothú bréagach nach raibh siad in aon bhaol don Pháirtí agus d'údaráis na Breataine.

[50] Lss. An Mhórdhaigh LNE 10555.

[51] Lss. Ruairí Mhic Easmainn LNE 1689. Hobson san *Óglach*, Meitheamh, 1931.

Tar éis an teacht i dtír agus na máirseála buacaí ó Bhinn Éadair rinne na póilíní agus na saighdiúirí iarracht iad a chosc. Bhí scirmis nó dhó ann agus chaill na hÓglaigh tuairim is seacht raidhfil is fiche[52] ach baineadh macalla níos fuiltí as níos déanaí sa ló nuair a thosaigh na King's Own Scottish Borderers ag scaoileadh leis an slua a bhí ag magadh fúthu ar a mbealach ar ais ó Bhóthar Chluain Tarbh.

Bhí taispeántas naimhdis eile ann ó Arm na Saoránach ar an ócáid seo freisin. San iarracht a rinne na hÓglaigh éalú ó na saighdiúirí chuaigh roinnt acu trí Pháirc Croydon, páirc a bhí mar ionad traenála ag Arm na Saoránach agus ní mór an chabhair a fuaireadar uathusan. Déanta na fírinne choimeád Arm na Saoránach roinnt de na raidhfilí a d'fhág na hÓglaigh i bfholach ansin.[53]

Le teacht na n-arm chonacthas soiléiriú ar mheon na ndaoine. Cé gur mheas Hobson[54] agus Mac Néill[55] nach raibh an coiste méadaithe ag cur isteach ró-mhór ar obair na gluaiseachta agus cé gur lean an seanchoiste ag gníomhú go neamhspleách ar ionadaithe Mhic Réamoinn taobh amuigh de sheomraí an choiste bhí an teannas folaithe á nochtú féin anois. Bhí an Mórdhach fiú—duine a bhí gníomhach ar son an athraithe—buartha faoi mheon na bhfear nua chomh luath le 17 Iúil, 1914[56] agus scríobh sé go bhfac-

---

[52] Lss. an Mhórdhaigh LNE 10555, 10561, 10548.

[53] Lss. an Mhórdhaigh LNE 10555. O'Casey, *Drums Under the Window*, l. 310 *pass.*

[54] Scríobh Hobson ar son McGarrity in 1934 'As I expected Redmond's majority . . . did him no good or us any harm in Ireland, beyond wasting a lot of time. We went on with the work outside the committee. The Howth and Kilcool gun-running was the first big shock his nominations got. With the exception of Creed Meredith we let them know nothing or control nothing. . . .' Lss. Hobson LNE 13171.

[55] Scríobh Mac Néill, 15 Lúnasa, 1914: 'Until we got the Arms our enlarged committee was working fairly together, since then there has been a gradual increase in tension, and no progress made except outside the committee.' Lss. Hobson LNE 13174 (3). Litir chuig Mac Easmainn a bhí anseo.

[56] Nuair a scríobh sé chuig Cotter: 'I see in the papers a note of resolution of Prov. Committee to give all arms in hand to North. See Hobson and Fitzgibbon and tell them on no account to do this for the present if they have arms.' Cé nach bhfuil 1914 ar an litir is follas gur 1914 an t-aon bhliain a bhféadfaí an litir a scríobh óir d'fhág an Mórdhach na hÓglaigh am na scoilte (Meán Fómhair, 1914) agus ag an am sin bhí Cotter ar ais i Sasana. Lss. An Mhórdhaigh LNE 10561.

thas dó go raibh J. D. Nugent ag iarraidh an Coiste a scoilteadh agus na daoine nach raibh báúil leis an bPáirtí a chur amach.[57]

Bhí teacht na ngunnaí agus an scaoileadh ar Chosán Bhaitsiléir ina gcúis áthais is ina gcomhartha gníomhachta don Bhráithreachas. D'fhéachadar ar Chosán Bhaitsiléir mar céad-fhuil na réabhlóide[58] agus baineadh macalla arís as téama na híobartha fola.[59] Scríobh an Piarsach,[60] mar shampla, ' Tá an ghluaiseacht go léir, an tír go léir, athbhaiste le fuil a sileadh ar son na hÉireann ' agus bhí an tuairim chéanna ag Seán Mac Diarmada. Ag an am seo bhí seisean i láthair ag cruinniú den Bhráithreachas i dTrá Lí agus mar seo a leanas ba chuimhin le D. Ó Súilleabháin[61] a chuid chainte ar an ócáid sin:

> Tá an náisiúnachas mar a thuig Tone agus Emmet é, beagnach marbh sa tír seo agus ina áit tá ionad bréagach náisiúnachais á theagasc ag Páirtí an Rialtais Dúchais. Is í an ghlúin atá éirithe anois an ghlúin is meata ó thaobh náisiúnachais ó tháinig na Normánaigh agus gheobhaidh spiorad an tírghrá in Éirinn bás go deo mura ndéanfar íobairt fola taobh istigh de roinnt blianta. Tá an splanc náisiúnachais atá fágtha mar thoradh againn ar íobairt mhairtírigh Mhanchuin beagnach leathchéad bliain ó shin, agus beidh ar chuid againne muid féin a thairiscint mar mhairtírigh mura féidir rud ar bith níos fearr a dhéanamh chun spiorad náisiúnta na hÉireann a chaomhnú agus é a bheith mar oidhreacht do na glúnta atá le theacht.

Scríobh an Mórdhach[62] freisin mar gheall ar Sheán Mac Diarmada agus a

---

[57] Lss. An Mhórdhaigh LNE 10555: ' Indeed it had seemed to me that Mr. J. D. Nugent had . . . set himself to break up the Committee and drive out all who were not absolute and obedient followers of the party. He had begun by loud and aggressive language, table thumping. . . . As the crisis visibly approached he had added face thumping to bring it to an issue.'

[58] *Irish Freedom*, Lúnasa, 1914.

[59] Rinneadh athchoimriú ar óráid de chuid an Phiarsaigh chomh luath le Márta, 1911 ar *Irish Freedom* mar a leanas: ' Dublin must do some great act to atone for the sin of allowing Robert Emmet to be murdered in its streets without a single man dashing his brains against a stone wall in an attempt to rescue him.'

[60] Chuig McGarrity 28 Iúil, 1914, Lss. Hobson LNE 13162.

[61] LNE 10915.

[62] Lss. an Mhórdhaigh LNE 10555.

thaibhreamh faoin bpáirt a bheadh aige i stair na hÉireann. Chaithfeadh sé an bás a fhulaingt chun spiorad an náisiúin a athbheochan. Sílim go raibh an smaoineamh céanna in intinn an Phiarsaigh agus daoine eile,[63] cé, ar bhealach, go mb'fhéidir go raibh súil acu le toradh cinnte láithreach ar a gcuid saothair.

D'aithin Mac Néill freisin go raibh an dearcadh seo ag Seán Mac Diarmada agus bhí sé chomh buartha faoi go ndearna sé iarracht é a chur ar athrú comhairle.[64] Luann sé chomh maith gur aontaigh Tomás Mac Donncha leis an bPiarsach sa dearcadh seo.[65]

Chan an Pluincéadach, a bhfuil baint níos mó aige leis na himeachtaí as seo amach, agus a scríobh

In the days of our doom and our dread
 Ye were cruel and callous;
Grim death with our fighters ye fed
 Through the jaws of the gallows:

---

[63] Tá ainm Cheannt scriosta amach as an téacs i ndiaidh ainm an Phiarsaigh. Cé nach raibh an smaoineamh chomh soiléir ina aigne-sean is a bhí ag an gcuid eile bhí sé ag tabhairt a aghaidh ar réabhlóid. Féach mar shampla amhrán máirseála a chum sé leis an bhfonn ' Deutschland Über Alles ':

Ireland's land and Ireland's nation,
Ireland's faith and hope and song,
Irishmen will yet redeem them
From the foreign tyrant throng;

Ireland's homes and Ireland's hillsides
Shall be freed from slavery,
Ireland, Ireland, 'fore the wide world,
Ireland one and Ireland free. (LNE 8286).

I nótaí léachta leis tá ciorcal aige timpeall na bhfocal ' Be prepared not to return ' (Lss. Ceannt LNE 8838).

[64] Rinne an tAth. F. X. Martin, O.S.A. athchoimriú ar l. 114 de Chuimhní Cinn Mhic Néill (nár tugadh cead domsa iad a léamh) mar a leanas: ' Mac Neill . . . recalls his own unavailing attempts to wean Seán Mac Dermott from the notion that the Irish people had become degraded and required a sacrifice of redemption.' *IHS*, iml. xii, uimh. 47, l. 241.

[65] *Loc. cit.* Tá an nóta céanna ag Tomás Mac Donncha ina dhráma ' When The Dawn Is Come ' a bhfuil suíomh aige san Éirinn Réabhlóideach a bhí le teacht agus tá sé le sonrú freisin sa slí inar láimhsigh sé deireadh Tiberius Gracchus (cf. Colum agus O'Brien eag. *Poems of the I.R.B.*, ll. xxvii agus xxxi).

But a blasting and a blight was the fee
For which ye had bartered then,
And we smite with the sword that from ye
We had gained, when ye martyred them.

chomh luath le 1909,[66] chan sé faoi íobairt freisin

For many live that one may die
And one must die that many live.[67]

Agus mar fhianaise go raibh a leithéidí seo de smaointe coitianta, deir an *Irish Times*, 1 Meán Fómhair, 1914:

> Ar an drochuair, is cosúil go bhfuil gléas riartha na heagraíochta gafa ag mionlach d'fhir theoirice agus aislinge. Mura gcuireann an tUasal Mac Réamoinn a chos ina n-aghaidh go sciobtha agus go láidir, d'fhéadfadh sé go ndéanfaí an-dochar.

Ceann de na slite ina raibh an teacht le chéile le sonrú ná i ndáileadh na n-arm a tugadh i dtír ag Binn Éadair agus Baile Uí Ghionnáin. Dúirt an Piarsach le McGarrity, 28 Iúil, 1914, ' tá gunnaí ag an gcuid is mó d'Óglaigh Bhaile Átha Cliath anois; agus ar ndóigh tá go leor acu i seilbh ár gcairde '[68] ach impíonn sé ar McGarrity níos mó gunnaí a sholáthar ó na Stáit Aontaithe mar bhí eagla air go ndéanfadh na hionadaithe nua iarracht na gunnaí a fháil dá lucht leanúna féin: ' Tá sé socraithe go hoifigiúil acu na hairm uilig a chur go Cúige Uladh—is é sin chuig lucht leanúna an Doibhlinnigh.'[69] Is dócha gur cuireadh go láidir in éadan an smaoinimh seo mar deir Berkeley nár shroich ach 25 ghunna d'armlód Bhinn Éadair Béal Feirste[70] agus cuireann Hobson leis seo ' Fuair duine d'ionadaithe Mhic Réamoinn seasca raidhfil . . . agus . . . chuir sé síos chuig a chairde agus a lucht leanúna i gCo. Ard Macha iad.'[71] I leagan lámhscríbhinne den stair seo tugann sé John D. Nugent mar ainm an ionadaí atá i gceist agus ' An Céide, a bhaile dúchais ' mar cheann scríbe do na gunnaí.[72]

---

[66] Lss. an Phluincéadaigh, LNE 5020.

[67] Colum agus O'Brien, (eag.), *Poems of the I.R.B.*, l. 55.

[68] Lss. Hobson LNE 13162.

[69] Féach litir an Mhórdhaigh chuig Cotter, 17 Iúil, 1914, nóta 56 thuas.

[70] Lss. Berkeley LNE 7880.

[71] Hobson, *A Short History*, l. 170.

[72] Lss. Hobson LNE 12177, l. 315.

Ach más rud é nach raibh ró-chúis le buairt an Phiarsaigh faoi chumhacht lucht leanúna Mhic Réamoinn sa mhéid seo ní raibh a chuid soirbhíochais faoin dáileadh a bhí déanta chomh fíor sin ach oiread. Scríobh Tomás Mac Donncha chuig an bPluincéadach 28 Iúil, 1914, ag iarraidh air raidhfilí a choinneáil dó, ó chaill an chuid is mó dá chuid fear a gcuid raidhfilí.[73]

Is suimiúil í an achainí seo ar an bPluincéadach óir mheas an Mórdhach gur ghlac an Pluincéadach seilbh ar na gunnaí a tháinig i dtír, 3 Lúnasa, 1914:

> Na cinn do cuireadh i dtír an 3adh lá de Lúnasa ag Baile Uí Ghionnáin. . . Níor thánadar riamh fé láimh an Choiste. Is é scéal do hinnseadh fútha ná an laraí mótair ar a rabhadar do dhul as ordú ag Sunnybank i mBrí Cualann, agus gluaisteáin do dhul ón gcathair chun iad do bhreith chun siúbhail. Bhí sé ráite nárbh fhéidir na gluaisteáin d'fhagháil—gur cheileabhradar féin is na muscaodaí in éineacht leo. Scéal gan dealramh ab eadh é, ach an dream nár mhaith leo go bhfuighfí iad d'fhanadar ina dtost agus bhí an buadh acu; agus an fo-choiste ceapadh chun an cúrsa do scrúdú níor thugadar éinní chun soluis. Bhí ábhar éigin fianaise ann go raibh roinnt bheag acu, ar aon chuma, imthighthe go tigh an chonnta Pluincéad agus do hiarradh míniú ar Sheosamh Pluincéad. Cheapas an uair sin ná raibh aon bhaint aige leis an scéal, ach is cuimhin liom mé á rádh liom féin go raibh súil agam ná béadh sé choíche ina fhinné ná ina phríosúnach i gcúirt bhreithiúmh-

---

[73] Lss. An Phluincéadaigh LNE 10999 (ii): 'I find that nearly all the men of my company—all but one as far as I have yet heard—have lost their rifles, through standing fast and putting them in the motors as they came. If you can keep some of those you have for my men. They will be the right sort and will satisfy Hobson* and the others.'

* Is suntasach an tagairt é seo do Hobson a bhí, mar a chonaic muid ina '*persona non grata*' ag Ardchomhairle an Bhráithreachais tar éis dó vótáil ar son glacadh le hionadaithe Mhic Réamoinn. Ar ndóigh ní raibh Tomás Mac Donncha i láthair ag an gcruinniú inar éirigh Hobson as oifig mar chomhalta den Chomhairle agus b'fhéidir dá bharr sin nach raibh a fhios aige faoi athrú céime Hobson. Is dócha ó thaobh smacht na heagraíochta nár nochtaíodh go forleathan an dearcadh nua faoi Hobson. Tá an dealramh seo ar an scéal go speisialta ó bhí Hobson i mbun socruithe ag Binn Éadair.

> nais; bhí sé mí-lítheach, scáthmhar agus ba léir go raibh sé ró-mhacánta chun bheith ina chogarnach mhaith.
>
> Im thaobh féin de bhí a fhios agam go raibh na muscaodaí i lámhaibh Óglach agus dar liom ba leor san. . . . Bhí taobh eile ar an scéal a bhí, mar a mheasas, ní ba thromdha. Ní raibh aon amhras ná go raibh cólucht rúnchomhairle á bhunú ag daoine bhí ceaptha ar phleananna sicréideacha do chur i bhfeidhm i ngan fhios don gcuid eile den choiste.[74]

Thug an fochoiste úd a chuir an Coiste Sealadach ar bun údarás do

> Mr. Creed Meredith chun fiosrúchán a dhéanamh agus tuairisc a thabhairt faoi riaradh na raidhfilí. . . . Tuigimse (an Mórdhach) go raibh sé ag súil le scéala éigin ó Mr. McDermot (*sic*) agus chuir sé sin moill ar a thuairisc.[75]

Is cosúil ó ainmniú Creed Meredith mar iniúchóir, go raibh na Réamonnaigh buartha agus maille le Seán Mac Diarmada tá cosúlacht ann go raibh an ceart ag an Mórdhach faoi 'cólucht rúnchomhairle.' Tá leid eile faoi seo san achainí ar airm a chuir an Piarsach chuig McGarrity, 17 Lúnasa, 1914,[76] inar luaigh sé dream de na hÓglaigh a bhí ag iarraidh an ghluaiseacht a choinneáil dírithe ar chuspóir náisiúnta. D'ainmnigh sé Seán Mac Diarmada, Ceannt agus an Giobúnach.[77]

Níor bhrú Mac Réamoinn ceist na smugléla ró-fhada. Ní bheadh sé dá réir féin é a bheith páirteach i gceilg mar é, go háirithe agus é chomh minic sin ag gearán faoi mhídhleathacht cuid mhaith de ghníomhartha Carson. Ós rud é go raibh sé cheana féin ag agóid le go gcuirfí an Forógra Ríoga i gcoinne iompórtáil arm ar ceal[78] ba é a fhreagra ar Bhinn Éadair ná cur leis an agóid seo[79] go dtí go ndearnadh rud air, 5 Lúnasa, 1914,[80] agus ansin an deis a

---

[74] An Mórdhach, *Tús agus Fás Óglach na hÉireann, 1913-1917*, ll. 185, 186. Réitíonn sé seo leis an mbunleagan Béarla i Lss. an Mhórdhaigh LNE 10555.

[75] An Mórdhach chuig Mac Néill, 5 Deireadh Fómhair, 1914. Lss. an Mhórdhaigh LNE 10548.

[76] Lss. Hobson LNE 13162.

[77] Bhí an Giobúnach ina chinnire ar an teacht i dtír ag Baile Uí Ghionnáin.

[78] Lss. Hobson LNE 12177, l. 39. W. B. Wells, *John Redmond*, l. 155.

[79] Wells, *op. cit.*, ll. 154, 155.

[80] Hobson, *A Short History*, l. 171.

úsáid chun airm a cheannach.[81] Is dócha gur cheannaigh sé na gunnaí a luaigh Berkeley

> Tar éis an chogaidh in aghaidh na Gearmáine, d'iompórtáil an Doibhlinneach tuairim is 800 raidhfil agus beaignit . . . níor sholáthair an Doibhlinneach aon urchair, áfach, agus bhí cró aisteach, eachtrannach ina chuid raidhfilí a chuir cosc air aon chartúis a fháil a d'oirfeadh iad.[82]

D'fhógair an Bhreatain cogadh ar an nGearmáin, 4 Lúnasa, 1914,[83] agus leis an bhfógairt sin tharla tréimhse eile saor-ghlanadh sna hÓglaigh. Mar a dúirt an Mórdhach[84]:

> D'fhág an slógadh i gcruachás muid áfach; tógann sé 25,000 d'ár gcuid saighdiúirí agus formhór ár gcuid teagascóirí uainn d'aon iarraidh amháin, díreach nuair is géire atá gá againn leo.

Ach ag an am chéanna thug sé isteach sna hÓglaigh dream mór de na mionuaisle—Aontachtaithe agus Deisceartaigh.[85] Is cinnte gur mealladh iad ag an bhfreagra a thug Mac Réamoinn ar ráiteas Grey, 3 Lúnasa, 1914, ag rá gurb í Éire, an t-aon bhall dóchais sa scéal uafásach seo '[86] freagra inar gheall sé go gcosnódh na hÓglaigh ' tír na hÉireann '[87] gealltanas ar aontaigh Coiste Seasta na nÓglach leis gan mhoill.[88]

Bunaíodh Foireann Cigireachta Míleata i Mí Lúnasa de chuid de na huaisle seo.[89] Orthu seo bhí an Maor, Iarla Fhine Gall, Leiftean-ant-Choirnéal Esmond, na Maoir Crean, Dease agus Sir H. Grattan-Bellew, na Captaein Whyte, Fitzhardinge-Berkeley, Talbot-

---

[81] Tá sonra i Lss. Mhic Réamoinn i LNE d'iompar 93 bhosca raidhfilí, 25 bheart raidhfilí agus 3 bhosca beaignití, 22 Lúnasa, 1914 agus 106 bhosca raidhfilí maille le 13 bhosca beaignití, 28 Lúnasa, 1914, iad uilig ó chuan Folkestone. Ní luaitear cá raibh siad á dtabhairt agus níl aon armlón leo.

[82] Lss. Berkeley LNE 7880.

[83] *Irish Times*, 5 Lúnasa, 1914.

[84] An Mórdhach chuig Mac Réamoinn, 4 Lúnasa, 1914 (Lss. Mhic Réamoinn LNE). Ba iad seo na daoine a luaigh sé roimhe seo mar ' some 20,000 Reservists and special reserve men . . . formed a strong back bone to the organization . . .' (Lss. an Mhórdhaigh LNE 10560).

[85] Tá an liosta iomlán díobh i Lss. an Mhórdhaigh LNE 9703.

[86] *Freeman's Journal*, 4 Lúnasa, 1914.

[87] *ibid.*

[88] *Freeman's Journal*, 5 Lúnasa, 1914.

[89] Hobson, *A Short History*, l. 174.

Crosbie agus Wolfe agus an Maor H. Montmorency. Cuireadh ag obair in áiteanna éagsúla sa tír iad ach chuir go leor daoine ina n-aghaidh seo, agus in aghaidh na gceapachán áitiúla a rinneadh. Feictear dearcadh an Mhórdhaigh ar na hagóidí seo i litir chuig Óglaigh Bhaile an Mhóta, 18 Lúnasa, 1914,[90] agus i gceann eile chuig fear darbh ainm McNamara i gCo. an Chláir, 20 Lúnasa, 1914.[91] Sa chéad litir díobh scríobh sé:

> Ar an drochuair, níl mé in ann aon oifigigh, gan trácht ar oifigigh éifeachtacha, a fháil a bhfuil dearcadh Náisiúnaí acu. Is cosúil gurb é an rogha atá ann oifigigh ar Aontachtaithe iad, nó gan oifigigh ar bith. Feictear domsa má theastaíonn uainn na hÓglaigh a bheith éifeachtach. go gcaithfimid úsáid a bhaint as an ábhar atá againn agus nuair a bheidh ár gcuid oifigigh féin traenáilte féadfaimid ár rogha rud a dhéanamh.

Sa dara litir dúirt sé:

> Is aontachtaithe iad an chuid is mó de na hoifigigh agus uaireanta cuirtear in aghaidh na gceapachán seo in áiteanna áirithe. Sílim gur dearmad é seo mar ba chóir dúinn cibé ábhar is oiriúnaí agus is éifeachtaí a úsáid chun eagraíocht na nÓglach a thabhairt chun foirfeachta. Ach caithfear glacadh leis an bhfírinne áfach.

B'fhollas go raibh eagla ar Mhac Néill go mbeadh frithghníomh ann in aghaidh na n-imeachtaí seo uile agus d'eisigh sé ordú ginearálta go raibh na hÓglaigh le seasamh le prionsabail na heagraíochta agus gan ligean d'aon aighneas a theacht eatarthu.[92]

Ach le tús an chogaidh bhí athmheas á dhéanamh agus dóchas á mhúscailt tríd an eagraíocht uile. Tháinig an Piarsach roimh Mhac Réamoinn leis an smaoineamh go gcosnódh na hÓglaigh an tír, ach nach raibh aon chúram airsean faoin Impireacht, agus scríobh sé chuig McGarrity faoi, 3 Lúnasa, 1914. Cheap sé go dtarlódh an rud céanna a tharla i 1779-82—agus go gcaithfeadh

---

[90] Lss. an Mhórdhaigh LNE 10550.

[91] Lss. an Mhórdhaigh LNE 10547.

[92] *Irish Volunteer*, 8 Lúnasa, 1914: 'Irish Volunteers will abide strictly by the principle of their organization and will discourage any action tending to introduce dissension in their ranks, which in the words of the manifesto of the Irish Volunteers "are open to all able bodied Irishmen without distinction of creed, politics or social grade."'

Sketch from
memory by
J B Yeats
Oct 21 1916
Plunkett

NEW YORK OCT 21st 1916

na hÓglaigh an seans a thógáil nuair a bhí arm na Breataine gnóthach le cúrsaí eile.[93]

Bhí cosúlacht ann go raibh an Bráithreachas gníomhach arís i measc na ngnáth-Óglach i mBaile Átha Cliath. Ceann de na chéadchomharthaí air seo an tuarascáil a thug an Fochoiste a mbíodh cúram chathair is chontae Átha Cliath[94] orthu, 12 Lúnasa, 1914.[95] Dúradh sa tuarascáil gur bunaíodh bord nua—Bord Chontae Átha Cliath—ar a raibh ionadaí amháin a thogh oifigigh na chéad cheithre Chathlán, agus beirt chomhalta ainmnithe—an Breithiúnach agus an Giobúnach, beirt a bhíodh ar an gcéad fhochoiste. Ba chomhaltaí den Bhráithreachas an ceathrar ionadaí a toghadh[96] agus is suntasaí fós gur ghlac siad áiteanna an Mhórdhaigh, an Bhreathnaigh agus an Lionnachánaigh—triúr a bhí le taobhú le lucht leanúna Mhic Réamoinn an mhí ina dhiaidh sin. Is dócha go raibh a ndearcadhsan nochtaithe acu ag na cruinnithe agus nach raibh iontaoibh ag cuid de na hoifigigh i mBaile Átha Cliath astu níos mó.

Tháinig comhartha eile míshuaimhnis ón dream seo mar a luaigh an Piarsach le McGarrity, 12 Lúnasa, 1914. Nuair a ghlac Bord Chontae Átha Cliath a rún, a bhí le cur os comhair Choiste Sealadach na nÓglach, go gcomhoibreodh na hÓglaigh leis na hUltaigh i gcosaint na hÉireann ach nach gcuideoidís le Rialtas na Breataine sa troid le tíortha nach raibh aon rud ag Éire ina n-aghaidh, ba é

---

[93] Lss. Hobson LNE 13162: 'The moment may arrive when the Irish Volunteers will and must take over from the British garrison charge of the whole country. We must fight any more on Redmond's part to offer their services to an English Government but we would be fools if we let slip an opportunity of taking over from the British Army the task of defending the soil of Ireland.

History may repeat exactly the same course which it followed in 1779-82. If the British Army is engaged elsewhere, Ireland calls to the Volunteers and then—well then we must rise to the occasion.'

[94] cf. l. 28 thuas.

[95] Lss. Hobson LNE 13174 (1). 'the . . . sub Committee has now gone out of office and has been replaced by the Dublin County Board. This Board is still incomplete. It consists of one representative elected by the officers of the first four Battalions—Messrs. Kent, Sheehan, Slater and Fahy and two nominated members—Messrs. Judge and Fitzgibbon.'

[96] Tá siad uile ar liosta EMGH. Tá Slater ar liosta UNF.

freagra an Choiste Shealadaigh go raibh an Bord lena leithscéal a dhéanamh agus gan bacadh arís le cúrsaí polasaí.[97]

Ba gheall le ceannairc an mórshiúl a rinneadh chun an rún a chur os comhair an Choiste Shealadaigh agus dúirt an Mórdhach faoi gurbh é ' Céad-thuar na scoilte ' é.[98] Is féidir an chúis a bhí leis a thuiscint, is é sin, an eagla a bhí ar an mBráithreachas agus ar na míleataigh a raibh baint acu leo go raibh gluaiseacht na nÓglach tar éis a thabhairt le tuiscint go raibh siad ag tabhairt tacaíochta do Shasana, go raibh Mac Réamoinn ag dul le buile nó gur feill-bheart a bhí á dhéanamh agus gur chuir sé an-olc ar a lucht leanúna, ar an gCoiste Sealadach, aon duine a rá nach raibh an scéal ina cheart.[99]

Ag am, mar a léiríonn an Piarsach, a raibh ' complachtaí i ngach uile áit ag glacadh le rúin mholta ar thairiscintí Mhic Réamoinn de chabhair dhílis,[100] agus an íde a d'fhulaing Bord Chontae Átha Cliath[101] ina aigne aige, gearánann an Piarsach:

> I bhfocail eile, tá cead ag complachtaí na nÓglach glacadh le rúin tacaíochta do Mhac Réamoinn, ach níl cead acu rúin a ghlacadh nó aon rud eile a dhéanamh le taispeáint nár aontaigh siad lena thairiscint ar chabhair dhílis. Tá Rialtas

---

[97] Lss. Hobson LNE 13162: ' Last week the Dublin County Board of the Volunteers made an effort to set things straight. They drew up a resolution for adoption by the Volunteers expressing readiness to co-operate with Ulster for the defence of Ireland but unwillingness to support the British Government against foreign nations with which Ireland has no quarrel. Three out of five Dublin battalions adopted this unanimously and paraded in front of the Provisional Commitree office during a meeting and sent a spokesman to convey the resolution to the Committee. The reply of the Provisional Committee was to order the Dublin County Board and all concerned to apologise and promise not to adopt resolutions dealing with matters of policy again on pain of suspension.'

[98] An Mórdhach chuig Hobson ' Feb. 6th ' (ní luaitear an bhliain) i Lss. Hobson LNE 13161 (1).

[99] An Piarsach chuig McGarrity, 12 Lúnasa, 1914. Lss. Hobson LNE 13162: ' *Publicly* the movement has been committed to loyal support of England but not officially, so far, but by implication. To everyone in Ireland that has any brains it seems either madness or treachery on Redmond's part. His followers on the Provisional Committee passionately resent any suggestion that all is not well.'

[100] *ibid.*

[101] Féach nóta 97 thuas.

na nÓglach gafa go hiomlán amach is amach ag Mac Réamoinn.[102]

Léiríonn sé a bhuairt fiú amháin faoi na comhaltaí den sean-Choiste Sealadach a bhí fágtha. Dúirt sé gurbh é an Bhreithiúnach an t-aon duine de na Hibernians nó na Réamonnaigh nár vótáil i gcónaí ar thaobh na n-ionadaithe nua. Deir sé nach bhfuair sé féin seans cainte ar chor ar bith agus nach raibh Mac Néill sásta troid a dhéanamh ar son rud ar bith ach ar son a onóra féin. Deir sé go raibh a fhios aige i gcónaí go raibh Mac Néill an-lag.[103]

Sa litir chéanna déanann sé achainí eile le haghaidh arm, agus leanann leis chun a thaispeáint chomh fíor is a bhí an míshuaimhneas. Deir sé go gcaithfí cibé rud a bhí le déanamh a dhéanamh taobh amuigh den Choiste Sealadach, go mbeadh na fir sásta *coup d'état* a dhéanamh ach go gcaithfí airm a fháil chuige sin.[104]

Cheap sé nach raibh a ndóthain airm acu: 'Fágann gábh na hEorpa nach bhfuil ach 1,500[105] nó (ag cur coinsíneachtaí beaga[106] eile san áireamh) 2,000 raidhfil ag Óglaigh na hÉireann.'[107]

---

102 An Piarsach, *loc. cit.*

103 An Piarsach, *loc. cit.*:

'I had hoped that the original members would act together and save the movement from complete capture. That hope has proved vain. All Hibernians and Redmondites (with the honourable exception of Judge) vote with the new members and steadily vote us down. I personally have ceased to be of any use on the Committee. I can never carry a simple point. I am now scarcely allowed to speak. The moment I stand up there are cries of "put the question," etc. After the last meeting I had half determined to resign but have decided to stick a little longer in the hope of being useful at a later stage. I blame MacNeill more than anyone. He has the reputation of being "tactful," but this "tact" consists in bowing to the will of the Redmondites every time. He never makes a fight except when they assail his personal honour, when he bridles up at once. Perhaps I am wronging him, as I am smarting under the remembrance of what I regard as very unfair treatment of me personally and of all who agree with me at the last meeting. He is in a very delicate position, and he is weak, hopelessly weak. I knew that all along.'

104 *ibid.* 'Now it is perfectly clear that whatever is to be done in Ireland in this crisis must be done *outside* the Provisional Committee. The men are sound especially in Dublin. We could at any moment rally the best of them to our support by a *coup d'état* and rally the whole country if the *coup d'état* were successful. But a *coup d'état* while the men are still unarmed is unthinkable.'

105 Tháinig 900 isteach go Binn Éadair agus 600 go Baile Uí Ghionnáin.

⟶

Sular thosaigh siad ar iarracht a dhéanamh sna Stáit Aontaithe bhí Clan-na-Gael ag dul chun réitigh le hAmbasáid na Gearmáine d'fhonn airm a fháil do na hÓglaigh—thuig siad agus d'aithnigh siad go raibh an seanscéal clasaiceach, ' Is é cruachás Shasana deis na hÉireann ' á insint arís. Dúirt siad leis an Ambasadóir go ndéanfaí iarracht le linn an chogaidh ar Rialtas Shasana a bhriseach in Éirinn.[108] Le teacht an chogaidh freisin tionóladh cruinniú d'Ardchomhairle an Bhráithreachais agus aontaíodh go ndéanfaí éirí amach roimh dheireadh an chogaidh.[109] Níor socraíodh aon dáta lena aghaidh.

Le tosach an chogaidh freisin tháinig tosach deimhneach ar theacht le chéile Arm na Saoránach agus an Bhráithreachais. Ba é an Conghaileach a chuir tús leis an agallamh. Tá dhá chuntas éagsúla ann faoi theacht an Chonghailigh chuig an mBráithreachas ach b'fhéidir gur dhá iarracht éagsúla atá i gceist. De réir an chéad chuntais—le Archie Heron—tháinig an Conghaileach chuig oifig *Irish Freedom* ag iarraidh labhairt le duine éigin a raibh baint aige leis an nGluaiseacht Náisiúnta, an Bráithreachas agus na hÓglaigh. Cuireadh in aithne do Thomás Ó Cléirigh é agus labhair siad faoi na cosúlachtaí a bhí ag Arm na Saoránach agus ag an mBráithreachas le chéile. Dúirt an Conghaileach go bhféadfaidís ceist a gcuspóirí éagsúla a réiteach níos déanaí.[110]

Tá níos mó eolais sa dara chuntas, le Liam Ó Briain[111] (an Cinnire ó Halla na Saoirse) agus mheasfá uaidh go raibh an

[108] Devoy, *Recollections of an Irish Rebel*, l. 403.

[109] Lynch, *The I.R.B. and the 1916 Insurrection*, l. 112.

[110] *Labour News*, 3 Aibreán, 1937.

[111] *Labour News*, 1 Bealtaine, 1937. Dúirt an Brianach liom in agallamh pearsanta go raibh suas le 200 litreacha ón gConghaileach aige nár foilsíodh ariamh. Ní bhfuair mé cead, áfach, an bailiúchán tábhachtach seo a iniúchadh.

[106] Deir Hobson, *A Short History*, l. 171: ' much smuggling of small consignment was carried out until 5th August when the Arm Proclamation was withdrawn.' Anois ós rud é gurbh é dáta Bhinn Éadair ná 26 Iúil, 1914, agus gur tháinig an dara chuid den ualach céanna i dtír i mBaile Uí Ghionnáin (taobh le Cill Chomhghaill), 3 Lúnasa, 1914 is deacair a fheiceáil cén chaoi a dtiocfadh leo ' much smuggling ' a dhéanamh. B'fhéidir go raibh an Piarsach ag smaoineamh ar na beartanna go léir a fuair na hÓglaigh ó dháta a mbunaithe (agus fiú an méid a bhí ceannaithe ag an mBráithreachas; agus dúirt Hobson liom, i litir 12 Nollaig, 1961, go raibh roinnt arm ceannaithe acu) nuair a dúirt sé 2,000.

[107] An Piarsach, *loc. cit.*

Conghaileach ag meas tuairimí an Bhráithreachais faoin scéal, rud a chuirfeadh brí sna difríochtaí atá idir an dá chuntas.

De réir Liam Uí Bhriain, d'fhógair an Conghaileach ag tús an chogaidh, i mí Lúnasa, 1914, go raibh sé le héirí amach a eagrú chun Éire a shaoradh agus Poblacht a dhéanamh di. Ba Phoblachtach díograiseach é ach dhiúltaigh sé dul isteach sa Bhráithreachas[112] mar nár chreid sé go bhféadfaí, ag an am, eagraíocht rúnda a choinneáil ar bun le haghaidh réabhlóide.[113]

Tháinig sé go Baile Átha Cliath i mí Lúnasa[114] agus labhair sé le Liam Ó Briain faoi éirí amach. D'ainmnigh sé roinnt daoine eile[115] ar labhair sé leo ach dúirt an Brianach leis go gcaithfeadh sé comhoibriú leithéidí Thomáis Uí Chléirigh agus Sheáin Mhic Dhiarmada a fháil.[116] Ar iarratas ó Liam Ó Briain, a rinne sé ar chomhairle a dhearthár Dónall a bhí ina oifigeach sna hÓglaigh, thoiligh Éamonn Ceannt, duine de Choiste Feidhmeannais[117] na nÓglach, cruinniú a chur ar bun ag a mbeadh an Conghaileach agus an Brianach é féin i láthair.

Tionóladh an cruinniú a shocraigh Éamonn Ceannt i Leabharlann Chonradh na Gaeilge, 25 Cearnóg Pharnell, 9 Meán Fómhair, agus orthu siúd a bhí i láthair bhí Tomás Ó Cléirigh, Seán Mac Diarmada, Seosamh Pluincéad, Pádraig Mac Piarais, Seán T. Ó Ceallaigh, Seán Mac Giolla Bhríde, Art Ó Gríofa, Tomás Mac Donncha, Éamonn Ceannt, Séamas Ó Conghaile agus Liam Ó Briain.[118]

---

[112] Is é seo an t-aon tagairt ar tháinig mé air do cheist chomhaltas an Chonghailigh ag an am seo.

[113] Más rud é gurbh eol don Chonghaileach mórchruinniú den Bhráithreachas a bheith ann i Mí na Nollag, 1913 (Lynch, *The I.R.B. and the 1916 Insurrection*, l. 23) seans gur mheas sé go mbainfeadh a leithéid d'éifeacht na heagraíochta mar chumann rúnda.

[114] Ós rud é go raibh an Lorcánach ar tí imeacht go dtí na Stáit ag an am seo is dócha gurbh é seo an fáth ar tháinig sé go Baile Átha Cliath.

[115] Ní luaitear a n-ainmneachasan. Is dócha gurbh iad Donnchadh Mac Con Uladh agus Cathal Ó Seanain a bhí i gceist.

[116] Dhá thrian de Choiste Feidhmeannais an Bhráithreachais.

[117] Is dócha gurbh é an Coiste Sealadach nó Bord Chontae Átha Cliath a bhí i gceist anseo.

[118] Bhí siad uile seachas an Gríofach, an Conghaileach agus an Brianach ina gcomhaltaí den Bhráithreachas ag an am. Bhí an Gríofach ina chomhalta roimhe sin ach d'éirigh sé as agus bhí an Conghaileach le theacht isteach sa Bhráithreachas níos déanaí.

Bhí Tomás Ó Cléirigh ina chathaoirleach agus mhol an Conghaileach socruithe cinnte a dhéanamh le haghaidh éirí amach agus teagmháil a dhéanamh leis an nGearmáin chun tacaíocht mhíleata a fháil. Bunaíodh dhá fhochoiste—ceann chun an teagmháil a dhéanamh leis an nGearmáin agus an ceann eile chun eagraíocht oscailte a riaradh, eagraíocht a úsáidfí le haghaidh fógraíochta agus earcaíochta don ghluaiseacht rúnda.

Tríd an ngníomhaíocht seo ar chuir an Conghaileach tús leis cuireadh deireadh chomh maith leis an aighneas idir na Hibernian Rifles agus eagraíochtaí eile mar ba thríd an dara fochoiste a bunaíodh an Irish Neutrality League leis an gConghaileach mar Uachtarán; Tomás Ó Fuaráin, ionadaí eile ón Lucht Oibre, mar Chisteoir; fear den Bhráithreachas, Seán T. Ó Ceallaigh, mar Rúnaí; beirt ó Arm na Saoránach, An Chuntaois Markievicz agus Proinsias Sheehy-Skeffington, Liam Ó Briain ón Lucht Oibre; an Gríofach ó Sinn Féin; agus beirt ó na Hibernian Rifles, Scollan agus Milroy, mar choiste.[119]

An oíche i ndiaidh an chéad chruinnithe i 25 Cearnóg Pharnell, tionóladh cruinniú callánach[120] de Choiste Sealadach na nÓglach agus moladh ceithre rún[121] ann a nocht muinín nua an Bhráithreachais nó a chiallaigh iarracht ar an ngluaiseacht a bhriseadh. Mhol Ceannt dhá cheann acu, ceann amháin in aghaidh coinscríofa agus an ceann eile faoi cheannas na nÓglach. Mhol an Piarsach an dá cheann eile, ceann amháin acu ag iarraidh nach mbeadh na hÓglaigh gníomhach sa Chogadh ach d'fhonn saoirse agus cearta na hÉireann a chothú. D'iarr an cheann eile go ngeallfadh na hÓglaigh seilbh na gcuan a fháil le go gcoiscfidís easpórtáil bia dá mbeadh ganntanas bia ann de bharr an Chogaidh.

Níor ritheadh na rúin agus níor scoilteadh an eagraíocht—bhí cúpla seachtain saoil fágtha aici sa riocht ina raibh sí.

An 15 Meán Fómhair,[122] dúirt Asquith go gcuirfí an Bille le haghaidh Rialtais Dúchais maille le hacht fionraíochta, chun cosc a chur le Rialtas Dúchais a bheith i bhfeidhm le linn an chogaidh—

119 An Brianach, *Labour News*, 1 Bealtaine, 1937. Bunaíodh an 'League' seo i ndiaidh cruinnithe eile, 28 Meán Fómhair, 1914 (*Sinn Féin*, 3 Deireadh Fómhair, 1914).

120 Lss. Hobson LNE 12177, l. 42.

121 Lss. Hobson LNE 13174 (1).

122 *Irish Independent*, 16 Meán Fómhair, 1914.

ar an Leabhar Reachtanna agus rinneadh é sin 18 Meán Fómhair,[123] Tháinig Mac Réamoinn ag earcaíocht ar son arm na Breataine[124] agus ba é sin ba chúis ar deireadh le pléascadh an teannais agus le scoilteadh na nÓglach.

Ba í an óráid gan ullmhú a thug Mac Réamoinn, 20 Meán Fómhair, 1914, do chomplachtaí de na hÓglaigh a ndearna sé cigireacht orthu ag Garrán an Ghabhláin, Co. Chill Mhantáin agus a chuir olc ar na hÓglaigh sin a bhí ar son na Gearmáine nó in aghaidh Shasana nó díreach nach raibh sásta go labhródh Mac Réamoinn thar a gceann, a bhí ina hócáid ag an scoilt. Ba shoiléir gurbh fhada anois a chuid tuairimí faoi na hÓglaigh ó na tuairimí a nocht sé san óráid, 3 Lúnasa, 1914,[125] inar mhol sé go mbeidís réidh le 'tír na hÉireann a chosaint.' Dúirt sé leo an uair seo go raibh sé de dhualgas orthu dul amach ag troid sa chogadh ar son creidimh, móráltachta agus cirt, agus gan fanacht sa bhaile chun Éire a chosaint ar ionradh nár mhóide a tharlódh.[126]

Bhí *Irish Freedom*, Mheán Fómhair, tar éis a dhúshlán a thabhairt ar shlí nach raibh aon dabht faoi i gceannlíne orlach ar doimhne 'Óglaigh d'Éirinn nó don Impireacht?' agus luaigh an Piarsach le McGarrity, 24 Meán Fómhair, 1914,[127] gurbh é sin an t-am chun an cleamhnas a bhriseadh:

> Sula sroicheann sé seo tú, beidh na hÓglaigh tugtha ar an mbealach ceart againn. Is cuma cé chomh dona is a fhéachann an scéal, is cuma cé na cuntais a chloiseann tú faoi dhílseacht is faoi earcaíocht, bí ag brath air go ndéanfaidh na fir anseo gach uile rud is féidir a dhéanamh.
>
> Má fheictear duit ag am ar bith go bhfuil muid ró-chiúin is amhlaidh a bheidh muid ag fanacht leis an am ceart.

---

[123] *Irish Independent*, 18 Meán Fómhair, 1914.

[124] W. B. Wells, *John Redmond*, l. 163. An Piarsach chuig McGarrity, 24 Meán Fómhair, 1914, Lss. Hobson LNE 13162. *Irish Independent*, 16 Meán Fómhair, 1914.

[125] Féach l. 67 thuas.

[126] *Irish Independent*, 21 Meán Fómhair, 1914: 'This war is undertaken in defence of the highest principle of religion and morality and right, and it would be a disgrace forever to our country, a reproach to her manhood, and a denial of the lessons of her history if Young Ireland confined their efforts to remaining at home to defend the shores of Ireland.' Bhí an Mórdhach leis sa bhabhta cigireachta seo.

[127] Lss. Hobson LNE 13162.

Is é cuairt earcaíochta Asquith agus Mhic Réamoinn an t-am ceart chun socrú deimhnitheach a dhéanamh faoi na hÓglaigh. Caithfimid ár muinín a chur i nDia agus ár ndícheall a dhéanamh.

An lá céanna d'eisigh tromlach an tsean-Choiste Shealadaigh Forógra[128] ag cáineadh Mhic Réamoinn agus ag díbirt a chuid ionadaithe ón gCoiste. Shínigh duine is fiche den sean-Choiste Sealadach an forógra agus orthusan bhí ceithre dhuine dhéag ina gcomhaltaí den Bhráithreachas, na daoine uile a bhí páirteach ó thús[129] ach amháin an Lonargánach a bhí imithe chuig na Stáit Aontaithe[130] agus Page[131] a chuaigh isteach le lucht leanúna Mhic Réamoinn. Le comhaltaí seo an Bhráithreachais d'aontaigh Mac Néill, an Rathghailleach, an Breithiúnach, De Faoite, an Giobúnach agus Gógan. Chuir siad an nóta seo leis an bhForógra ' Is oth linn nach féidir le Ruairí Mac Easmainn a bheith ina shínitheoir linn ó tá sé i Meiriceá faoi láthair.'[132]

Agus leis seo, tháinig deireadh le tréimhse múnlaithe Óglaigh na hÉireann. Bhí na tuairimí neamhchruinne faoi na cearta agus an tsaoirse ba chóir a bheith ag Éireannaigh soiléir anois in intinn an phobail sa dearcadh nua-réabhlóideach a bhí frith-Shasanach ar a laghad sa mhéid nach rabhthas chun comhoibriú léi sa chogadh domhanda. Neartaigh teacht na n-arm iad agus in intinn na réabhlóidithe féin, bhí siad níos inmharthana mar chomhghuaillithe

---

[128] *Irish Independent*, 25 Meán Fómhair, 1914. Séard atá i gcuid de ná: ' Having thus disregarded the Irish Volunteers and their solemn engagements Mr. Redmond is no longer entitled through his nominees to any place in the administration and guidance of the Irish Volunteer organization. Those who, by virtue of Mr. Redmond's nomination, have heretofore been admitted to act on the Provisional Committee, accordingly cease henceforth to belong to that body, and from this date until the holding of an Irish Volunteer Convention the Provisional Committee consists of those only whom it comprised before the admission of Mr. Redmond's nominees.'

Deir sé freisin go raibh comhdháil le gairm a dhiúltódh don Chríochdheighilt, do smacht na Breataine agus do pháirt a ghlacadh i gcogaí na Breataine.

[129] ll. 14-18 thuas.

[130] *Irish Volunteer*, 4 Aibreán, 1914.

[131] Lss. an Mhórdhaigh LNE 10555.

[132] Scríobh Ruairí Mac Easmainn ó na Stáit Aontaithe ag taobhú go poiblí leo ag rá: ' Let Irishmen and boys stay in Ireland. Their duty is clear before God and man. We as a people have no quarrel with the German people.' (*Irish Independent*, 5 Deireadh Fómhair, 1914).

nó mar chomrádaithe. Cé gur chuir ionadaíocht Mhic Réamoinn leis an aighneas idir na hÓglaigh agus Arm na Saoránach i dtosach, ba léir ó gach a ndúradh sa tréimhse sin gur thuig siad méid na cumhachta a bhí caillte, mar a síleadh. Rud eile a tharla dá bharr gur éirigh an Cathasach as Arm na Saoránach agus lena imeacht-san bhí an cáinteoir ba rialta agus ba scriosúla ar na hÓglaigh imithe. Ó thaobh na Bhráithreachais de bhí an cleamhnas le lucht leanúna Mhic Réamoinn tubaisteach mar ba as a tháinig míchlú ar Hobson i súile an Chléirigh agus Sheáin Mhic Dhiarmada—rud a bhain ó éifeacht na heagraíochta go hinmheánach agus a rinne pleananna réabhlóideacha na mblianta rompu níos deacra a chur i ngníomh.[133] Ba mhór an buntáiste é teacht na ngunnaí agus baineadh úsáid as an doirteadh fola ar Chosán Bhaitsiléir le tuairimí réabhlóideacha a nochtadh. Thosaigh an Bráithreachas ag gníomhú arís i measc na nÓglach—eagraíocht a bhí éirithe ró-mhór le teacht lucht leanúna Mhic Réamoinn le go bhféadfaidís é a choimeád faoina smacht.

Ba é an Cogadh Mór an saorghlanadh deiridh. Ba é an seanscéal é arís ' cruachás Shasana, deis na hÉireann ' agus dhearbhaigh Ardchomhairle an Bhráithreachais dá bharr go n-eagróidís éirí amach ar dháta neamhchinnte roimh dheireadh an chogaidh. Bhí an cogadh ina chúis leis an scoilt freisin sa mhéid gur thaispeáin Mac Réamoinn a dhílseacht don Impireacht nuair a d'úsáid sé na hÓglaigh chun earcaíocht a dhéanamh d'Arm na Breataine, rud a thug ar na daoine a raibh dearcadh eile acu ar náisiúnachas Éireannach briseadh leis. Rud níos tábhachtaí fós ó thaobh an leabhair seo de gur thosaigh Arm na Saoránach agus na Hibernian Rifles ag teacht ar bhunús éigin caibidle leis an mBráithreachas agus le hÓglaigh na hÉireann.

[133] Níor insíodh do Hobson go raibh Éirí Amach beartaithe ag an Ard-Chomhairle roimh dheireadh an chogaidh (Lss. Hobson LNE 13171, 13170). (Fuair sé eolas neamhoifigiúil faoi ag deireadh 1915).

AN TRÍÚ MÍR
(go dtí Meán Fómhair, 1915)

AN chéad rud a tháinig as an scoilt ná gur laghdaíodh líon na nÓglach. Níor fhan ach thart ar 10,000[1] dílis don sean-Choiste Sealadach agus iad sin nach raibh imithe isteach in Arm na Breataine chuaigh siad isteach in eagraíocht nua a bhunaigh Mac Réamoinn ansin díreach—Óglaigh Náisiúnta na hÉireann. Ghlac buíon armáilte de na hÓglaigh a thaobhaigh le lucht an Fhorógra seilbh ar an gceanncheathrú le nach bhféadfadh aon duine d'ionadaithe Mhic Réamoinn ná den dream as an sean-Choiste a thaobhaigh leo iarracht a dhéanamh dul i mbun na háite.[2]

I mBaile Átha Cliath a bhí an chuid is mó de na hÓglaigh nár aontaigh le Mac Réamoinn agus ghlac Bord Chathair agus Chontae Átha Cliath d'aonghuth le rún a thaobhaigh leis an bhForógra, 25 Meán Fómhair, 1914.[3] Bhí líon mór d'Óglaigh na hÉireann san iarthar agus sa deisceart leis.[4] Sa dá chuid sin den tír dúirt Hobson go raibh tromlach na n-oifigeach ina gcomhaltaí den Bhráithreachas.[5] Dúradh i gcuntas a tugadh ar eagrú na nÓglach sa Tuaisceart Thiar go ndearna na ciorcail bheaga den Bhráithreachas deimhin de gur chomhaltaí den Bhráithreachas gach oifigeach de na hÓglaigh. Mura raibh siad sa Bhráithreachas

---

[1] Dúirt Ceannt, *Irish Volunteer*, 31 Deireadh Fómhair, 1914, go raibh thart ar 170 complacht a raibh idir 12,000 agus 13,500 fear iontu, dílis d'Óglaigh na hÉireann Seans go ndearnadh earcaíocht arís mar chruthaigh tuilleadh complachtaí a ndílseacht nuair a bhí an scéal níos soiléire. An uimhir a luaigh mé thuas, ghlac mé í ó fhaisnéis sealadach a sholáthraigh na póilíní do Mhac Réamoinn, 31 Deireadh Fómhair, 1914. Tá an fhaisnéis i measc Lss. Mhic Réamoinn i LNE.

[2] *Irish Independent*, 28 Meán Fómhair, 1914.

[3] *Irish Independent*, 26 Meán Fómhair, 1914.

[4] An Piarsach chuig McGarrity, 19 Deireadh Fómhair, 1914. Lss. Hobson LNE 13162.

[5] Hobson chuig McGarrity i 1934, Lss. Hobson LNE 13171.

nuair a rinneadh oifigigh díobh, tugadh isteach san eagraíocht iad ag an am sin.[6]

Lean an ghníomhaíocht taobh amuigh den Choiste ainneoin go raibh siad ' tugtha ar an mbealach ceart ' mar a dúirt an Piarsach[7] agus cé nach raibh an Conghaileach sásta ar fad le comhchomhairle 9 Meán Fómhair, 1914, rinne na daoine a bhí páirteach ann pleananna chun Teach an Ardmhéara a ghabháil, 24 Meán Fómhair, an oíche sul má bhí Asquith le hóráid earcaíochta a thabhairt ann. Bhí chomhfhórsa d'Arm na Saoránach agus d'Óglaigh na hÉireann leis an ionsaí a dhéanamh ach níor fhéad siad ach ochtó Óglach agus daichead fear d'Arm na Saoránach a thabhairt le chéile le haghaidh na hoibre agus ó bhí comhchruinniú mór de thrúpaí na Breataine thart timpeall, curtha ar a n-aire is dócha ag cuntas san *Irish Independent*[8] faoin ráfla a bhí ann go rabhthas le tabhairt faoina leithéid, cuireadh an tseift ar ceal.[9] Ina ionad d'eagraigh siad sluachorraíl taobh amuigh de Theach an Ardmhéara[10] agus cruinniú poiblí ag Plás Dúnsméara. Cé nach raibh mórán i láthair ag an gcruinniú sin, bhí tábhacht leis sa mhéid is gur tuairiscíodh

---

[6] Shaun B. MacManus, *The Donegal Democrat*, 9 Aibreán, 1965: ' From the time of the Volunteer split, the small groups of Irish circles of the Irish Republican Brotherhood, obeying instructions that could not be disregarded ensured that all Volunteer officers were members of the I.R.B. They were either I.R.B. men on appointment, or sworn into the I.R.B. after appointment as Volunteer officers. I would estimate . . . that less than ten per cent of the Irish Volunteers who had seceded were members of the Irish Republican Brotherhood, and that this small percentage, whose first loyalty was to the I.R.B. controlled every company, every battalion and every brigade of the Irish Volunteers. To cite a few examples—Derry city Brigade officer personnel was headed by Paddy Shield, Strabane by J. MacKenna, Drumquin's by Paddy Craig, Omagh's by Dan Macauley (and later by Seán Ó Hanrahan), Dungannon's by Willie Kelly, Clogher's by Frank Doris, Tempo's by Phil Bean, Enniskillen's by Willie Hegarty's protege, Frank Carney, Ballyshannon's by Seumas Ward.'

Mar a fheicfear amach anseo ní raibh gach oifigeach i ngach áit sa tír ina bhall den Bhráithreachas cé go ndearna siad iarracht é bheith amhlaidh. Bhí daoine tábhachtacha ar an gCoiste fós freisin nár aontaigh leo agus mar a chonacthas thuas bhí baill thábhachtacha dá gcuid féin, e.g., Hobson, a bhí scartha amach uathu.

[7] Féach l. 75 thuas.

[8] 25 Meán Fómhair, 1914.

[9] Liam Ó Briain i *Labour News*, 1 Bealtaine, 1937.

[10] *Irish Independent*, 26 Meán Fómhair, 1914.

go raibh an Conghaileach 'ag glaoch ar son Phoblachta Éireannaí'[11] agus an Lorcánach 'ag cur mallachta ar an bpríomhaire, Mac Réamoinn agus daoine eile.'[12] De réir cosúlachta bhí an Lorcánach anois ar aon chomhairle leo sin a bhí ag iarraidh na fórsaí réabhlóideacha a thabhairt le chéile. Rud ba thábhachtaí ná sin fós an plean le comhfhórsa ón dá dhream a eagrú go neamhoifigiúil mar seo—níor pléadh é go h-oifigiúil i measc na nÓglach. Chonacthas thuas[13] gur bunaíodh an 'Irish Neutrality League,' 28 Meán Fómhair, 1914, tar éis cruinnithe idir Arm na Saoránach, an Bráithreachas agus na Hibernian Rifles.

Bhí seasamh nua le sonrú chomh maith san *Irish Worker* a d'fhoilsigh Forógra 24 Meán Fómhair, ina iomláine[14] agus d'fháiltigh an Conghaileach roimh an bhforógra céanna mar seo:

> Chuir sé drithlín gliondair trí chroí gach fear agus bean dílis sa tír nuair a dhiúltaigh Coiste Sealadach Óglaigh na hÉireann d'ionadaithe Mhic Réamoinn, agus nuair a ghlac siad arís an ceannas sin nár chóir dóibh a ligean uathu ariamh.[15]

Má ghlactar le 'nár chóir dóibh a ligean uathu ariamh' mar chomhartha go raibh bá ar leith aige leo siúd nach raibh toilteanach ó thosach glacadh le hionadaithe Mhic Réamoinn,[16] d'fhéadfadh an tsamhail a bhí aige ar thoradh na gníomhaíochta an tuairim sin a neartú:

> Is troid a bheidh ann go dtí an deireadh. B'fhéidir go dtiocfaidh an deireadh ar chuid againn ar an gcroich, ar chuid againn i gcillín an phríosúin agus ar chuid eile, a mbeidh níos mó den ádh orthu, ar ármhá Éireann a bheidh ag troid ar son saoirse Phoblachta.[17]

Do chomhaltaí an Bhráithreachais, bhí an cheist soiléirithe. Bhí éirí amach beartaithe ag an Ardchomhairle agus bhí Arm na Saoránach agus na Hibernian Rifles tar éis a thaispeáint go raibh siad

[11] *ibid.*
[12] *ibid.*
[13] Féach nóta 119 thuas. (An Dara Mír).
[14] *The Irish Worker*, 26 Meán Fómhair, 1914.
[15] *The Irish Worker*, 3 Deireadh Fómhair, 1914.
[16] Féach l. 53 thuas.
[17] *The Irish Worker*, 3 Deireadh Fómhair, 1914.

sásta comhoibriú leo. Ní fhéadfaidís mar sin gan a bheith áthasach faoi dhearbhú ghríosaitheach na nÓglach:

> Tá an chúis soiléir faoi dheireadh. Is í an cheist atá le cur ar gach uile fhear in Éirinn inniu: Cén taobh a bhfuil tú ar a son ? Ar son na hÉireann nó ar son Shasana ?[18]

Tá meidhréis i bhfreagra an Phiarsaigh ar gach ar tharla. Dúirt sé go raibh na hÓglaigh a chuaigh in aghaidh Mhic Réamoinn réidh le gníomhú, ach gaoth an fhocail a fháil. Dúirt sé go raibh siad níos láidre ná mar a bhí ariamh roimhe sin, gur scarúnaithe a bhí iontu uile agus go raibh a líon san méadaithe faoi chéad. Is i mBaile Átha Cliath ba láidre a bhíodar ach bhí dreamanna beaga ar fud na tíre. Chreid sé go mbeadh dream beag, traenáilte, teann, mar iad i bhfad níos éifeachtaí ná an dream mór, scaoilte, gan eagrú a bhí ann roimh an scoilt, agus dá mbeadh airm acu go bhféadfaidís mór-ghníomh a dhéanamh. Thrácht sé go speisialta ar mheanma na bhfear i mBaile Átha Cliath.[19] Ach má chuir cinntiú na scoilte

---

[18] *Irish Volunteer*, 3 Deireadh Fómhair, 1914.

[19] An Piarsach chuig McGarrity, 19 Deireadh Fómhair, 1914. Lss. Hobson LNE 13162: 'It is my mature conviction that, given arms, the Volunteers who have adhered to us against Redmond may be depended upon to act vigorously, promptly and unitedly if the opportunity comes. We are at the moment in an immensely stronger position than ever before. The whole body of Volunteers may be looked upon as a separatist body. In other words the separatist organization has been multiplied by a hundred. In Dublin we have 2,500 admirably disciplined, drilled, intelligent and partly armed men. Nationalist Ireland has never had such an asset. Our main strength is in Dublin but large minorities support us everywhere especially in the towns and in the extreme south and west. We expect to have 159 companies representing 10,000 to 15,000 men represented by delegates at next Sunday's convention. This small, compact, perfectly disciplined force, determined separatist force* is infinitely more valuable than the unwieldy loosely held together mixum-gatherum force we had before the split. The Volunteers we have with us may now be relied upon to the death, and we are daily perfecting their fighting effectiveness and mobilization power.

It seems a big thing to say but I do honestly believe that with arms for those men we shall be ready to *act* with tremendous effect if the war brings us the moment.

The spirit of the Dublin men is wonderful. They would rise to-morrow if we gave the word. A meeting of Dublin officers the other night was as exhilarating as a draught of wine.' ——→

meidhréis ar aigne ar Phiarsaigh faoin neart a bhí ceaptha a bheith in Óglaigh na hÉireann bhí dhá rud mar ualach ar a aigne fós, a thaispeáin cuid de na deacrachtaí a bhainfeadh le héirí amach.

Ceann amháin acu ba ea ceist na n-arm. Mar a bheifí ag súil leis cailleadh cuid mhaith arm de dheasca na scoilte. Dúirt an Piarsach le McGarrity, 19 Deireadh Fómhair, 1914:

> Ghoid Nugent agus daoine eile an chuid is mó de raidhfilí Bhinn Éadair; níl againn ach 600 nó 500 den 1,500 ar fad a tugadh i dtír i mBinn Éadair agus i gCill Chomhghaill.[20]

Scríobh Mac Néill agus Mac an Bhreithiúin chuig an Mórdhach, 5 Deireadh Fómhair, 1914,[21] ag iarraigh air 'na raidhfilí i do sheilbh (cuid de choinsíneacht Bhinn Éadair)' a sheoladh ar ais. Luaigh seisean an deacracht faoina ndáileadh ina fhreagra[22] ach ós rud é go raibh sé anois leis na hÓglaigh Náisiúnta ní raibh sa bhfreagra seo ach righneáil agus níl fianaise dá laghad ann gur thug sé na raidhfhilí ar ais. Ó thagairt dhímheasúil dá chuid, 8 Márta, 1915,[23] do 'mheaisíní de chuid Sinn Féin a tugadh isteach go Binn Éadair' ní cosúil gur fhan mórchuid díobh ina sheilbh. Sa litir chéanna deir an Mórdhach gur choinnigh 'Coistí Sinn Féin

---

[20] Lss. Hobson LNE 13162.

[21] Lss. an Mhórdhaigh LNE 10548. Níl litir Mhic Néill sa chnuasach ach déanann an Mórdhach tagairt di ina fhreagra uirthi 5 Deireadh Fómhair, 1914.

[22] Féach ll. 65-67 thuas.

[23] Lss. an Mhórdhaigh LNE 10551.

---

* Deir an Loinseach, *The I.R.B. and the 1916 Insurrection*, l. 24, go raibh cúpla céad níos mó de chomhaltas ag an mBráithreachas ná mar a thug an Piarsach nuair a dúirt sé méadaithe faoi chéad. Thug an Loinseach cuntas do Chlan-na-Gael ar 'approximately 2,000 based by returns made by the Divisional Centres at a meeting of the Council held prior to January, 1914.' Bhí ionadh ar dhuine amháin den 'Chlan' faoi laghad an chomhaltais agus b'fhéidir gur dá bharr sin a chuireann an Piarsach béim chomh mór ar gur scarúnaithe a bhí iontu uile. Deir an Loinseach freisin (*op. cit.*, l. 25): 'The Irish Volunteers after the split . . . furnished not alone a favourable but a definite recruiting ground for the I.R.B. But as active Volunteers were looked on by the I.R.B. as men who would participate in an insurrection when the right moment was revealed there was no longer any necessity for a great increase in I.R.B. membership especially as the great majority of commandants and senior officers were already members.'

a bhí i gcumhacht roimh an scoilt '[24] i gCorcaigh agus i Luimneach na raidhfilí a bhí acu. Ach de réir cosúlachta ní raibh a fhios aige gur thóg na hÓglaigh Náisiúnta na hairm uile beagnach i gCorcaigh uair a raibh Óglaigh na hÉireann amuigh ar paráid.[25]

Ba mhór an deacracht mar sin soláthar na n-arm. Rinne an Piarsach achainí ar McGarrity airgead a sholáthar—is dócha de bharr an chogaidh nach bhféadfaí airm a easpórtáil ó na Stáit Aontaithe—agus bhí práinn leis an iarratas rud a bhí intuigthe ó bheartaigh an Ardchomhairle éirí amach a chur ar bun le linn an chogaidh. Scríobh sé le rá nach raibh a fhios acu cén nóiméad a mbeadh orthu gníomhú ach go mbeadh orthu é a dhéanamh dá dtiocfadh na Gearmánaigh i dtír in Éirinn nó i Sasana, dá mbaineadh an Rialtas úsáid as an Militia Ballot Act chun earcaíocht a dhéanamh, dá dtiocfadh ganntanas bia, dá ndéanfadh an Rialtas iarracht na hÓglaigh nach raibh dílis dóibh a dhí-armáil nó dá dtosódh an Rialtas ag gabháil a gcuid ceannairí. Bheadh uair na cinniúna ann dá dtarlódh aon cheann de na rudaí sin, agus dá mbeadh airgead acu, d'fhéadfadh sé cabhrú leo le bua a fháil.[26]

Bhí sé ag caint, mar a feicfear,[27] níos mó ar son an Bhráithreachais sa litir seo ná ar son na nÓglach ach bhí na hÓglaigh[28] i

---

[24] *ibid.*

[25] *Irish Times*, 2 Deireadh Fómhair, 1914.

[26] An Piarsach chuig McGarrity, 19 Deireadh Fómhair, 1914. Lss. Hobson LNE 13162: ' I want to add my personal appeal to appeals which will already have reached you as to the urgent need of making available *now* whatever money you have in America for arming the Volunteers. We do not know the moment when action may be forced upon us. We shall have to act (i) if the Germans land either in Ireland or England (ii) if the Government enforces the Militia Ballot Act or any other drastic way of securing recruits (iii) if the food supply becomes scarce (iv) if the Government tries to disarm the disloyal Volunteers (v) if the Government commences to arrest our leaders, who are being *pointed out to them* (if they did not know them before) by the Redmondite Press. Any one of these things may happen at any moment, any one of them would precipitate a crisis—*the crisis*—and we are not ready for we have not arms. If the chance comes and goes, it will in all probability have come and gone forever, certainly for our lifetime. I therefore urge upon you the necessity of sending us *now* whatever sum you have together. . . . Its coming in time may mean the success of whatever we have to do, it may mean *victory*. The failure to come may mean either a bloody debacle like '98 or a dreary fizzling out like '48 or '67.'

[27] cf. nóta 31 thíos.

[28] Bhí siad tar éis rún a ghlacadh ' all monies received by public subscription or private donation should be expended on the purchase of arms.' *Irish Volunteer*, 31 Deireadh Fómhair, 1914.

mbun gnó faoi cheist na n-arm leis. Bhí riar agus dáileadh na n-arm faoi chúram an Rathghailligh agus nocht sé go raibh sé buartha i litir chuig Mac Giolla Iasachta, 2 Deireadh Fómhair, 1914: 'Ba mhaith liom a bheith cinnte go n-úsáidfear na gunnaí chun troda ar son na hÉireann. Níl mé á soláthar d'Impiriúlaithe.[29] Bhí an Rathghailleach tar éis plean caiteachais a mholadh le nach dtarlódh an chailliúint a tháinig leis an scoilt arís. Is é sin go gcuirfí an t-airgead in áirithe le haghaidh complachtaí a roghnódh daoine a ainmneofaí chuige sin.[30]

Thaitnigh an plean sin leis an bPiarsach ach gan páirt a bheith ag daoine ar nós an Rathghailligh féin nach raibh sa Bhráithreachas ina oibriú. Mhol an Piarsach nach gcuirfí an t-airgead uile chuig Mac Néill agus an Rathghailleach ná chuig aon bheirt, mar nach raibh móid tugtha acu éirí amach a dhéanamh. Dúirt sé dá gcuirfí $2,500 chuig T. O Cléirigh, S. Mac Diarmada, Hobson, Ceannt agus chuige féin, chun na complachtaí a raibh baint acu leo a armáil go mbeadh an gnó *bona fide* agus go bhféadfaí é a chosaint roimh an gCoiste Sealadach.[31]

Bhí na daoine uile a d'ainmnigh an Piarsach ina gcomhaltaí den Bhráithreachas agus thaispeáin sé gurbh é sin a bhí a gceist aige nuair a d'ainmnigh sé Tomás Ó Cléirigh orthu, sean-fhear nach

---

[29] Lss. Mac Lysaght LNE 2650.

[30] An Piarsach chuig McGarrity 19 Deireadh Fómhair, 1914. Lss. Hobson LNE 13162.

[31] An Piarsach, *loc. cit*: 'I would suggest that in sending the money you do not entrust the expenditure of the whole of it to Mac Néill and O'Rahilly or any other two men. Not that I doubt their honesty but simply that they are not in one of our counsel and they are not formally pledged to strike,* if the chance comes, for the complete thing. I suggest that you name certain sums to be placed at the disposal of certain men whom you know for the arming of the Volunteer companies to be selected by them. This is the only way I can see of securing that the right men are armed. Thus if T. Clarke, J. McDermott, Hobson, Kent and myself each had $2,500 at his disposal to arm the companies each is in touch with, the arms would be sure to get with the right hands, and the transaction would be perfectly *bona fide*** and could be defended before the Provisional Committee, as the donors of the money are plainly entitled to say who is to have the disbursement of it.'

* Mar a bhí comhaltaí an Bhráithreachais trína móid dílseachta, is dócha atá i gceist anseo ag an bPiarsach.

** Mar a bheadh sé de réir mholadh an Rathghailligh féin (féach thuas), moladh a nocht an Piarsach níos déanaí sa litir chéanna chuig McGarrity.

raibh ach ina shaighdiúr singil sna hÓglaigh. Nuair a d'ainmnigh sé Hobson is dócha nárbh eol don Phiarsach nach raibh a fhios ag Hobson faoin socrú a rinne an Ardchomhairle faoi Éirí Amach roimh dheireadh an chogaidh agus go raibh sé ar an liosta de bharr a thábhachta sa dá eagraíocht agus mar chomhalta den Bhráithreachas ' go raibh ' i súile an Phiarsaigh 'móid tugtha aige beart a dhéanamh.'

Bhí mar thoradh ar na hachainíocha chuig na Stáit Aontaithe gur tháinig ' cúnamh breise airgid £2,000 ó Choiste Chiste Óglaigh na hÉireann i Meiriceá '[32] airgead a chuir ar a gcumas roinnt mhaith arm a cheannacht.'[33] Ní raibh mórán ama fágtha chun iad a cheannach go hoscailte. Cé go ndúirt Hobson go raibh suas go dtí 5 Nollaig, 1914, acu ' gan aon chonstaic dlí a bheith orthu ag an Rialtas '[34] tugadh údarás do na hOifigigh Custaim agus Máil airm a bhí á gcur chuig na hÓglaigh a thógáil, an 12 Samhain, 1914, agus an 20 Samhain, 1914, bhí an chumhacht chéanna acu ar armlón a seoladh chuig na hÓglaigh. Neartaíodh na reachtanna seo nuair a leathnaíodh réimse an Defence of the Realm Act, 28 Samhain, 1914, chun údarás a thabhairt don Arm cosc a chur le ' dhíol, aistriú nó reic ' airm in Éirinn agus an 5 Nollaig, 1914, agus an 8 Nollaig, 1914,[35] airm agus armlón ar na cóstaí a ghabháil. Níl mórán fianaise ann a thaispeáineann cén áit a bhfuair na hÓglaigh cibé airm a fuair siad sa tréimhse nuair nach raibh cosc dleathach ar a gceannach—ach is dócha go raibh an cogadh ina chonstaic orthu ansin. Níl ach aon chuntas amháin ann faoi theacht ar airm go mídhleachtach sa tréimhse seo—is é sin gur goideadh thart ar 50 raidhfil ó bhaill de na hÓglaigh Náisiúnta idir Phlás Hoireabaird agus Carnán Cloch (*Irish Times*, 23 Samhain, 1914) agus cé gur nocht iris na nÓglach (5 Nollaig) go hoifigiúil go raibh siad míshásta faoin ngabháil seo níl dabht ann ach gur i seilbh chomhaltaí áirithe de na hÓglaigh a bhí na raidhfilí sin. De réir cosúlachta ba mhaith an úsáid a bhain siad as na ' seachtainí oscailte ' i Meán Fómhair, Deireadh Fómhair agus Samhain mar

[32] Ba ó Chlan-na-Gael a fuair siad formhór a gcuid airgid sa tréimhse seo. Sheol siad, san iomlán, $100,000 chuig an mBráithreachas agus chuig na hÓglaigh roimh 1916 (Devoy, *Recollections*, l. 393).

[33] Lss. Hobson LNE 12179, l. 15.

[34] Hobson, *A Short History*, l. 171.

[35] *Royal Commission of Enquiry—Evidence*, l. 119.

an 10 Nollaig, 1914, bhí 1,448 raidhfil acu ar fud na tíre ar fad gan an 825 a bhí acu i mBaile Átha Cliath[36] a chur san áireamh.

Ach más rud é go raibh biseach éigin tagtha ar sholáthar na n-arm tar éis mí na meala i nDeireadh Fómhair ní go rómhaith a bhí an t-aontas nua leis na Hibernian Rifles agus le hArm na Saoránach.

Ligeadh don chéad fhochoiste a luadh thuas[37] dul i léig—ní chluintear a thuilleadh faoi. Is dócha gur tharla sé seo de bharr go raibh Clan-na-Gael cheana féin ag plé le taidhleoirí na Gearmáine.[38] Bhí Mac Easmainn ag obair leo[39] cé nach raibh aon ghnó oifigiúil aige; d'íoc an Clan as a thuras agus as a thréimhse sa Ghearmáin.[40] Bhí an Bráithreachas sásta comhghuaillithe a bheith acu, ach ní raibh siad sásta a gcuid pleananna féin a nochtú dóibh, dealraíonn sé.

Mhair an Neutrality League go dtí Mí na Samhna. Bhí cruinnithe acu gach seachtain,[41] d'eisigh siad ciorclán[42] agus d'eagraigh siad ar a laghad sluachorraíl amháin.[43] Ach ar deireadh thiar ligeadh dó sin bás a fháil leis—mar a dúirt an Brianach: ' bhí sé do-dhéanta leanúint le heagraíocht mar í agus teoranna míleata na Breataine mar a bhíodar.'[44]

Lean mí na meala, áfach, trí mhí Dheireadh Fómhair. An 11 Deireadh Fómhair bhí na hÓglaigh agus Arm na Saoránach páirteach i gCheiliúradh Cuimhne Pharnell agus labhair Séamas Ó Lorcáin ann de thoradh iarrachtaí Thomáis Uí Chléirigh agus Sheáin Mhic Dhiarmada agus d'ainneoin daoine ar an ardán a bheith ag cur ina choinne.[45] Bhí Mac Néill ina chathaoirleach agus is cosúil gur cuireadh in aghaidh an Lorcánaigh a bheith i láthair—i gcuimhne—is dócha—ar an méid a chuir seisean in éadan na

---

[36] Figiúirí na bpóilíní i *Royal Commission of Enquiry—Evidence*, l. 124.

[37] l. 74 thuas.

[38] Devoy, *Recollections*, l. 403.

[39] D'fag sé na Stáit Aontaithe ar a bhealach chun na Gearmáine, 15 Deireadh Fómhair, 1914 (*Devoy's Post Bag*, Iml. ii, l. 468).

[40] *Devoy's Post Bag*, Iml. ii, l. 477-480.

[41] *Sinn Féin*, 3 Deireadh Fómhair, 1914, agus 10 Deireadh Fómhair, 1914. *Éire*, 2 Samhain, 1914.

[42] Tá sliocht luaite as ag Liam Ó Briain i *Labour News*, 1 Bealtaine, 1937.

[43] *Sinn Féin*, 24 Deireadh Fómhair, 1914.

[44] Liam Ó Briain i *Labour News*, 1 Bealtaine, 1937.

[45] Ó Cathasaigh, *The Story of the Irish Citizen Army*, ll. 48, 49.

nÓglach—ach sáraíodh é seo 'trí bheart tráthúil, daingean Thomáis Uí Chléirigh agus Sheáin Mhic Dhiarmada,' de réir an Chathasaigh.[46] Ar an ócáid cheanna rinne paráid de chuid na nÓglach Náisiúnta iarracht ar a slí a bhrú tríd an slua a bhí ann ach sheas aonad de na hÓglaigh agus d'Arm na Saoránach faoi stiúradh bheirt chomhaltaí den Bhráithreachas—Monteith agus an Fathach ina n-aghaidh.[47] Níos déanaí sa mhí bhí fógra ar an *Irish Worker*[48] faoi 'shluachorraíl mhór agus mórshiúl faoi thóirsí' á n-éagrú ag na hÓglaigh agus tugadh cuireadh lena aghaidh do 'chomplachtaí agus do dhreamanna de náisiúnaithe agus den lucht oibre.'

I dtosach bhí sé beartaithe ag na hÓglaigh go mbeadh a gComhdháil ann i mí na Samhna[49] ach tugadh an chomhdháil chun cinn go dtí 25 Deireadh Fómhair d'aon ghnó le stad a chur le haon ghearán faoin gCoiste Sealadach a bheith neamh-ionadaíoch, rud is léir ón gciorclán inar fógraíodh an socrú seo:

> Shocraigh an Coiste Sealadach an dáta luath seo don Chomhdháil, mar gur mian leo a bhfreagairt as ceannas na gluaiseachta a thabhairt suas chomh luath agus is féidir, agus é a chur i lámha choiste feidhmeannais a thoghfadh Óglaigh na hÉireann iad féin.[50]

Tionóladh an Chomhdháil in Amharclann na Mainistreach agus mar chomhartha dlúthpháirtíochta chabhraigh Arm na Saoránach leo trí sheasamh i líne ar gach taobh den tsráid ar an mbealach chun na hAmharclainne.[51] Ach ó thaobh Arm na Saoránach de ní ró-mhaith a bhí toradh na Comhdhála óir diúltaíodh do rún a mhol complacht D den 4ú Cathlán i mBaile Átha Cliath go gcomhcheanglófaí aon dream míleata eile in Éirinn, a raibh na cuspóirí céanna acu, le hÓglaigh na hÉireann, nó go mbunófaí scéim a chabhródh le comhoibriú idir na dreamanna sin.[52]

Cé nach ndearnadh gearán faoin diúltú seo—a mhalairt ar fad, mar rinne an *Irish Worker* an 31 Deireadh Fómhair, 1914, comh-

---

[46] *ibid.*

[47] *ibid.*

[48] 24 Deireadh Fómhair, 1914.

[49] Féach forógra 24 Meán Fómhair, 1914, *Irish Independent*, 25 Meán Fómhair, 1914.

[50] *Irish Independent*, 8 Deireadh Fómhair, 1914.

[51] An Cathasach, *The Story of the Irish Citizen Army*, l. 53.

[52] Lss. Hobson LNE 13174 (11).

ghairdeas leis na hÓglaigh ' faoin dul chun cinn a bhí déanta acu,' baineadh siar as a ndóchas arís ina dhiaidh sin.

Dúirt an Breithiúnach—fear nár thaitnigh an teacht le chéile leis ar chor ar bith mar a léireofar amach anseo[53]—gur tháinig Séamas Ó Conghaile agus Seán Milroy[54] mar theachtaí chuig cruinniú den choiste ag iarraidh comhcheangail agus ag iarraidh beirt ionadaithe ó Arm na Saoránach a bheith ar an gcoiste. Diúltaíodh dá n-iarratas agus dúradh leo go mbeadh sé in aghaidh Bhunreacht na nÓglach, aon dream a chomhcheangal leo.[55]

Bhí cúis mhaith acu leis na hiarrachtaí seo ar fad. Ní raibh ach thart ar 200[56] comhalta in Arm na Saoránach—líon beag le haghaidh éirí amach—agus is dócha nach raibh ach 100 nó níos lú ag na Hibernian Rifles.[57] Dealraíonn sé freisin nach raibh mórán arm ag Arm na Saoránach ag an am seo. Mar sin dá dteastódh uathu éirí amach chaithfidís é a dhéanamh i gcomhar le dreamanna eile, agus ba é sin cúis na gcruinnithe i Mí Lúnasa.[58] Ní nach ionadh mar sin ' ní han-chairdiúil le chéile a bhí Arm na Saoránach agus na hÓglaigh ar feadh seal eile ama.'[59]

Nochtaíodh dearcadh Hobson faoi éirí amach ag an am seo freisin, nuair a rinne ' an Piarsach agus comhaltaí eile de Choiste Feidhmeannais na nÓglach ' iarracht ' gan toradh, a thabhairt ar

---

[53] L. 92 thíos.

[54] Ós rud é gur chomhalta de na Hibernian Rifles (*The Hibernian*, 26 Meitheamh, 1915) Milroy is soiléir gur comhthoscaireacht ó Arm na Saoránach agus ó na Hibernian Rifles atá i gceist ag an mBreithiúnach anseo.

[55] *The Irish Nation*, 17 Samhain, 1917: 'In October, 1914 James Connolly and Sean Milroy attended a committee as a deputation from the Citizen Army. They asked for affiliation and also asked to have two representatives of the Citizen Army co-opted on the Volunteer Committee. Their very modest request strongly urged was rejected by a small majority and they were informed that, according to the Volunteer Constitution no bodied formed outside the organization could become affiliated.'

[56] *Irish Independent*, 25 Deireadh Fómhair, 1914.

[57] Domhnach Cásca, 1916, ' os cionn 70 oifigeach agus fear ' an t-iomlán a bhí acu de réir cuntais gan dáta, ó J. J. Scollan i Lss. An Loinsigh, LNE 11131. Is cosúil gur i 1936 a scríobhadh an cuntas, nuair a bhí an Loinseach ag bailiú eolais faoi na himeachtaí i mBaile Átha Cliath le linn an Éirí Amach i 1916.

[58] Féach ll. 72-74 thuas.

[59] Liam O'Briain i *Labour News*, 1 Bealtaine, 1937.

an dream sin aontú le polasaí éirí amach.'[60] Bhí rún amháin faoi bhráid na Comhdhála a thug deis do Hobson a thaispeáint 'go raibh sé go cinnte in aghaidh pholasaí éirí amach.'[61] agus ba é sin:

> go ngeallann an chomhdháil seo thar cheann Óglaigh na hÉireann, go gcuirfidh siad i gcoinne fheidhmiú an Militia Ballot Act nó aon seirbhís mhíleata éigeantach eile a chuirfear i bhfeidhm in Éirinn ar son Shasana

rún a mhol Ceannt agus ar chuidigh an Maicíneach leis.[62]

Na comhaltaí den Bhráithreachas a bhí ag iarraidh éirí amach is amhlaidh a bheadh orthu gníomhú gan dul i gcomhairle le hoifigigh na nÓglach nach raibh sa Bhráithreachas agus gan a lua le Hobson ina n-eagraíocht féin. Dealraíonn sé cheana féin nach raibh comhaltaí an Bhráithreachais ar an gCoiste ar aon aigne, rud ba léir nuair nár réitigh siad le chéile sa vótáil faoi chomhcheangal Arm na Saoránach agus na Hibernian Rifles le hÓglaigh na hÉireann.[63] Bhí comhghuaillithe acu taobh amuigh de na hÓglaigh ach ní raibh siad sásta fós gach a raibh beartaithe acu a nochtú dóibh.

Rinneadh an phleanáil ar dhá bhealach. An chéad cheann ná gur cheap an Bráithreachas coiste comhairleach d'oifigigh áirithe de na hÓglaigh le pleananna míleata a chumadh.[64] Ní fios go cinnte cérbh iad comhaltaí an choiste ach is dócha gurbh iad an Piarsach, an Pluincéadach agus Ceannt a bhí air ós iad a bhí ar an gCoiste Míleata a ceapadh faoi Bhealtaine, 1915, tar éis scor an chéad choiste.[65] Is cinnte go raibh an Pluincéadach air óir d'fhiafraigh sé den Bhéaslaíoch an raibh pleananna leagtha amach aigesean i nDeireadh Fómhair, 1914.[66]

Ar an taobh eile, bhí an iarracht á déanamh comhaltaí den Bhráithreachas a chur sna háiteanna ba thábhachtaí i measc na

---

[60] Hobson chuig McGarrity i 1934. Lss. Hobson LNE 13171.

[61] *ibid.*

[62] Lss. Hobson LNE 13174 (11).

[63] Féach nótaí 54,55 thuas.

[64] An Béaslaíoch chuig Diarmaid Ó Loinsigh, 30 Bealtaine, 1946, Lss. An Loinsigh LNE 11130.

[65] Bunaíodh an Coiste nua i mBealtaine, 1915, ar mholadh an Loinsigh ag cruinniú de Choiste Gnóthaí an Bhráithreachais. Lynch, *The I.R.B. and the 1916 Insurrection*, l. 25.

[66] An Béaslaíoch san *Irish Independent*, 15 Eanáir, 1953.

nÓglach. Bhíodar níos láidre anois ar an gcaoi seo ná mar a bhíodar aon am eile roimh an scoilt.

Bhunaigh an bunreacht ar glacadh leis, 25 Deireadh Fómhair, 1915, Comhairle Ginearálta 62 chomhalta, duine ó gach contae, duine eile ó chathracha Átha Cliath, Bhéal Feirste, Chorcaí, Luimnigh, Dhoire, Phort Láirge, na Gaillimhe, Shligigh agus Chill Coinnigh, maraon leis an gcomhalta is fiche a bhí ar an sean-Choiste Sealadach; agus rinneadh Coiste Feidhmeannais díobh san. Roinneadh gníomhaíocht an Choiste Feidhmeannais seo ar roinnt oifigeach agus bhí comhaltaí an Bhráithreachais i mbun na ngnóthaí seo a leanas: Rúnaí Ginearálta—Hobson; Rúnaí Airgeadais—Ceannt; Rúnaí Preasa—An Piarsach; Rúnaí Foilseacháin—P. Ó Riain; Oifigeach Traenála i Muscaedaíocht—An Conchúrach; Comh-Chisteoir—An Pluincéadach.[67]

Tionóladh an chéad chruinniú den Chomhairle Ginearálta, 6 Nollaig, agus ' ar mholadh ón gCoiste Feidhmeannais ' d'ainmnigh siad Foireann Mhíleata Ceanncheathrún agus tugadh na poist seo a leanas do chomhaltaí den Bhráithreachas: Stiúrthóir Traenála—Tomás Mac Donncha; Stiúrthóir Eagair Mhíleata—An Piarsach; Stiúrthóir Oibríochta Míleata—An Pluincéadach[68]; Máistir Ceathrún—Hobson. Cuireadh Ceannt leo níos déanaí mar Stiúrthóir Teachtaireachta.[69] Ba iad Mac Néill, mar Cheann Foirne agus an Rathghailleach mar Stiúrthóir Arm[70] an t-aon bheirt ar an bhfoireann nach raibh sa Bhráithreachas. Ghlac cúigear den seachtar seo páirt san Éirí Amach.

Ó thaobh an Bhráithreachais de bhí na poist ba mhó teagmháil leis na gnáth-Óglaigh ag na réabhlóidithe. Bhí Mac Néill chomh gnóthach mar Cheann Foirne agus mar eagarthóir ar an *Irish Volunteer* chomh maith lena bheith freagrach as imeachtaí agus cúramaí eile, agus Hobson—a bhí anois ar aon aigne le Mac Néill faoi cheist chomhraic ionsaithe i gcomórtas le comhrac

---

[67] Lss. Hobson LNE 12179, l. 14.

[68] Bhí Mícheál Ó Coileáin mar *aide* ag an bPluincéadach níos déanaí (ball den Bhráithreachas ab ea é, (Liosta U.N.F.), W. J. Brennan-Whitmore chugamsa, 30 Deireadh Fómhair, 1962. O mhí na Samhna a bhí sé ar fhoireann an Phluincéadaigh de réir cuimhní cinn Geraldine Dillon nár foilsíodh fós.

[69] Lss. Hobson LNE 12179, ll. 19, 20.

[70] Lss. Hobson LNE 12179, l. 19.

cosanta chomh gnóthach mar Rúnaí Ginerálta agus mar Mháistir Ceathrún, gur coinníodh iad beirt ó theagmháil rialta a dhéanamh leis ná gnth-Óglaigh mar gheall ar a gcuid gnóthaí oifige. Bhí J. J. O'Connell, a d'aontaigh leo faoi cheist an chomhraic, le tagairt a dhéanamh don easpa teagmhála seo níos déanaí.[71]

Bhí scéim eagair mhíleata leagtha amach ag an bPiarsach mar Stiúrthóir Eagair Mhíleata, faoi mhí na Nollag, 1914.[72] Mar a chonacamar[73] bhí an Piarsach buartha ar eagla go mbeadh ar na hÓglaigh dul i gcomhrac sula mbeidís ullamh chuige agus dá bharr sin rinne sé a chuid pleanála go tapaidh. Dúirt Hobson faoi:

> leag (an Piarsach) amach mionphleananna a léirigh cén chaoi ar chóir cur i gcoinne coinscríofa agus cuireadh iad seo os comhair an Choiste Gnóthaí agus ghlacadar leo. Tugadh cóipeanna de na pleannana do na príomhoifigigh i gcodanna éagsúla den tír agus dúradh leo iad a thabhairt do na fir a bhí fúthu dá bhfeicfí dóibh go raibh an coinscríobh le cur i bhfeidhm.[74]

Bhí an scéim seo leagtha amach le go mbeadh na hÓglaigh in ann ' a bheith réidh chun comhrac a dhéanamh i ngach áit arbh fhéidir é '[75] dá mbeadh orthu gníomhú gan choinne.

Bhí an córas comhraic ann mar sin, fiú mura raibh sé ann ach go trialach. Bhí smacht ag an bPiarsach ar an gcóras sin, rud a bhí tábhachtach óir, mar a dúirt an Loinseach, ba ' *trí ghníomhú Phádraig Mhic Phiarais*, mar Stiúrthóir Eagair ar Fhoireann na nÓglach . . . a caitheadh Óglaigh na hÉireann as éadan isteach san Éirí Amach.'[76]

Ba bheag nár tháinig an t-aothú i Mí na Nollag, 1914, nuair a rinne na húdaráis mhíleata agus na póilíní beart i gcoinne na bpáipéar mídhílse. An 2 Nollaig, 1914,[77] cuireadh *Sinn Féin* agus *Irish Freedom* faoi chosc. (San uimhir dheiridh de *Irish Freedom*

---

[71] Féach l. 152 thíos.

[72] Lss. Hobson LNE 12179, l. 83. De réir Lss. an Loinsigh LNE 11123, foilsíodh iad i mí na Nollag, 1914.

[73] Féach nóta 26 thuas.

[74] Lss. Hobson LNE 12179, l. 83.

[75] Lss. Hobson LNE 12179, l. 84.

[76] An Loinseach chuig an Maor F. Ó Donncha, 30 Nollaig, 1947. Lss. an Loinsigh LNE 11128. Is leis-sean an cló Iodáileach.

[77] Lss. Hobson LNE 12177, l. 2.

scríobh Earnán de Blaghd faoi 'When the Day Comes'[78]). An 4 Nollaig, 1914, cuireadh *Éire*[79] faoi chosc, gabhadh an *Irish Volunteer*[80] agus loiteadh an clólann ina gclóbhuailtí an *Irish Worker*[81] agus cuireadh an páipéar féin faoi chosc.[82] Bhí na húdaráis ag iarraidh an feachtas frithliostála a bhí ar siúl trí mheán na bpáipéar a chur faoi chois.

Níor fhoilsigh an Bráithreachas aon pháipéar in ionad *Irish Freedom.* Is cosúil nach raibh níos mó poiblíochta ag teastáil uathu as sin amach. Thugadar áfach an t-airgead d'Art Ó Gríofa chun *Nationality*[83] a thabhairt amach nuair a gabhadh *Scissors and Paste*—an comharba a bhí ar *Éire* agus *Sinn Féin*—i Mí na Feabhra, 1915, an uair a ghabh na póilíní uimhir na míosa sin de *The Worker* ar dhuganna Átha Cliath. Ba é a bhí san *Worker* ná comharba *The Irish Worker* agus *Irish Work* (níor eisíodh ach eagrán amháin de sin, 19 Nollaig, 1914, agus bhí sé fíor-réabhlóideach).

Bhí sé á chlóbhualadh don Chonghaileach ag an Socialist Labour Press i nGlaschú. Ligeadh don *Irish Volunteer* leanúint de bheith ag teacht amach.

Ní fios an le bearrán a rinne na húdaráis é seo nó an é nach raibh ann ach rialacháin á gcomhlíonadh ach más é an chéad rud a bhí i gceist acu níor éirigh leo na cumainn a d'fhulaing a mhealladh chun beart míchuibhiúil a dhéanamh.

Is cosúil áfach go raibh siad ag teacht le chéile arís, mar dúirt Mac an Bhreithiúin:

> Go dtí mí na Nollag, 1914, ba dhá eagraíocht éagsúla, gan bhaint acu le chéile, na hÓglaigh agus Arm na Saoránach agus *ba mhaith an rud é dá bhfanfaidís amhlaidh* (is liomsa an cló iodáileach) ach tar éis 1914, tháinig Comhairle Mhíleata na nÓglach[84] níos giorra, de réir a chéile, d'Arm na Saoránach agus ar deireadh tháinig siad faoi thionchar an Chonghailigh.[85]

---

[78] *Irish Freedom,* Nollaig, 1914.

[79] Lss. Hobson LNE 12177, l. 2.

[80] *ibid.*

[81] Liam Ó Briain i *Labour News,* 1 Bealtaine, 1937.

[82] *ibid.* Lss. Hobson LNE 12177, l. 2.

[83] *Iris Teoin,* 1950, l. 69.

[84] Níl sé soiléir an é Coiste Comhairleach an Bhráithreachais nó Foireann Cheanncheathrú na nÓglach atá i gceist aige anseo.

[85] *The Irish Nation,* 17 Samhain, 1917.

Níl a thuilleadh fianaise ann faoi chomhoibriú ag an am seo. Tá an t-easpa páipéar,[86] ina bhac ar an taighde. Ach ó tharla an sliocht i gcló iodáileach sa mhéid a léiríonn nár aontaigh Mac an Bhreithiúin leis an gcomhoibriú agus ós rud é gur éirigh sé as Coiste Feidhmeannais na nÓglach, 18 Nollaig, 1914, ' nó mar sin '[87] is dócha go mbeadh a chuimhne ar na nithe seo cruinn go leor i ndiaidh trí bliana. Níl ach fíor-bheagán comharthaí san *Worker* i Mí Eanáir agus Mí Feabhra, 1915, ar an gcairdeas athnuaite seo. Bhí an t-eagrán a tháinig amach, 9 Eanáir, 1915, frith-Shasanach agus i gcoinne Rialtais Dúchais in altanna faoin gCogadh agus dúradh i bhfógra do *Labour in Irish History*:

> Ba chóir do gach uile oibrí an sárscéal seo faoi choimhlint agus faoi dhóchas lucht oibre na hÉireann san am a chuaigh thart a léamh. Ní thuigeann aon Náisiúnaí Éireannach ard-Náisiúnachas go dtí go ndéanann sé staidéar air seo.

Glaoitear ar na léitheoirí ' chun an bhunsraith a chur síos le haghaidh Chomhlathais Chomhoibrithigh—Poblacht an Lucht Oibre ' agus cuirtear béim ar chogadh na n-aicmí:

> Táimid ag glaoch mar sin ar óglaigh le haghaidh na troda móire chun Baile Átha Cliath a shaoradh ar na barbaraigh chaipitlíocha. An bhfreagróidh Baile Átha Cliath ollásach na n-oibrithe go hollásach ?

Bhí cuid de na scríbhneoirí ar smaoineamh ar agóid pharlaiminte !

> Anois níl aon ghearán againn le lucht oibre Shasana. Is iad lucht rialaithe Shasana ár gcomhnamhaid. . . Ní heolaí míleata mé. Níl a fhios agam an bhféadfadh Éire sa ghlúin seo saoirse iomlán a bhaint amach ó Shasana le neart arm. Rud amháin a bhfuil sé de dhánaíocht ionam a thairngreacht, is é seo é, dá gcuirfeadh fear oibre na hÉireann an cineál ceart M.P. chuig Parlaimint na hImpireachta, fir a raibh dlúthbhaint acu le gríosóirí na hIndia, bheadh Impiriúlaithe Shasana ar bís ag iarraidh scaradh linn i gceann cúig bliana.[88]

An 30 Eanáir, 1915, aontaíodh le cuid de dhearcadh Sinn Féin faoi Pháirtí an Rialtais Dúchais agus cáineadh Bardas Bhaile

[86] Féach l. 92 thuas.

[87] Lss. Hobson LNE 12177, l. 2.

[88] *The Worker*, 16 Eanáir, 1915. Alt sínithe ag ' M.E.'

Átha Cliath de bhrí gur bhain siad ainm Kuno Meyer de Rolla Saorfhear na Cathrach.

Is deacair a bheith cinnte cé chomh cruinn is a nocht an *Worker* tuairimí Halla na Saoirse, mar gheall ar na fadhbanna a bhain lena chlóbhualadh is a dháileadh. Mar shampla, seans maith gurbh iad na Sóisialaigh in Albain a chum cuid den scríbhinn lena aghaidh.

Níl a thuilleadh fianaise cinnte faoi chomhoibriú ann go dtí Márta, 1915. Idir an dá linn, bhí comhaltaí an Bhráithreachais ag dul isteach sna poist ba thábhachtaí sna hÓglaigh ar fud na tíre. An 20 Eanáir, 1915,[89] dhaingnigh an Piarsach toghadh roinnt oifigeach agus orthusan bhí na comhaltaí seo den Bhráithreachas: Proinsias Ó Fathaigh[90] ina chéad-leifteanant, Complacht " C," An Chéad Chathlán, Reisimint Átha Cliath; Séamas Rafter[91] ina chaptaen ar Chéad Chathlán Inis Córthaidh agus Séamas Ó Dubhghaill[92] ina fholeifteanant; Mícheál de Lása[93] ina fholeifteanant, Complacht " C " de Chathlán Inis Córthaidh; Seán Ó Sionóid[94] ina cheannfort gníomhach ar Chomplacht " A " de Chathlán Bhaile Loch Garman.[95] An 17 Feabhra, 1915,[96] daingníodh Tomás Mac Curtáin[97] mar cheannfort ar an gCéad Chathlán i gCorcaigh, le Seán Ó Suilleabháin[98] agus Seán Ó Murchú[99] mar cheannasaithe ar Chomplacht " A " agus " B " faoi seach.

Bhí an Coiste Comhairleach ag feidhmiú an mhí seo chomh maith. Thug Tomás Ághas na pleananna a bhí socraithe don Chúigiú Cathlán[100] (Cathlán Fhine Gall) don Phluincéadach agus bhí an Béaslaíoch agus Éamonn Ó Dálaigh ag obair ar na plean-

---

89 Liosta an Chonchúraigh LNE 9510.

90 Liosta E.D. Liosta E.M.G.H.

91 *ibid.*

92 *ibid.*

93 Liosta E.D.

94 Liosta E.M.G.H. Liosta E.D.

95 Lss. An Chonchúraigh LNE 9510.

96 *ibid.*

97 Liosta E.D.

98 Liosta E.M.G.H.

99 Lynch, *The I.R.B. and the 1916 Insurrection*, l. 37.

100 An Béaslaíoch, san *Irish Independent*, 15 Eanáir, 1953.

anna don Chéad Chathlán, pleananna a bhí beagnach mar an gcéanna leo sin a húsáideadh san Éirí Amach i 1916.[101]

Bhí clár léachtaí d'oifigigh eagraithe ag Bord Chathair is Chontae Átha Cliath agus lean an clár go dtí mí Márta, 1915. Ar na léachtóirí bhí na comhaltaí seo den Bhráithreachas: an Maolíosach, de Valera, an Colbardach agus an Cléireach faoi shiortú, léamh agus tarraingt léarscáile; an Dufach faoi champaí, bíobháigí agus cosaint trí urphostaí; an Conallach faoi iompar agus soláthar; Tomás Mac Donncha faoi thuarascálacha, ordaithe agus teachtaireachtaí; agus rud a bhí an-tábhachtach, an Conghaileach faoi bharacáidí. Thug an Captaen Ó Dálaigh, fear nach eol dom é bheith ina chomhalta den Bhráithreachas, agus Mac Néill (agus ar ndóigh níor chomhalta eisean) léacht faoi dhíoga cosanta. Shínigh comhalta eile den Bhráithreachas, Tomás Slater[102] a bhí ina Rúnaí Oinigh go sealadach ar Bhord Chathair is Chontae Átha Cliath, an fógra[103] faoi na léachtaí.

An 10 Márta, 1915[104] ceapadh an Piarsach, an Pluincéadach agus Hobson ina gceannfoirt gan feidhmeannas agus ar na ceapacháin eile ag an am seo bhí na comhaltaí seo den Bhráithreachas: T. Ó Síocháin[105] mar Cheannasaí Innealtóireachta Bhriogáid Átha Cliath agus céim ceannfoirt aige; Éamonn Ó Dálaigh[106] agus Piaras Béaslaí mar cheannfort agus leascheannfort faoi seach ar an gcéad Chathlán agus Séamas Ó Súilleabháin[107] agus Gearóid Ó Gríofa[108] mar aidiúnach agus máistir ceathrún; Tomás Mac Donncha, Tomás Hunter[109] agus an Dufach mar cheannfort, leascheannfort agus aidiúnach faoi seach ar an Dara Cathlán ar a raibh Mícheál Ó hAnracháin[110] ina mháistir

[101] An Béaslaíoch, chuig an Loinseach, 30 Bealtaine, 1946. Lss. an Loinsigh LNE 11130.

[102] Liosta E.M.G.H., áit a bhfuil na comhaltaí eile den Bhráithreachas ar an gclár. Níor tháinig an Conghaileach isteach go dtí deireadh na bliana agus ní fios go cinnte faoi de Valera.

[103] Lss. Hobson LNE 13174 (11).

[104] Lss. An Chonchúraigh LNE 9510.

[105] Liosta E.M.G.H.

[106] Liosta E.M.G.H. Liosta E.D.

[107] *ibid.*

[108] Liosta U.N.F. Liosta E.M.G.H.

[109] Liosta E.M.G.H. Liosta E.D.

[110] Liosta E.D.

ceathrún; de Valera mar cheannfort ar an tríú Cathlán leis an mBeaglaoch[111] agus Séamas Ó Broin[112] mar adiúnach agus máistir ceathrún aige; Ceannt agus Brugha[113] mar cheannfort agus leas-cheannfort ar an gCeathrú Cathlán.

Bhí na Ceanncheathrúna i mBaile Átha Cliath, i gCorcaigh agus i Loch Garman insmachtaithe ag an mBráithreachas faoin am seo de réir dealraimh.

Ní fios go cinnte cén bhail a bhí ar na comhráití leis an nGearmáin ag an am seo. Bhí Mac Easmainn sa Ghearmáin; ba é Coiste Feidhmeannais Chlan-na-Gael[114] a sholáthraigh an t-airgead dó agus a chuir comhairle air. Níor aontaigh comhaltaí áirithe d'Ardchomhairle an Bhráithreachais leis seo[115] ach ghlacadar leis mar *fait accompli.*

De réir Devoy[116] bhí trí aidhm ag misean Mhic Easmainn—(i) cabhair Ghearmánach a fháil don deis cheart, (ii) meon phobal na Gearmáine a oiliúint faoi staid na hÉireann agus (iii) Briogáid Éireannach a chur le chéile as na príosúnaigh chogaidh le troid ar son saoirse na hÉireann. Deir Devoy[117] gur éirigh go maith leis an dara haidhm, gur theip ar an tríú ceann agus gur bhain Ruairí Mac Easmainn amach 'an chéad cheann go mí-éifeachtúil.' De réir na fianaise is beag a rinne sé chun an chéad aidhm a chur i gcrích ar chor ar bith agus dhírigh sé a aire ar fad ar an dá aidhm eile.

Níos tábhachtaí fós, tar éis mórchuid ama agus oibre, thug sé le fios go raibh comhcheilg ar bun ag Taidhleoir na Breataine san Ioruaidh, chun é féin a dhúnmharú[118] agus go déanach i 1914, chinn sé ar úsáid a bhaint as an mBriogáid Éireannach chun troid leis na Gearmánaigh ar ármhá na hÉigipte.

Scríobh sé litir thábhachtach, 12 Samhain, 1914—is dócha gurb í an litir í a thug Kuno Meyer leis go dtí na Stáit Aontaithe an mhí chéanna[119]—agus is é an t-aon sampla é ar tháinig mé air dá

---

[111] *ibid.*

[112] *ibid.*

[113] Liosta E.M.G.H.

[114] Devoy, *Recollections of an Irish Rebel*, l. 417.

[115] *ibid.*

[116] Devoy, *op. cit.*, ll. 431-432.

[117] Devoy, *op. cit.*, l. 432.

[118] Devoy, *op. cit.*, ll. 423-430. Lss. Ruairí Mhic Easmainn LNE 1690.

[119] Devoy, *op. cit.*, l. 420.

chúram den chéad aidhm. Dúirt sé nach bhféadfaí airm a thabhairt go hÉirinn an fhad a bhí cumhacht chomh mór ag an mBreatain ar an bhfarraige. Go dtí go mbeadh deireadh leis an gcumhacht sin, cheap sé go bhféadfaí cabhair mhorálta agus spioradálta a thabhairt d'Éirinn trí throid in aghaidh na Breataine san Éigipt agus clú Sheáin Bhuí a laghdú os comhair an tsaoil.[120]

Ní nach ionadh níor aontaigh Clan-na-Gael leis an tseift faoin Éigipt agus tá díomá Ruairí Mhic Easmainn le léamh ina dhialann. Dúirt sé nár aontaigh Clan-na-Gael le foilsiú scéil Christiana ná leis an sluaíocht go dtí an Éigipt a bhí beartaithe aige. Dúirt sé nár fhéad sé aon rud a dhéanamh faoin gcéad rud ag an am, ach faoin dara rud, gurbh aigesean agus nach acusan an bhí an ceart.[121]

Chuaigh sé ar aghaidh agus rinne sé rud é féin, de réir a bhreithiúnais féin. Leag sé síos téarmaí agus rinne sé conradh le Zimmerman, an Forúnaí Gnóthaí Eachtracha, 28 Nollaig, 1914,[122] agus ba chuid thábhachtach den chonradh sin an turas go dtí an Éigipt. Bhí sé gnóthach i mí Eanáir agus mí Feabhra, 1915, le heachtra Christiana.[123]

---

[120] Lss. Ruairí Mhic Easmainn LNE 5459: 'Should the "March on Egypt" I touched on soon come off you can explain to the inner circle of Irishmen my reasons. They will understand. Until there is a clear stretch of seaway to enable me and my men, etc. to make a descent on Ireland itself we might best help the Irish cause *morally, spiritually*, and materially by aiding physically in driving the British out of Egypt. . . .

You can tell Joe McGarrity that your Govt. is considering seriously the chances of sending arms into Ireland for the Volunteers, if means of getting them there can be devised. I think it will be easier to get them from the U.S.A.—but it is clearly a task of great difficulty with England so supreme at sea . . . For the present I fear we must content ourselves with assailing the world prestige of John Bull, and that we best do by the course I have taken and the line of action contemplated. When the facts of Christiana are made public we deal him another blow.'

[121] Lss. Ruairí Mhic Easmainn LNE 1690: 'I got a letter from Kuno Meyer to-day telling me (28 Nov.) of his news and of his having met Cohalan. McGarrity, Devoy and John Quinn. They all disapprove the publication of the Christiana incident—also of my suggested expedition to Egypt. In the former case I can do nothing at present—in the latter idea I am right and they are wrong.'

[122] Tá an téacs i Devoy, *Recollections of an Irish Rebel*, l. 432-435.

[123] Devoy, *op. cit.*, ll. 423-429. Lss. Ruairí Mhic Easmainn LNE 1690.

B'fhéidir gur de bharr ghníomhaíocht aontaobhach Ruairí Mhic Easmainn, nó mar gheall ar an nod faoi airm sa litir, 12 Samhain, 1914,[124] chomh maith le go ndúirt Ambasáid na Gearmáine sna Stáit le Devoy go raibh Sheehy-Skeffington ar mhisean neamh-oifigiúil ar lorg airgid le feachtas frithliostála a bhunú in Éirinn,[125] a shocraigh an Bráithreachas go ndéanfaidís a gcuid plé go díreach leis an nGearmáin agus chuige sin d'fág an Pluincéadach Éire, 17 Márta, 1915.[126]

Arís, ní fios go beacht cén misean a bhí de chúram ar an bPluincéadach ach le linn dó a bheith sa Ghearmáin ó 19 Aibreán, 1915, go dtí deireadh Meithimh bhí sé i dteagmháil le Roinn Gnóthaí Eachtracha na Gearmáine,[127] bhuail sé le Mac Easmainn agus thug sé roinnt cabhrach dó chun Briogáid Éireannach a chur le chéile.[128] Tá sé soiléir áfach go raibh sé ag plé cúrsaí airm ón méid a scríobh sé i ndialann a thurais. Níor scríobh sé aon rud an-chinnte—rud atá sothuigthe—agus is i nGaeilge a scríobh sé an chuid is mó de sin féin, cé nach teanga í sin a bhí ar a thoil aige. Seo cuid den mhéid a scríobh sé faoi airm:

> 20-5-1915 . . . 10,000 g. indiu . . .; 26-5-1915 . . . 25,000 g. . . . long mór; 27-5-1915 (Long mór eile) . . . 4,800 g. . . .; 28-5-1915 (12,000 g.) . . .[129]

Is í dialann Ruairí Mhic Easmainn a thugann an léargas is fearr ar thuras an Phluincéadaigh dúinn. Nochtaítear ansin an

---

[124] Féach nóta 120 thuas.

[125] Devoy, *op. cit.*, l. 443. Is seo an t-aon tagairt a chonaic mé do mhisean Sheehy-Skeffington. Ní thugann Devoy an dáta dó, ach óna áit sa téacs dealraíonn sé gur roimh Mhárta, 1915, a tharla sé. Más rud é nach raibh Sheehy-Skeffington ag obair go neamhspleách anseo b'fhéidir gur faoi choimirce an Irish Neutrality League nó an fhochoiste eile thuasluaite (l. 74) a bhí sé ag gníomhú. Más ea b'fhéidir gur mar gheall ar nár éirigh leis a cuireadh deireadh leis an bhfochoiste sin agus dá mba rud é gur go déanach i 1914 a tharla sé b'fhéidir gur chúis é leis an eascairdeas a luaigh Liam Ó Briain i *Labour News*, 1 Bealtaine, 1937. (cf. l. 88 thuas).

[126] Lss. an Phluincéadaigh LNE 10999 (xi).

[127] *ibid.*

[128] I ndréacht d'oráid a thug sé don Bhriogáid i mBealtaine, 1915, deir an Pluincéadach: 'We may therefore hope with the assistance of Divine Providence to achieve our independence victoriously or to die fighting for the glory of God and the honour of Ireland.' Lss. an Phluincéadaigh LNE 10999 (i).

[129] Lss. an Phluincéadaigh LNE 10999 (xi).

fás a bhí tagtha ar smaointe réabhlóideacha na gcinnirí in Éirinn agus a laghad bá a bhí ag Ruairí Mac Easmainn féin leis na smaointe sin. Cheap sé go gcaithfí cúnamh míleata agus morálta a fháil ó náisiún cumhachtach éigin san Eoraip le go bhféadfaí éirí amach a dhéanamh. Dúirt sé dá bhféachfaí le héirí amach i mBaile Átha Cliath i 1915 gur mheasa é ná amadántaíocht, gur choir aineolais é.[130]

Chuir sé leis seo ar a bhealach áirithe féin: ' Ach dúirt mé " má dhéanann sibh é—ach má tá rún agaibh an rud amaideach seo a dhéanamh, tiocfaidh mé agus beidh mé libh . . ." '[131]

Ní fios go cinnte cé mhéad de chuspóir a lig an Pluincéadach le Ruairí Mac Easmainn. Faoi cheist na n-arm, tá sé seo le léamh ina dhialann:

> D'iarr sé airm d'Éirinn ag an G. G. S. . . . dhiúltaigh Nadolny go droch-mheasúil é . . . bhí P. ar buile agus d'fhiafraigh sé díomsa an bhféadfainn coinne a dhéanamh dó leis an Aire Cogaidh ! ![132]

Ní thugtar síos dátaí le gach gnó i ndialann Ruairí Mhic Easmainn agus an t-aon tagairt i ndialann an Phluincéadaigh gur féidir teagmháil le Nadolny a thuiscint as ná an scríbhinn, 6 Meitheamh, 1915: ' Deir Ceann N go bhfuil an rud ceart ach go bhfuil mo bheatha stór mór anois.'[133] Is dócha go dtagraíonn an clásal deiridh seo do shláinte an Phluincéadaigh, rud a bhí ag cur imní air féin[134] agus ar Ruairí Mac Easmainn[135] ag an am seo. Bhí cuid mhaith comhráite fada aige sa Roinn Gnóthaí Eachtrachta. De réir a

---

[130] Lss. Ruairí Mhic Easmainn LNE 1690:

' In April 1915 came P(luincéad) from Ireland with his great talk of the planned revolution. I discounted all that and sat on it and him as vigorously as possible.

I told him what I had told Wedel at the F.O. that no rebellion or rising in Ireland could possibly succeed on its own unaided effort. The *sine qua non* of a successful movement in Ireland was the military (and moral) support of a great continental power. To attempt a rising in the streets of Dublin in 1915 I held to be worse than folly—it was criminal stupidity.'

[131] *ibid.*

[132] Lss. Ruairí Mhic Easmainn LNE 1690.

[133] Lss. an Phluincéadaigh LNE 10999 (xi).

[134] *ibid.*

[135] Lss. Ruairí Mhic Easmainn LNE 1690.

dhialainne[136] bhí siad aige, 20 Aibreán, 21 Aibreán (scríobh sé go raibh siad ' an-tsásúil '), 6 Meitheamh, 8 Meitheamh, 10 Meitheamh (deir sé anseo go raibh sé ag feitheamh le ' focal ó Iacobh '—von Jagow an Rúnaí Stáit atá i gceist, is dócha), 15 Meitheamh, 17 Meitheamh, 18 Meitheamh agus 19 Meitheamh, 1915. Más rud é nach raibh siad ró-thortúil, mar a deir Ruairí Mac Easmainn (a bhí an-tinn agus éadóchasach ag an am),[137] bhí teagmhálacha tábhachtacha déanta aige a mbeadh toradh orthu níos déanaí, óir eagraíodh an iarracht le hairm a thabhairt ón nGearmáin go hÉirinn in Aibreán, 1916, gan bacadh le Ruairí Mac Easmainn.[138]

Sa bhaile fuair beirt chomhalta den Bhráithreachas ardú céime sna hÓglaigh, 14 Aibreán, 1915,[139] rinneadh Ceannasaí Briogáide ar Iompar, Sóláthar agus Teachtaireachtaí den Dufach agus rinneadh Aidiúnach de Slater. An lá céanna[140] daingníodh ceapachán beirt eile den Bhráithreachas mar oifigigh i Luimneach—Ledden[141] ina choirnéal oinigh agus Mac Fhlanncha[142] ina leascheannfort. Daingníodh a gcéim do na comhaltaí seo den Bhráithreachas in Óglaigh Luimnigh chomh maith—S. Mac an Airchianigh[143] ina chaptaen ar Chomplacht " A "; an Dónallach[146] ina chéadleifteanant ar Chomplacht " B "; agus an Faolánach ina fholeifteanant ar an gComplacht céanna[144]; Mac Giollarnáth[145] ina chéadleifteanant ar Chomplacht ' C '; Ó hAllmhuráin[147] ina fho-

---

[136] Lss. an Pluincéadaigh LNE 10999 (xi).

[137] Lss. Ruairí Mhic Easmainn LNE 1690.

[138] An Mórdhach sa *Weekly Freeman*, 5 Lúnasa, 1916; Dialann Mrs. Parry LNE 7946, l. 13; H. W. Nevinson i *The New Statesman*, 22 Samhain, 1930; cuntas a bhí ag Ó Maolíosa nuair a gabhadh é i sna Stáit Aontaithe mar a foilsíodh é san *Irish Nation*, 17 Samhain, 1917, agus cuid de san *Irish Independent*, 12 Samhain, 1917; Devoy, *Recollections of an Irish Rebel*, ll. 458, 459.

[139] Lss. An Chonchúraigh LNE 9510.

[140] *ibid.*

[141] Liosta E.M.G.H. Liosta E.D. Lynch, *The I.R.B. and the 1916 Insurrection*, ll. 35, 37.

[142] Liosta E.D.

[143] *ibid.*

[144] *ibid.*

[145] *ibid.*

[146] *ibid.*

[147] *ibid.*

Liam Ó Maolíosa

leifteanant ar Chomplacht ' D '; Laffan[148] ina chéadleifteanant ar Chomplacht ' D ' (Cill Cuáin agus Béal Átha Síomoin) agus Mac Aodha[149] ina chaptaen ar Chomplacht ' E.'

Bhí clóphreas i Halla na Saoirse faoin am seo agus le heisiúint *The Workers' Republic*, 29 Bealtaine, 1915, is furasta smaointe chinnirí an lucht oibre a mheá.

Thosaigh Údaráis na Breataine ag gabháil chomhaltaí de na dreamanna réabhlóideacha agus, ní nach ionadh, bhí cuid mhaith le rá ag an *Workers' Republic* faoi sin, go háirithe ó tharla Sheehy-Skeffington agus Milroy (Hibernian Rifles) ar an gcéad bhuíon a gabhadh. Gabhadh Seán Mac Diarmada in éineacht leis an mbeirt sin agus dúradh faoi:

> B'oth lena chairde go léir i mBéal Feirste a chloisteáil gur tógadh Seán Mac Diarmada. Níor chóir an obair mhór a rinne sé go minic ar son na hÉireann a ligean i ndearmad. Ba mhaith a chuimhnigh naimhde na hÉireann uirthi. Ba é an cairdeas ab fhearr a d'fhéadfadh a chairde a thaispeáint dó an onóir chéanna a bhaint amach dóibh féin.[150]

Ag sluachorraíl a d'eagraigh an Lucht Oibre 31 Bealtaine, 1915,[151] thug an Conghaileach óráid theasaí uaidh faoi na daoine a gabhadh agus ag tagairt dó don rath a bhí ar thromaíocht Carson i gcomparáid leis an ' gceathracha bliain ' a bhí Pairtí an Rialtais Dúchais ag teagasc síochána thug sé cuireadh dá lucht éisteachta ' a bheith páirteach sa troid chun Éire a shaoradh is a athnuachan.' Glacadh le rún ag an gcruinniú ag cur in aghaidh aon iarracht ar Chúige Uladh nó aon chuid de a choinnéal ó theacht faoi choinníollacha Achta an Rialtais Dúchais, agus ag gealladh go dtroidfí in aghaidh aon iarracht Éire a dheighilt.[152]

Bhain an Conghaileach macalla as an nóta seo ina eagarfhocal, 5 Meitheamh, 1915:

> Caithfear troid go géar ar son na saoirse a ghnóthaigh ár sinsear dúinn! Cogadh nó gan cogadh ní ghéillfear gan choimhlint na cearta a saothraíodh chomh crua sin dúinn.

---

[148] *ibid.*

[149] *ibid.*

[150] *The Workers' Republic*, 29 Bealtaine, 1915.

[151] *op. cit.*, 5 Meitheamh, 1915.

[152] *ibid.*

Chuir sé tús le sraith de nótaí míleata san uimhir seo freisin le mionscrúdú is mionléiriú ar an troid i Moscó in 1905.

Tugtar nod eile dúinn faoin am seo ar a ghaire a bhí an Conghaileach do na réabhlóidithe eile: bhí paimfléid an Phiarsaigh[153] dulta chomh mór sin i bhfeidhm air gur scríobh sé chuig Seán T. Ó Ceallaigh, 6 Meitheamh, 1915,[154] le fógra a chur sna cinn a bhí fós le n-eisiúint. Ní miste a thabhairt faoi deara go raibh na gabhálacha seo, go fiú mura raibh iontu ach tús sraithe, ar cheann de na nithe a ndúirt an Piarsach, 19 Deireadh Fómhair, 1914,[155] go mb'fhéidir go dtarlódh ' gníomh ' dá mbarr.

Más amhlaidh a bhí éirí amach beartaithe i 1915, agus is cosúil go raibh—chonaiceamar gur thuig Ruairí Mac Easmainn é sin ón bPluincéadach in Aibreán na bliana sin[156]—is cinnte go raibh iris sheachtainúil Halla na Saoirse ag cabhrú go mór leis an ullmhú síceolaíoch chuige.[157] Thug siad sliocht as an *Catholic Bulletin* á rá gur ' cuireadh iallach ar gach státseirbhíseach glanadh amach as Óglaigh na hÉireann ' agus faoin teideal ' Join the Army ' tugadh tuairisc faoi chruinniú earcaíochta do na hÓglaigh agus frithliostála (in Arm Shasana ar ndóigh) i mBéal Feirste.[158]

An 14 Meitheamh, 1915,[159] bhí cruinniú poiblí i bPlás Dúnsméara le gearán a dhéanamh faoi na daoine a gabhadh agus faoi ' cheart thriail choiste a cheilt ar na príosúnaigh de réir an Defence of the Realm Act,' agus, 19 Meitheamh, 1915,[160] dúradh go raibh na pionóis a cuireadh ar na príosúnaigh brúidiúil.

---

[153] Ba iad seo cuid den ullmhú síceolaíoch don Éirí Amach, rud a dúirt Florence Ó Donncha, ' created in the minds of Volunteers the impression that armed action was a definite and not too remote possibility and that it would be taken on definition of the rights and liberties common to the people of Ireland which represented the old Fenian and I.R.B. goal of Separation ' (*University Review*, Iml. iii, uimh. 1).

[154] Lss. Uí Cheallaigh LNE 8469.

[155] Féach nóta 26 thuas.

[156] Féach ll. 98-99 thuas.

[157] Seans go raibh comhoibriú cinnte ann. Féach Ryan, *The Rising*, l. 57: ' There are those who maintain that Connolly began to work in co-operation with the Military Council just before the O'Donovan Rossa funeral in July, 1915.'

[158] *The Workers' Republic*, 12 Meitheamh, 1915.

[159] *The Workers' Republic*, 19 Meitheamh, 1915.

[160] *ibid.*

An 26 Meitheamh, 1915[161] rinneadh a thuilleadh gearáin faoi na pionóis agus tugadh tuairisc faoi chruinniú earcaíochta eile de chuid na nÓglach i mBéal Feirste nuair a thug D. Mac Con Uladh agus Herbert Moore Pim (' A. Newman ') óráidí. Chomh maith leis sin, déantar maíomh as Arm na Saoránach a bheith páirteach san oilithreacht go Baile Bhuadáin agus tuairiscítear go ndúirt Maud Gonne:

> Ós rud é go gcreideann muid go bhfuil tábhacht spioradálta le hÉirinn sa domhan, is léir gurb é dualgas gach Éireannach é a chinntiú gur náisiún a bheidh inti agus é féin a armáil agus a eagrú in Óglaigh na hÉireann chun í a chosaint.

Foilsíodh dán fada chuig Arm na Saoránach freisin ar a raibh na véarsaí:

Then keep your powder dry, my boys
And cheer for the coming fight,
We're the sons of a race of heroes, boys,
And we'll rise or fall with the right.

Then put your trust in God and pray
That your sword will have proved steel
When comrade by comrade we stand on the day
That we flog the bulldog to heel.[162]

An 3 Iúil, 1915, tugadh léirmheas an-bháúil ar *From A Hermitage* leis an bPiarsach[163] cur síos ina ndúirt an léirmheastóir—an Conghaileach de réir dealraimh[164]—go raibh sé sásta leis an údar a raibh ' bá chomh tuisceanach aige le coimhlint na n-oibrithe '; tugann sé tacaíocht shearbhasach don Phiarsach trí ligean air go bhfuil sé in éadan a dhearcadh réabhlóideach siúd ' an fhad atá feidhm leis an Defence of the Realm Act.' An lá céanna[165] tuairiscíodh go ndúirt an Maicíneach, comhalta den Bhráith-

---

[161] *The Workers' Republic*, 26 Meitheamh, 1915.

[162] *ibid.*

[163] *The Workers' Republic*, 3 Iúil, 1915.

[164] Tá an léirmheas istigh le ' Notes on the Front ' a scríobhadh an Conghaileach de ghnáth.

[165] *The Workers' Republic*, 3 Iúil, 1915.

reachas agus de Choiste Gnótha na nÓglach agus duine a bhí le fada ina chomhalta den Lucht Oibre; ' ba chóir do gach uile fhear a bheith istigh in Arm na Saoránach nó in Óglaigh na hÉireann.' San uimhir chéanna[166] deirtear gur thug Arm na Saoránach an bua leo i gcomórtas druileála le hÓglaigh na hÉireann, tugtar cuntas báúil eile ar na hÓglaigh i dTrá Lí agus sna ' Fingal Notes ' iarrtar comhoibriú ó thaobh earcaíochta de idir an dá ghluaiseacht i dtuaisceart Chontae Átha Cliath.

Géaraíodh pleanáil an Bhráithreachais le haghaidh réabhlóide nuair a bunaíodh Coiste Míleata, ar a raibh an Piarsach, an Pluincéadach agus Ceannt, chun pleananna d'éirí amach a dhréachtú. Tharla sé seo ag deireadh Bealtaine nó tús Meithimh, 1915,[167] agus mhol Diarmaid Ó Loinsigh é (mar fhear ionaid do Sheán Mac Diarmada a bhí i bpríosún ag an am) ag cruinniú de Choiste Feidhmeannais an Bhráithreachais. Toghadh an triúr sin de réir an Loinsigh mar gur ceapadh gurbh iad ab oilte ar phleananna a dhréachtú d'éirí amach mar gheall ar a gcéim sna hÓglaigh agus de brí ' go raibh cúram faoi leith caite acu leis an staidéar míleata.'[168] Bhí an coiste seo ann in ionad an Choiste Chomhairligh[169] le bheith cinnte go gcoimeádfaí an gnó faoi rún.

B'fhéidir go raibh gá níos mó ann le rúndacht de bharr go raibh a fhios go raibh Hobson ina n-aghaidh. Scríobh seisean faoi seo níos déanaí:

> Bhí amhras orm go dtarlódh a leithéid agus rinne mé iarrachtaí gan toradh a thabhairt ar Choiste Feidhmeannais na nÓglach a bpolasaí a dheimhniú i dtéarmaí a chuirfeadh cosc le húsáid mar sin a bhaint as na hÓglaigh.[170]

D'aontaigh comhalta eile den Bhráithreachas[171] S. S. Ó Conaill leis an dearcadh seo. Bhí seisean ar an bhfoireann eagraíochta sa cheanncheathrú i 1915[172] agus bhí sé tar éis teacht ar ais ó na Stáit Aontaithe ar chuireadh Hobson[173] d'fhonn oibriú leis an hÓglaigh.

---

[166] *ibid.*

[167] Lynch, *The I.R.B. and the 1916 Insurrection*, ll. 25, 102.

[168] *op. cit.*, l. 131.

[169] Féach l. 89 thuas.

[170] Hobson chuig McGarrity i 1934. Lss. Hobson LNE 13171.

[171] Liosta E.M.G.H.

[172] Lss. an Chonchúraigh LNE 9510.

[173] Hobson in *An t-Óglach*, Meitheamh, 1931.

Bhí an-tábhacht le rúndacht mar cinneadh i mí Bealtaine go ndéanfaí an Éirí Amach, a ndúirt an Pluincéadach le Ruairí Mac Easmainn go raibh sé beartaithe í a bheith ann in 1915,[174] i mí Meán Fómhair na bliana sin.[175]

Cinnte bhí an corraí ag neartú agus b'fhéidir go bhfuair na húdaráis leid éigin faoi mar, 11 Iúil, 1915,[176] leagadh orduithe díbeartha ar bheirt chomhalta eile den Bhráithreachas a bhí ina dtimirí ar na hÓglaigh—Earnán de Blaghd agus Liam Ó Maolíosa agus, 13 Iúil, 1915,[177] ordaíodh comhalta eile den Bhráithreachas—H. M. Pim ('A. Newman')[178]—a dhíbirt. Bhí an Loinseach gníomhach in iarthar na tíre le gnó an Bhráithreachais agus ordaíodh dó clárú mar ' Friendly Alien ' (saoránach de na Stáit Aontaithe ab ea é), rud a chuirfeadh teorainn lena chuid imeachtaí, mar go mbeadh air cuntas a thabhairt fúthu do na póilíní. Chláraigh sé ar mholadh an Chléirigh agus, mar a deir sé, ' súil aige le troid.'[179] D'eisigh Óglaigh na hÉireann Forógra, inar cáineadh na húdaráis go láidir faoi na cúrsaí seo, 14 Iúil, 1915,[180] agus cáineadh arís iad san eagarfhocal san *Workers' Republic*, 17 Iúil, 1915. Scríobh an Conghaileach ann:

> Tá tábhacht d'Éirinn leis na nithe seo ar fad. B'fhéidir gurb iad na véarsaí seo is fearr a léiríonn an tábhacht sin, véarsaí a chuir cara i gcuimhne dúinn le gairid nuair a d'fhiafraigh sé ar thairngreacht a bhí iontu:
>
> O ! Erin my country, the hour of thy pride and
> thy splendour hath passed. . . .
> Among the nations thy place is left void, thou art
> last in the list of free.
> Even realms by plague and by earthquake destroyed
> May survive, but there's no hope for thee.

B'fhéidir gur mheas na húdaráis go dtiocfadh aothú as adhlacadh Dhiarmada Uí Dhonnabháin Rosa a bhí socraithe do 1 Lúnasa,

---

[174] Lss. Ruairí Mhic Easmainn LNE 1690. Féach ll. 99-100 thuas.

[175] O'Hegarty, *A History of Ireland under the Union*, l. 698. Deir P. S. Ó hÉigeartaigh gur thug Seán Mac Diarmada an t-eolas faoin Éirí Amach a bhí beartaithe do mhí Meán Fómhair dó i mí na Bealtaine, 1915.

[176] *The Workers' Republic*, 17 Iúil, 1915.

[177] *ibid.*

[178] Earnán de Blaghd chugamsa, 5 Meán Fómhair, 1962.

[179] Lynch, *The I.R.B. and the 1916 Insurrection*, l. 26.

[180] *Nationality*, 24 Iúil, 1915. *The Workers' Republic*, 24 Iúil, 1915, mar a bhfuil sé ina iomláine.

1915, go háirithe ó bheartaigh comhaltaí éigin den Bhráithreachas sochraid stairiúil eile—sochraid Thraolaigh Bellew Mhic Mhaghnusa—a úsáid mar phointe tosaigh éirí amach.[181]

Más ea, ní gan chúis a bhí na húdaráis faoi imní mar bhí níos mó agus níos mó gníomhaíochta ar siúl mar gheall ar shochraid Dhiarmada Uí Dhonnabháin Rosa agus bhí sin ag tabhairt na nÓglach agus Arm na Saoránach níos dlúithe le chéile. An 12 Iúil, 1915,[182] ag cruinniú de Cheardchomhairle Átha Cliath, áit ar pléadh rún faoin tsochraid, dúirt Liam Ó Briain:

> Léireodh tabhairt amach na sochraide go raibh fir sa tír a sheasfadh le prionsabail Dhiarmada Uí Dhonnabháin Rosa. Bhí fir ann freisin a raibh an pholaitíocht ina ceird acu, mar a bhí nuair a bhí an Rosach óg. Thréig siad a dtír ag an am sin mar a dhéanann siad anois. Ach bhí dream cróga Éireannach san am sin, díreach mar atá anois, a sheas amach agus a throid ar son an chirt.

agus dúirt an Cathaoirleach gur chreid sé go dtaispeánfadh bás Uí Dhonnabháin Rosa cé na daoine a bhí ina nÉireannaigh agus cé nach raibh.

Ordaíodh D. Mac Con Uladh, fear eile a bhí ina oifigeach de na hÓglaigh agus ina chomhalta d'Ardchomhairle an Bhráithreachais a dhíbirt as an tír[183] agus ag cruinniú i mBéal Feirste, 16 Iúil, 1915,[184] labhair an triúr a bhí á ndíbirt ón tuaisceart, D. Mac Con Uladh, Earnán de Blaghd agus Pim agus rinne *The Workers' Republic*[185] athchoimriú ar a n-óráidí mar leanas:

> Ordaíodh anois dóibh, daoine a rugadh agus a tógadh in Éirinn, an tír a fhágáil mar a bheadh eachtrannaigh ann agus dul chun cónaí in áiteanna ar tugadh caoinchead d'eachtrannaigh cur fúthu. B'shin rud nach ndéanfaidís go deo dá ndeoin féin ach amháin ar ordú ó mhuintir na hÉireann. . . . Má cheadaigh muintir na hÉireann go

---

[181] O'Donovan Rossa, *Rossa's Recollections* (Nua-Eabhrac, 1898, l. 237).
[182] *The Workers' Republic*, 17 Iúil, 1915.
[183] *Irish Volunteer*, 24 Iúil, 1915.
[184] *The Workers' Republic*, 24 Iúil, 1915.
[185] *ibid.*

ndíbreofaí saoránaigh Éireannacha bhíodar ag ceadú a gcearta náisiúnta a thabhairt suas. Bunaíodh Óglaigh na hÉireann chun na cearta sin a chaomhnú agus mar gheall ar a gcuid oibre sna hÓglaigh, ordaíodh dóibh Éire a fhágáil. Ní thabharfaidís aird ar an ordú agus ní imeoidís ach faoi éigean.

Ghríosaigh sé seo na húdaráis agus gabhadh na daoine a bhí lena ndíbirt[186] ach ní dhearna na hÓglaigh aon rud faoi. Dúirt an Conghaileach san *Workers' Republic*, 24 Iúil, 1915, i nóta mearaitheach faoin teideal ' Correspondents '

> A Óglaigh. Dá mb'amhlaidh gur mhian leis an Rialtas tú a ghríosú chun éirí amach ró-luath, nach gceapann tú gurb é Eoin Mac Néill a ghabhfaidís in ionad dosaen fear nach bhfuil orthu ach mear-aithne ?

Ní móide go raibh anseo ach bealach an Chonghailigh féin lena lucht leanúna féin a chur ar a suaimhneas nó lena chur in iúl don Bhráithreachas go raibh sé eolach ar na pleananna don éirí amach a bhí beartaithe acu. Dúirt Deasún Ó Riain gur bhain sé úsáid as ' Answer to an imaginary correspondent "[187] ar ócáid eile freisin.

Tugann sé freagra ar ' chomhfhreagróir ' eile ina ndéanann sé idirdhealú idir ceannairí na nÓglach:

> A Bhuachaill as Béal Feirste. Is iad na daoine atá ag cur an ráfla sin thart na daoine céanna a vótáil le ceannas na nÓglach a thabhairt do Mhac Réamoinn. Is mó ná suntasach an comhtheagmhas é; damnaíonn sé iad.

Cuireann alt a scríobh sé—' Irish Citizen Army Street Fighting Summary '[188]—leis an tuiscint gur dhírigh sé na nótaí seo ar na hÓglaigh nó ar an mBráithreachas. Deir sé:

> Is é an prionsabal ginearálta atá le foghlaim ó staidéar a dhéanamh ar an sampla a phléigh muid ná go bhfuil sár-thábhacht le Cosaint i gcogadh den chineál a mbeadh ar arm den phobal, ar nós Arm na Saoránach, troid ann. . . .
>
> Cuireann Arm na Saoránach agus Óglaigh na hÉireann fáilte roimh na daoine go léir ar mhaith leo úsáid a bhaint as na cáilíochtaí sin (ardéirim, scil agus calmacht).

---

[186] *Irish Volunteer, The Workers' Republic,* 24 Iúil, 1915.

[187] Ryan, *Remembering Sion,* l. 122.

[188] *The Workers' Republic,* 24 Iúil, 1915.

Tá dán san uimhir chéanna[189] a mheasfá a bheith ag trácht ar mhoill a dhéanamh. Is é an teideal atá air ná 'Submission or Defiance':

Patience is noble, meekness decks the bold,
But greater he who symbolizes *Right*
And in strength Defiance hurls at might,
Tho' it may marshall odds an hundred fold.

Deirtear faoin Rosach, 31 Iúil, 1915,[190] gurbh é 'an ceannairceach in aghaidh údaráis Shasana in Éirinn é agus duine de chéaddaoine uaisle an domhain dá bharr sin.' I bhfógra ag glaoch ar Bhanoibrithe na hÉireann teacht le hArm na Saoránach agus le Ceardchumann Oibrithe Iompair agus Ilsaothair na hÉireann i mórshiúl na sochraide, 1 Lúnasa, cuireann an Conghaileach an dá líne seo mar dheireadh leis:

Let all differences be forgotten
A new move for the old land[191]

línte a mheabhródh daoine seachas na Banoibrithe.

Ba í an tsochraid an taispeántas nirt ba mhó a rinne na gluaiseachtaí réabhlóideacha go dtí sin agus ba é a mbarr binne é san ullmhú síceolaíoch a bhí ar siúl acu chun réabhlóide. Bhí óráid iomráiteach an Phiarsaigh ag an uaigh ina gairm chatha dóibh:

> . . . . If there is anything that makes it fitting that I, rather than some other, I, rather than one of the greyhaired men who were young with him and shared in his labour and in his suffering, should speak here, it is perhaps that I may be taken as speaking on behalf of a new generation that has been re-baptized in the Fenian faith, and that has accepted responsibility for carrying out the Fenian programme. I propose to you then that, here, by the grave of this unrepentant Fenian, we renew our baptismal vows; that, here by the grave of this unconquered and unconquerable man, we ask of God, each one for himself, such unshakeable purpose, such high and gallant courage, such unbreakable strength of soul as belonged to O'Donovan Rossa.

[189] *ibid.*
[190] *The Workers' Republic*, 31 Iúil, 1915.
[191] *ibid.*

> Deliberately here we avow ourselves, as he avowed himself in the dock, Irishmen of one allegiance only. We of the Irish Volunteers, and you others who are associated with us in to-day's task and duty, are bound together and must stand together henceforth in brotherly union for the achievement of the freedom of Ireland. And we know only one definition of freedom; it is Tone's definition, it is Mitchel's definition, it is Rossa's definition. Let no man blaspheme the cause that the dead generations of Ireland served by giving it any other name and definition than their name and definition.
>
> .... Our foes ... cannot undo the miracles of God who ripens in the hearts of young men the seeds sown by the young men of a former generation. And the seeds sown by the young men of '65 and '67 are coming to their miraculous ripening to-day. ... The defenders of this Realm have worked well in secret and in the open. They think that they have pacified Ireland. They think that they have purchased half of us and intimidated the other half. They think that they have foreseen everything ... but the fools, the fools, the fools!—they have left us our Fenian dead, and while Ireland holds these graves, Ireland unfree shall never be at peace.[192]

Ghlac na gluaiseachtaí réabhlóideacha go léir áit sa tsochraid agus, mar a bheidís ag cur treise leis an aontas a luaigh an Piarsach ina óráid,[193] nuair a bhí an chónra os cionn cláir go poiblí rinne na Hibernian Rifles, Fianna Éireann, Arm na Saoránach agus Óglaigh na hÉireann uainíocht mar gharda gradaim i ndiaidh a chéile.[194]

Chuir Tomás Mac Donncha leis an méid a dúirt an Piarsach faoi shíolrú agus aibiú na ceannairceachta ó ghlúin go glúin. Dúirt sé gur fhulaing a sinsear rompu an rud céanna a bhí fir na hÉireann a fhulaingt ag an am sin agus gur oidhreacht ó mhuintir na hÉireann a bhí ag na hÓglaigh sa bhfórsa airm a bhíodar a bheartú.

---

[192] Lynch, *The I.R.B. and the 1916 Insurrection*, ll. 46, 47.

[193] Féach thuas ' We . . . must stand together henceforth in brotherly union for the achievement of the freedom of Ireland.'

[194] *The Hibernian*, 7 Lúnasa, 1915.

Dúirt sé nach raibh dílseacht ag an Óglach ach d'Éirinn agus nach bhfaigheadh an t-idéal a bhí aige bás go deo.[195]

Is é an t-éacht a bhí le déanamh fós a bhí mar théama sa dán "The Homecoming of O'Donovan Rossa' san *Workers' Republic* 7 Lúnasa, 1915:

And Great Rath Dia on the work
There's yet for men to do
Blessing the 'pass' our oglaigh hold
Against dark shame and rue

Keep guard too, over prison cells,
Where live by England's grace,
The men who'd fight for liberty,
As fits a fighting race.

Pray comfort for their durance,
Ask strengthening for the right
God's smiles on Eireann's Banner,
Sure victory for her fight.

Ba chosúil go raibh lúcháir i Halla na Saoirse roimh an daingniú seo cairdis agus san *Workers' Republic*, 7 Lúnasa, 1915, deirtear faoin tsochraid:

> Thug sé an-tsásamh do chomhaltaí Arm na Saoránach agus dá gcomhghuaillithe an tionól breá sin d'Óglaigh na

[195] Lss. Thomáis Mhic Dhonncha LNE 10857: 'To-day for every man that is outlawed or imprisoned by the British Government hundreds . . . join the Irish Volunteers. It is good for the nation to know that Irishmen to-day are enduring what the . . . noble generation endured, that the (doléite) which O'Donovan Rossa (? suffered in Pentonville) is to-day . . . by Seán Mac Diarmada. The Irish Volunteer is for him the Irish Nationality handed down to you . . . the Irish Volunteer has in his (doléite) the traditional policy of the Irish people—physical force. The Irish Volunteer stands pledged to the service of Ireland in Ireland. He alters not his allegiance with change of circumstances. He owes one loyalty—to Ireland. He knows one duty—to Ireland. His deed cannot die in the air like a word. The ideals that he has cherished in his heart can never die.'

Dealraíonn sé ón téacs gur nótaí le haghaidh óráide atá ann agus is é an teideal atá air ná 'The Irish Volunteer in 1915.'

hÉireann a fheiceáil Dé Domhnaigh. Thaispeáin sé go bhfuil fir throda fós in Éirinn.

agus ón gcomhfhreagraí i mBéal Feirste:

> Beidh cuimhne go deo ag gach uile dhuine a bhí i mBaile Átha Cliath ar mhéid mhór na sochraide, ar an mbealach ar ghlac fir armáilte na hÉireann seilbh ar Bhaile Átha Cliath, ar an mustar breá a rinne Óglaigh na hÉireann agus Arm na Saoránach agus ar spiorad agus ar iompar an scoth d'fhir agus de mhná na hÉireann.

Ó ' mhná na hÉireann ' i gCumann na mBan—na cúntóirí mná a bhí ag Óglaigh na hÉireann—a tháinig comhartha eile cairdis i bhfoirm cuiridh chuig Aeríocht agus Carnabhal Míleata a d'eagraigh siad, 8 Lúnasa, 1915. Bhí comórtas druileála d'Óglaigh na hÉireann agus Arm na Saoránach[196] ar an gclár agus tugadh cuireadh do ' léitheoirí uile an *Workers' Republic.*' Cuireadh aeríocht eile a bhí ceaptha don 29 Lúnasa, 1915[197] ar ceal mar bhí ceann socraithe cheana ag Arm na Saoránach don lá céanna.[198] I ngach uimhir den *Workers' Republic* an mhí sin rinneadh gearán faoi ghabháil, triail agus daoradh an Bhlaghdaigh, D. Mhic Con Uladh agus Pim (Newman).[199]

Fuair na comhaltaí seo a leanas den Bhráithreachas ardú céime sna hÓglaigh, 4 Lúnasa, 1915[200]: Éamonn Bulfin[201] agus Liam Mac Piarais[202] ar fhoireann an Phiarsaigh féin sa cheanncheathrú: Liam Ó Briain[203] ina Chaptaen Innealtóirí sa 2ú Cathlán; E. Praidheas[204] ina Chaptaen, E. Ó Murchú[205] ina Leifteanant agus R. Ua Maolchatha[206] ina Fholeifteanant i gComplacht ' C ' den 4ú

---

[196] Thug Arm na Saoránach an bua leo sa chomórtas seo. cf. *The Workers' Republic,* 14 Lúnasa, 1915. Tá an cuireadh ar *The Workers' Republic,* 7 Lúnasa, 1915.

[197] *The Workers' Republic,* 14 Lúnasa, 1915.

[198] *The Workers' Republic,* 28 Lúnasa, 1915.

[199] *The Workers' Republic,* 7, 14, 21, 28 Lúnasa, 1915.

[200] Lss. an Chonchúraigh LNE 9510.

[201] Liosta E.M.G.H. Liosta E.D.

[202] *ibid.*

[203] *ibid.*

[204] *ibid.*

[205] Liosta U.N.F. Liosta E.D. Liosta E.M.G.H.

[206] Liosta E.D. Liosta E.M.G.H.

Cathlán, Seán Ó Cuinn[207] ina Leifteanant, agus S. Mac Gearailt[208] ina Fholeifteanant i gComplacht ' B ' den 3ú Cathlán; Ó Briain[209] ina Leifteanant agus H. Mac Niocaill[210] ina Fholeifteanant i gComplacht ' A ' den 4ú Cathlán. An 11 Lúnasa, 1915,[211] chuaigh a dheartháir Seoirse[212] agus Colm Ó Lochlainn ar fhoireann Eagair Mhíleata an Phluincéadaigh.

Ba thábhachtach an cheist í ceist na n-arm fós agus ceapadh Mícheál Ó hAnracháin—comhalta den Bhráithreachas[213]—ina chúntóir den Rathghailleach.[214] Ag tagairt dá gcuid oibre dúirt Hobson ' Sciáthar arm ar feadh 1915—sásúil go leor. Ba í obair chrua an Rathghailligh agus a chúntóra, Mícheál Ó hAnracháin, nach maireann, faoi deara é seo.'[215] Níl a fhios againn go cruinn céard a bhí idir lámha acu agus de réir cuntas na bpóilíní[216] bhí 301 raidhfil níos mó ag na hÓglaigh ag deireadh 1915 ná mar a bhí acu, 10 Nollaig, 1914 (1,448 a dúirt siad a bhí acu san am sin). Tá 1,063 gunna gráin agus 709 piostal agus gunnán ar liosta acu freisin. Ní raibh na hairm i ranna mar seo ar liosta na bpóilíní i 1914 agus deir Nathan nach bhfuil siad cruinn ó thaobh gunnaí gráin.[217] I litir chuig na húdaráis, 20 Lúnasa, 1915, deir an Mórdhach ' smugláileann Óglaigh Sinn Féin iad (airm) ina mórchodanna.'[218] Sa litir chéanna, déanann an Mórdhach tagairt do ghoid 100 raidhfil a bhí ar a mbealach chuig na hÓglaigh Náis-

---

[207] Liosta E.M.G.H.

[208] *ibid.*

[209] Liosta E.D.

[210] *ibid.*

[211] Lss. an Chonchúraigh LNE 9510.

[212] Liosta E.D. Liosta E.M.G.H.

[213] Liosta E.D.

[214] Lss. Hobson, LNE 12179, l. 43.

[215] *ibid.*

[216] *Royal Commission of Enquiry—Evidence*, l. 124.

[217] *ibid.*

[218] Lss. an Mhórdhaigh, LNE 10544. Tá gearán sa litir seo faoin smugláil agus faoin ngoid agus deir sé: ' Our men are making every endeavour to get information privately and will give all help.' Tá nóta gan dáta sna lss. seo ag tabhairt cuntais faoi imeachtaí bhall d'Arm na Saoránach arbh ainm dó Ó hIfearnáin, an oíche a bhí i gceist. Tá sé íorónta a fheiceáil go raibh an Mórdhach é féin ag eagrú scrúdú ar ghóilíní Thír Chonaill in Iúil, 1914, ag lorg áite le gunnaí a smugláil. (Litir faoi seo ó P. J. McAndrew chuig an Mórdhach, 30 Lúnasa, 1914, i Lss. an Mhórdhaigh, LNE 10544).

iúnta, ó dhuganna Átha Cliath, 14 Lúnasa, 1915. Deir an Mórdhach gur mheas sé gurbh é Arm na Saoránach a ghoid iad ach chuir sé leis seo:

> D'fhéadfadh sé áfach gur dream míchuíosach Fíníneach a raibh baint acu le hÓglaigh na hÉireann a rinne é i nganfhios do na daoine a bhí in ainm a bheith i gceannas.

Níl an 100 seo in uimhreacha na bpóilíní de réir Nathan[219] ach deir sé ' go bhfuil a fhios againn anois gur goideadh iad le cúlchead oibrithe na dtithe stóir,' rud a chuireann cosúlacht ar an scéal gurbh iad Arm na Saoránach a d'eagraigh an ghoid agus is dream iadsan nach furasta a fháil amach go cinnte cén chaoi a bhfuair siad a gcuid arm.

Bhí na Hibernian Rifles, a bhí tar éis a bpáirt a ghlacadh i sochraid Dhiarmada Uí Dhonnabháin Rosa, a bhí tar éis dán le Méabh Chaomhánach, ' Recruiting Song of the Irish Volunteers ' a fhoilsiú ina bpáipéar[220] agus a bhí ar an mbunús céanna leis na heagraíochta eile faoi na gabhálacha[221] bhí siadsan leis corraithe faoi cheist na n-arm mar is léir ón méid seo a bhí san *Hibernian*, 14 Lúnasa, 1915:

> A Éireannaigh, díolaigí bhur léinte agus ceannaígí gunnaí. Troidigí go deireadh.

Bhraith éirí amach ar sholáthar maith arm agus bhí iarracht mhór socraithe do mhí Meán Fómhair. Dúirt Deasún Ó Riain:

> Chuaigh Seán Mac Diarmada i gcomhairle le ceannfort as deisceart na hÉireann faoi phleananna chun airm a thabhairt i dtír in iarthar na tíre i ndeireadh an Fhómhair, 1915.[222]

agus

> Idir shochraid Dhiarmada Uí Dhonnabháin Rosa agus 13 Lúnasa nuair a bhí mé le bheith i gCloch Cheann Fhaolaidh (bhí mé le teacht ar ais arís idir 24 agus 26 Meán Fómhair) dúirt an Piarsach liom (sa scoil sular imigh mé go dtí an tIarthar) dá bhfaighinn litir uaidh féin nó óna dheirfiúr nó ó Éamonn Ceannt, ag iarraidh leabhair ar bith, gur chóir dom teacht ar ais go Baile Átha Cliath ar an

---

219 *Royal Commission of Enquiry—Evidence*, l. 4.
220 *The Hibernian*, 17 Iúil, 1915.
221 *The Hibernian*, 7 Lúnasa, 1915.
222 *The Rising*, l. 81.

bpointe ' mar beidh troid i mBaile Átha Cliath an lá sin.' Ba é sin an ráiteas ba chinnte a rinne sé ariamh, ach níor thagair sé dó arís ina dhiaidh sin.[223]

Ní fios céard iad na pleananna a bhí leagtha amach—is dócha gurbh iad mórán na pleananna céanna iad a bhí in úsáid i 1916[224] ach lean an t-aontas a snadhmadh ar shochraid Dhiarmada Uí Dhonnabháin Rosa ag forbairt i gcairdeas agus i gcomhpháirt idir na comhghuaillithe.

Chomhoibrigh Halla na Saoirse agus an Bráithreachas chun paimfléid de chuid Ruairí Mhic Easmainn, *Ireland, Germany and the Freedom of the Seas*, a fhoilsiú i Meán Fómhair, 1915.[225]

An 5 Meán Fómhair, 1915,[226] bhí na Hibernian Rifles, Arm na Saoránach agus Óglaigh na hÉireann páirteach in Aeraíocht i gColáiste Éanna. Ba é seo an tríú haeraíocht den chineál sin taobh istigh d'achar gearr—bhí na cinn eile ann, 8 Lúnasa, 1915,[227] agus 29 Lúnasa, 1915,[228] in ionaid eile.

An 6 Meán Fómhair, 1915,[229] dúirt duine amháin ag cruinniú de Cheardchomhairle Átha Cliath

> Mar sin féin, an fhad a bhí fir mar Pim, an Maolíosach, Seán Mac Diarmada, D. Mac Con Uladh, Skeffington agus an Blaghdach acu, bhí an náisiún acu fós agus d'fhéadfaidís a rá ' All, all is lost save honour.'

Bhí teideal lán de bhrí ar an léirmheas san *Workers' Republic*, 11 Meán Fómhair, 1915, ar an Aeraíocht—' Ourselves and Our Allies.' Bhuaigh buíon Pháirc na Fuiseoige d'Óglaigh na hÉireann an chéad duais an uair seo. San uimhir chéanna foilsíodh dán fada suimiúil le Méabh Chaomhánach:

---

[223] Deasún Ó Riain chugamsa, 2 Samhain, 1962.

[224] Féach l. 95 thuas.

[225] Lynch, *The I.R.B. and the 1916 Insurrection*, ll. 38-43.

[226] *The Irish Volunteer*, 4 Meán Fómhair, 1915, Ball den Bhráithreachas, an Leifteanant Ó Cléirigh, a bhí i mbun na páirce an lá sin (Lss. an Chonchúraigh LNE 9510. Liosta E.D.).

[227] *The Workers' Republic*, 7 Lúnasa, 1915.

[228] *The Workers' Republic*, 28 Lúnasa, 1915.

[229] *The Workers' Republic*, 11 Meán Fómhair, 1915.

THE PASS OF FREEDOM

To the Army of Ireland

The time is near—be watchful then my comrades and my brothers,
We enter now the narrow gorge where courage shall be tried,
The pass that leads to freedom, henceforth danger steps beside us—
Then let the flippant and the weak be warned and stand aside.

The time is near—the place is by, search well your hearts my comrades,
Come not adventure-seeking here, or merely Fame to woo—
One noble motive guide you, the Love of Ireland only
Thus worthily you'll take your place in Freedom's retinue.

The tyrant's arm is palsied, his own forsake and fail him,
O'er sea and reddened battlefield his death cry echoes wide,
His sun in shame is setting whilst Dawn our skies is flushing.
Strike not too soon—nor bide too long, but wait the flowing tide.

The time is near—then falter not though in the Pass death waiteth
For out beyond the shadow rise the heights that we shall scale,
The end of all our striving—thrice purchased Freedom's haven,
What matter then if in the gorge some few lie still and pale.

Tá an téama céanna le sonrú i *The Hibernian*, 18 Meán Fómhair, 1915

Once more we're on the " Felon's Track "
Red with our fathers' blood
And woe unto the men who slack
The spirits burning flood.
The Green above
Revenge and Love
Forward and march away. . . .

Ach tháinig Meán Fómhair agus d'imigh. Ní raibh Éirí Amach ann, ná aon mhór-éacht i smugláil arm. Is deacair a fháil amach céard a tharla. Seans nár éirigh chomh maith sin le misean an

Phluincéadaigh in Aibreán agus Bealtaine, agus i mí Meán Fómhair, cé go raibh meath tagtha ar a shláinte chuaigh sé ar thuras eile, go dtí na Stáit Aontaithe an uair seo, áit ar bhuail sé le Devoy agus thug cuntas dó ar staid na hÉireann. Níl a thuilleadh faisnéise ann faoin dara turas seo tar éis a theacht i dtír dó sna Stáit Aontaithe ach deir Devoy go ndeachaigh sé go dtí an Ghearmáin tríd an Spáinn agus an Iodáil agus gur chuir sé pleananna míleata na gcinnirí Éireannacha os comhair Foireann Armcheannais na Gearmáine agus gur ghlac siadsan leo agus nár éirigh leis Berlin a shroichint an dara huair.[230]

Dealraíonn sé go bhfuil dhá thuras an Phluincéadaigh measctha ag Devoy anseo mar ba é an bealach a luann sé an bealach a ndeachaigh an Pluincéadach ar an turas i Márta agus Aibreán[231] agus an dara huair bhí an Pluincéadach sna Stáit Aontaithe suas go dtí 28 Meán Fómhair, 1915[232] agus tháinig sé i dtír i Learpholl, 17 Deireadh Fómhair, 1915,[233] ar a bhealach ar ais. Níor fhág sé sin am aige, measaimse, dul chomh fada le teorainn na hEilbhéise agus trí thuras a dhéanamh trasna na Mara Móire agus taisteal tríd an Iodáil, a bhí ag an am sa chogadh i gcoinne na Gearmáine. Is é is dóichí gur chuig Oifig na Gearmáine i Nua-Eabhrac a rinne an Pluincéadach a thuras i Meán Fómhair, áit a bhí i dteagmháil le Devoy ó thosach an chogaidh, agus chuig taoisigh Clan-na-Gael féin.

Gan a thuilleadh eolais ní féidir ach meath-thuairimí a chaitheamh. B'fhéidir, mar shampla, go raibh an tÉirí Amach a bhí beart-

---

[230] Devoy, *Recollections of an Irish Rebel*, l. 461: 'In due course he proceeded to Germany via Spain, Italy and Switzerland, and from unofficial information which reached me later I believe he performed his mission satisfactorily in laying the military plans of the Irish leaders before officers of the German General Staff, by whom they were approved. He attempted to make a second visit to Berlin but was unable to get further than the Swiss frontier.'

[231] Dialann a chéad thurais i Lss. an Phluincéadaigh, LNE 10999 (xi).

[232] Dréacht de dhán agus an dáta ' New York, Sept. 28th, 1915 ' air i Lss. an Phluincéadaigh, LNE 10999 (xvii).

[233] Ceadúnas chun airm d'iomportáil a tugadh do dhá chlaíomh, 17 Deireadh Fómhair, 1915, do ' Mr. J. Plunkett . . . who has this day arrived at this port on board the ' New York ' from the port of New York.' Tá an ceadúnas i LSS. an Phluincéadaigh LNE 10999 (xi). An 11 Iúil, 1965, dúirt a dheirfiúr, Geraldine Dillon, liom nár thug sé an dara cuairt ar an nGearmáin agus gur chuig na Stáit Aontaithe a chuaigh sé ar an dara turas.

Grianghraf den Aonad Speisialta, Complacht A, an 4ú Cathlán, a rinneadh ag Scoil Éanna, tar éis dóibh comórtas a ghnóthú ag aeraíocht ann

aithe do Mheán Fómhair ag brath ar mhisean an Phluincéadaigh agus go raibh orthu é a chur ar athló de bharr na moille a bhí air ag dul chuig na Stáit Aontaithe (de bharr a shláinte). Ar an láimh eile b'fhéidir go raibh na pleananna in Éirinn curtha as eagar agus gurbh é a bhí i gceist leis an dara turas ná iarracht ar shocrú a rinneadh níos luaithe le húdaráis na Gearmáine a chur ar ceal.

Tá leidí áirithe le fáil faoi na nithe a d'fhéadfadh dul ó smacht sa bhaile. Ar dtús, bhí Seán Mac Diarmada i bpríosún, mar a bhí an Blaghdach agus an Maolíosach, beirt a bhí ina bhfir theagmhála ag an mBráithreachas sna hÓglaigh i gCo. an Chláir agus Co. na Gaillimhe.[234] Bhí an Loinseach ag feidhmiú in ionad Sheáin Mhic Dhiarmada i ngnóthaí an Bhráithreachais i gConnachta i mBealtaine[235] ach i Meitheamh cuireadh teorainn lena chuid gluaiseachta.[236] Idir na nithe sin uile bhí buille trom tugtha ag na húdaráis don eagraíocht san Iarthar, an áit a bhí ceaptha don smugláil mhór arm san fhómhar, 1915.[237] Tugann an Conghaileach leid faoi chliseadh éigin i mí Lúnasa ' Ba mhíonna dorchadais agus trioblóide náisiúnta 19 Lúnasa agus na míonna díreach ina dhiaidh sin.'[238] Níos tábhachtaí fós, fuair Mac Néill amach, 5 Meán Fómhair, 1915,[239] ag mustar Óglach ag Loch Gur i gCo. Luimnigh ' go ndearnadh socruithe faoi cheannas áitiúil nach raibh a fhios agam fúthu go dtí sin.'[240] Dhearbhaigh Mac Néill na horduithe seo i gcaint ' chun míthuiscint mhór a sheachaint[241] ach ba léir go raibh sé buartha mar

> Fuair mé amach freisin gur chuir an Piarsach treoracha chucu le haghaidh gníomhaíochta áirithe míleata a bhí le déanamh acu dá dtarlódh cogadh in Éirinn. Níor labhraíodh aon rud leath chomh cinnte leo i mo láthairse i mBaile Átha Cliath.[242]

---

[234] *The Workers' Republic*, 17 Iúil, 1915.

[235] Lynch, *The I.R.B. and the 1916 Insurrection*, ll. 25, 26.

[236] Lynch, *op. cit.*, l. 26.

[237] Ryan, *The Rising*, l. 81.

[238] *The Workers' Republic*, 25 Márta, 1916. Ní soiléir céard atá taobh thiar den tagairt do ' August 19th.'

[239] An dáta socraithe ag an tAth. F. X. Martin, O.S.A., i *I.H.S.*, iml. xii, uimh. 47, l. 255.

[240] Ráiteas Mhic Néill i 1917. Lss. Hobson LNE 13174 (14).

[241] Mac Néill, *loc. cit.*

[242] *ibid.*

B'fhéidir gurbh í seo an ócáid ba chúis le Hobson a iarraidh go ndéanfaí tuairimí agus polasaí a shoiléiriú, agus scríobh sé i ndréacht neamhchríochnaithe de chaibidil XXV (nár foilsíodh) dá stair faoi ' nuair a theip air tabhairt ar Eoin comhdháil speisialta a thionól agus seasamh go daingean, ina dhiaidh sin bhíomar inár seasamh ar bhairille púdair ! '[243]

Is cinnte go gcuirfeadh an t-eolas seo a bheith ag Mac Néill as do phleananna na réabhlóide ach is é is dóichí go raibh go leor cúiseanna i dteannta a chéile le cliseadh na bpleananna le haghaidh éirí amach i Meán Fómhair, 1915.

Ó thaobh na réabhlóidithe de bhí céad bhliain an chogaidh imithe is gan beirthe acu ar a bhfaill chun éirí amach a dhéanamh ach má bhí teannas sa gcaidreamh a bhí idir na hÓglaigh agus Arm na Saoránach ag deireadh 1914, tháinig an-fheabhas air nuair a ghabh na húdaráis comhaltaí den dá dhream agus de bharr na heagraíochtaí éagsúla go léir páirt a ghlacadh i sochraid Dhiarmada Uí Dhonnabháin Rosa, Samhradh na bliana 1915. Ina dhiaidh seo, is féidir a mhothú i bpáipéir na tréimhse go háirithe, go raibh ardú meanman ann ag tarraingt ar dheireadh Mheán Fómhair, cé nár tharla aon ní neamhghnách an mhí sin. Bhí na comhráití leis an nGearmáin ar bhun níos sásúla tar éis cuairt an Phluincéadaigh ná mar a bhí siad ag Ruairí Mac Easmainn ach lean Clan-na-Gael ag tabhairt tacaíochta dósan fós, go háirithe sa mhéid a bhain leis an mBriogáid Éireannach. Ach i measc na nÓglach féin agus in ainneoin líon na gcomhaltaí den Bhráithreachas i bpoist tábhachtacha a bheith ag méadú in aghaidh an lae, bhí an dream a bhí i gcoinne ionsaí a dhéanamh ag bailiú le chéile timpeall Hobson agus ba léir go raibh Mac Néill imníoch.

243 Lss. Hobson LNE 12179, l. 327.

AN CEATHRÚ MÍR
(go dtí Aibreán, 1916)

BHÍ tús na míre deiridh ciúin go leor i ndiaidh na ngabhálacha, na sochraide agus an éirí amach nár tharla.

Bhí tréimhse shocair ann ansin, ach cé go raibh níos mó comhaltaí den Bhráithreachas i bpoist tábhachtacha sna hÓglaigh ag deireadh Mheán Fómhair, 1915—M. Staines[1] ar fhoireann an Phiarsaigh agus T. Meldon[2] ar fhoireann Thomáis Mhic Dhonncha, 1 Meán Fómhair, 1915,[3] agus an Donghaileach[4] agus an Maoileonach[5] mar Chéad Leifteanant agus Foleifteanant i gComplacht ' C ' de Bhriogáid Átha Cliath, 15 Meán Fómhair, 1915[6]—mhothaigh siad an freasúra ag fás agus nuair a fuair Mac Néill eolas ar ordaithe an Phiarsaigh don Iarthar, ba mhó fos an gá a bhí acu le rúndacht.

Mar sin nuair a scaoileadh Seán Mac Diarmada as príosún, 17 Meán Fómhair, 1915,[7] chuaigh sé féin agus Tomás Ó Cléirigh, an bheirt chomhalta a raibh cónaí orthu i mBaile Átha Cliath, den triúracht a bhí ina gCoiste Feidhmeannais ag an mBráithreachas, agus chuaigh siadsan isteach ar an gCoiste Míleata agus tugadh an Chomhairle Mhíleata[8] air as sin amach. Is beag eolas atá againn faoin a ndearna an Chomhairle seo leis an tír, na hÓglaigh, ná na dreamanna réabhlóideacha eile a eagrú chun éirí amach, ach amháin gur chuir an Piarsach an Loinseach go Ciarraí am éigin i Meán Fómhair, 1915,

> Le tuairimí fhir Thrá Lí agus daoine eile sa chuid sin de Chiarraí a fháil faoi na buntáistí a bhí ag calafort Chinn Trá

[1] Liosta E.D.

[2] *ibid.*

[3] Lss. an Chonchúraigh LNE 9510.

[4] Liosta E.D.

[5] *ibid.*

[6] Lss. an Chonchúraigh LNE 9510.

[7] *Nationality*, 25 Meán Fómhair, 1915.

[8] Lynch, *The I.R.B. and the 1916 Insurrection*, l. 112.

nó ag aon ionad féiliúnach eile sa taobh sin tíre, seachas a chéile chun lasta arm a thabhairt i dtír ann agus a ndáil thart as go sciobtha.[9]

Dúirt seisean leis an bPiarsach, Seán Mac Diarmada, agus Tomás Ó Cléirigh gurbh fhearr le muintir Chiarraí caladh na Fianaite.[10] Dealraíonn sé uaidh seo go ndearna an Pluincéadach an dara turas de bhrí gur cuireadh an lasta a bhí geallta do Mheán Fómhair ar ceal agus gurbh é a bhí roimhe ná socruithe nua a dhéanamh. Ar an láimh eile, ó fuair Mac Néill amach faoi orduithe an Phiarsaigh le haghaidh Luimnigh b'fhéidir gur measadh go raibh gá leis an lasta a thabhairt i dtír níos faide ó dheas ar an gcósta thiar.

I Meán Fómhair chomh maith tionóladh cruinniú d'Ardchomhairle an Bhráithreachais agus atoghadh an Cléireach agus Seán Mac Diarmada mar Rúnaí agus Chisteoir, toghadh D. Mac Con Uladh mar Uachtarán agus comhthoghadh an Piarsach agus P. Mac Artáin[11] ar an Ardchomhairle. Arís ní fios céard eile a socraíodh ag an gcruinniú seo.

Dealraíonn sé, áfach, go raibh an cairdeas le hArm na Saoránach imithe chun patuaire mar is annamh anois an Conghaileach mar eagarthóir ag plé poblachtánachais ná aontais na ndreamanna. Is cosúil, áfach, go dtugann sé a chúl faoi dheireadh ar smaoineamh an tsóisialachais idirnáisiúnta in eagarfocal i *The Workers' Republic*, an 18 Meán Fómhair, 1915:

> Bhí muid ag brath go dtí seo ar Chomhdháil Cheardchumann na Breataine, ach tá deireadh lenár ndóchas. Tá Impire na Breataine á rialadh ag an uasaicme is géarchúisí ar domhan; is iad oibrithe na Breataine na hoibrithe is éasca a mhilleadh ar domhan.
>
> Go bhfóire Dia ar na hÉireannaigh bhochta an fhad a bheidh siad ceangailte le dream mar sin.[12]

---

[9] Lynch, *op. cit.*, l. 29.

[10] *op. cit.*, l. 30.

[11] *op. cit.*, ll. 29, 30.

[12] *The Workers' Republic*, 28 Lúnasa, 1915, ghearán sé '(no) English Labour or Socialist paper ever noted the disappearance of the *Irish Worker*.'

Cé go bhfearann scríbhneoir na 'Northern Notes' fáilte ar ais roimh Sheán Mac Diarmada, Pim agus an Blaghdach[13] is faoi Arm na Saoránach amháin a foilsíodh na píosaí ba theasaí ar nós dáin de chuid Mhéabh Chaomhánach[14] 'Awaiting the Signal' a thíolaic sí 'To the Irish Citizen Army' agus nóta colgach d'Arm na Saoránach, 2 Deireadh Fómhair[15]:

> Más comhalta d'Arm na Saoránach thú agus tú dáiríre, beidh tú i láthair ag Mustar Ginearálta i Halla na Saoirse, Dé Domhnaigh ag 1 p.m. Mura mbeidh, tabhair ar ais do ghunna, le do thoil.

Ach déantar tagairt do léirmheas i *New Ireland* ar *The Reconquest of Ireland* leis an gConghaileach ina ndeirtear 'Níl aon amhras go mbeadh gluaiseacht lucht oibre i 1915 gach orlach chomh náisiúnta le gluaiseacht na talún i 1880.'[16]

Arís cabhraíonn na húdaráis leis na dreamanna éagsúla a thabhairt le chéile. An 16 Deireadh Fómhair, 1915[17] gabhadh comhalta eile den Bhráithreachas—Ailbhe Ó Monacháin, a bhí ina thimire ar na hÓglaigh i gCo. an Chabháin agus, 21 Deireadh Fómhair, 1915[18] cuireadh gníomhaíocht frithliostála in éadan rialacháin DORA ina leith—rud a ghríosaigh Cathal Ó Seanain chun an rachta feirge seo:

> Mura ndéantar rud éigin chun na nithe seo a chosc ar cheann na hÉireann go dtite píonós ár ndamnú. Ach ná bímis duairc ná éadóchasach. Le fochraí an dorchaí is ea is duibhe an tráth. Tá ár ndóthain d'uaireanta dorcha caite againn; anois gealaimis an lá.[19]

Cuireann W. P. Partridge béim ar thoilteanas chun gnímh san uimhir chéanna[20]:

---

[13] *The Workers' Republic*, 25 Meán Fómhair, 9 agus 16 Deireadh Fómhair, 1915. Ba é Cathal Ó Seanain (*Evening Press*, 24 Bealtaine, 1963) a scríobhadh na nótaí seo agus ba bhall eile den Bhráithreachas é (Lynch, *The I.R.B. and the 1916 Insurrection*, l. 84).

[14] *The Workers' Republic*, 25 Meán Fómhair, 1915.

[15] *The Workers' Republic*, 2 Deireadh Fómhair, 1915. Bhí nóta feargach cosúil leis seo ar *The Workers' Republic*, 25 Meán Fómhair, 1915.

[16] *The Workers' Republic*, 9 Deireadh Fómhair, 1915.

[17] *The Workers' Republic*, 23 Deireadh Fómhair, 1915.

[18] *The Workers' Republic*, 30 Deireadh Fómhair, 1915.

[19] *The Workers' Republic*, 23 Deireadh Fómhair, 1915.

[20] *ibid.*

> Agus más uainn tuilleadh feabhais fós a chur ar ár gcás, is féidir linn a dhéanamh trí dhul isteach in Arm na Saoránach . . . agus tar éis troda na saoirse . . . cearta lucht oibre na hÉireann a bhaint amach—

uimhir ina raibh ordú ón gConghaileach: 'Más mian libh saol morála Bhaile Átha Cliath a ghlanadh BRIS AN GARASTÚN.'[21] Feictear Partridge arís in imeacht as ar tháinig sraith nua de chomhráití: an 18 Deireadh Fómhair, 1915 chuidigh sé le rún a mhol an Maicíneach ag cruinniú de Cheardchomhairle Átha Cliath ag iarraidh ar oibrithe eagraithe dul isteach in Arm na Saoránach nó sna hÓglaigh chun go seachnóidís coinscríobh.[22] Ní fios ar mhol an Maicíneach an rún seo d'fhonn aontas a shnadhmadh ach dealraíonn sé go ndearna ós rud é go raibh seisean sa Bhráithreachas agus ar Choiste Feidhmeannais na nÓglach agus go raibh Partridge in Arm na Saoránach. Cibé ar bith é bhí na hÓglaigh buartha go leor faoi bhagairt an choinscríobh gur ghlac siad lena ndeis ón rún seo, agus tháinig Mac Néill agus an Conchúrach ó na hÓglaigh chun cainte le Coiste Gnó na Ceardchomhairle d'fhonn ceist comhoibrithe a chíoradh.[23] De réir Liam Uí Bhriain, a bhí ina rúnaí ar an gCeardchomhairle ag an am, de thoradh an teacht le chéile seo seoladh litir chuig na hÓglaigh ag iarraidh a thuilleadh comhráite agus ag iarraidh orthu a bhfreagra a chur ar ais 'leis an Uasal Ó Maicín.'[24] Mar thoradh ar an litir seo bhí sraith eile cruinnithe ann idir Mac Néill, an Conchúrach, an Piarsach agus Seán Mac Diarmada ar son na nÓglach agus an Conghaileach, an Brianach agus an Fuaránach ar son na Ceardchomhairle.[25] Theip ar an tseift, áfach, de réir Liam Uí Bhriain mar

> bhí an Conghaileach teann air, má bhí na hoibrithe eagraithe lena dtacaíocht a ghealladh do pholasaí áirithe nár

---

[21] *ibid.*

[22] *The Workers' Republic*, 23 Deireadh Fómhair, 1915: 'That the Dublin Trades Council and Labour League while not disposed to obstruct in any way those persons, who through zeal for the British Empire might be inclined to volunteer for active service abroad, at the same times calls upon the organized workers to join either the Citizen Army or the Irish Volunteers as being the best means to avert conscription.'

[23] Liam Ó Briain i *Labour News*, 8 Bealtaine, 1937.

[24] *ibid.* Luaigh Liam Ó Brian an litir ach níor thug sé an dáta. Ní fhacas an bhunlitir.

[25] Liam Ó Briain i *Labour News*, 1 Bealtaine, 1937.

mhór d'Óglaigh na hÉireann a ghealladh go dtabharfaidís tacaíocht don pholasaí céanna, dá mba ghá é. Ní aontódh Eoin Mac Néill, go háirithe, leis sin.[26]

Thug an Conghaileach an freagra diamhair ' Níl a fhios againn.[27] ar an litir seo a leanas, freagra de réir dealraimh a thaispeánann an díomá a bhí air faoi easpa toradh na gcruinnithe sin:

> A Dhuine Uasail, Is cuimhin leat gur labhair tú ag cruinniú a thionóil Coiste Óglaigh na hÉireann i bPáirc an Fhionn-Uisce chun agóid a dhéanamh in aghaidh ghabháil timirí áirithe de na hÓglaigh agus daoine eile, de réir " the Defence of the Realm Act," agus gur aontaigh iris oifigiúil Óglaigh na hÉireann le gníomh an chruinnithe. Anois is é freagra an Rialtais ar a n-agóid timire eile de na hÓglaigh i gCúige Uladh a ghabháil. An inseofá dom céard atá Óglaigh na hÉireann chun a dhéanamh faoin bhfreagra sotalach seo ar a n-agóid.
>
> Is mise, do chara imníoch.

B'fhéidir gurbh é féin an ' cara imníoch.'

Ar shlí bhí dara Comhdháil na nÓglach, 31 Deireadh Fómhair, 1915,[28] ina lár spairne idir na Réabhlóidithe agus na coimeádaigh. Bhí neart an Bhráthreachais sna ranganna méadaithe i mí Deireadh Fómhair nuair a ardaíodh an Fathach,[29] an Brádach,[30] agus Mac Aonghusa[31] go dtí céimeanna Captaein, Céad agus Foleifteanant i gComplacht ' C ' sa chéad Chathlán (Baile Átha Cliath), 6 Deireadh Fómhair, 1915,[32] agus Fionán Ó Loinsigh[33] agus P. Mac Ionraic[34] go Captaein i gComplacht ' F ' agus Ceannasaí Scabhta an Chathláin faoi seach sa Chéad Chathlán (Baile Átha Cliath), 20 Deireadh Fómhair, 1915.[35]

Bhí ionadaíocht mhaith ag an mBráithreachas ar an gComhdháil mar sin. Ní hamháin go raibh ceithre dhuine dhéag acu fós ar an

---

[26] *ibid.*

[27] *The Workers' Republic*, 23 Deireadh Fómhair, 1915.

[28] *Irish Volunteer*, 6 Samhain, 1915.

[29] Liosta E.M.G.H.

[30] *ibid.*

[31] *ibid.*

[32] Lss. an Chonchúraigh LNE 9510.

[33] Liosta E.M.G.H. Liosta E.D.

[34] Liosta E.D.

[35] Lss. an Chonchúraigh LNE 9510.

gCoiste Feidhmeannais ach bhí na comhaltaí seo den Bhráithreachas i láthair freisin[36]. L. Ó Sionóid, T. Mac Curtáin, J. Ledden, L. Lardner,[37] F. Lawless,[38] T. Mac Gabhann,[39] T. Ó Muirthile,[40] J. Jennings,[41] S. Ó Súilleabháin, D. Ó Loinsigh, S. S. Breathnach,[42] Tadhg de Barra,[43] T. Ceannt,[44] L. Ó Ruanaigh,[45] E. S. Ó Dúgáin,[46] S. C. Ó Raghallaigh,[47] S. Ó Liatháin,[48] Seán Mac Aodha,[49] L. de Róiste,[50] F. Ó Loingsigh, T. Hunter, E. Praidheas, T. Wafer,[51] P. Galligan,[52] M. Ó Raghallaigh,[53] L. Tannam,[54] T. Mac Cárthaigh,[55] P. Ó Maicín,[56] Ó Flaithearta,[57] T. Mac Tréinfhir,[58] Ó Buachalla,[59] E. Ó Modhráin,[60] Ághas,[61] S. Ó Braonáin,[62] P. Ó Riain,[63] L. S. Ó Braonáin,[64] B. Laffan,[65] R. P. Ó Conchubh-

[36] Tá liosta díobhsan a bhí i láthair san *Irish Volunteer*, 6 Samhain. Ní thugaim thíos ach na tagairtí dóibhsean nach bhfuil luaite agam cheana anseo mar bhaill den Bhráithreachas.

[37] Liosta E.D.

[38] Liosta E.M.G.H. Liosta E.D.

[39] Liosta E.D.

[40] Lss. faoin bhfiosrú i Luimneach i 1917, LNE 10493.

[41] Liosta E.D.

[42] Liosta E.D.

[43] Lynch, *The I.R.B. and the 1916 Insurrection*, l. 37. Liosta E.D.

[44] Liosta E.D.

[45] ' I think so '—Liosta E.D.

[46] Liosta E.M.G.H. Liosta E.D.

[47] *ibid.*

[48] Liosta U.N.F. Lss. an Loinsigh, LNE 11130.

[49] Liosta E.M.G.H.

[50] Liosta E.D.

[51] *ibid.*

[52] Liosta E.M.G.H. Liosta E.D.

[53] Liosta E.D.

[54] *ibid.* Chuaigh seisean isteach sa Bhráithreachas, Iúil, 1915, *Irish Press*, 27 Iúil, 1964. (Ba é féin a sholáthraigh an t-eolas seo dóibh—D. F. Moore chugamsa, 1 Lúnasa, 1964).

[55] Liosta E.M.G.H.

[56] *ibid.*

[57] Liosta E.D.

[58] *ibid.*

[59] *ibid.*

[60] *ibid.*

[61] *ibid.*

[62] *ibid.*

[63] *ibid.*

[64] *ibid.*

[65] *ibid.*

air,[66] A. Newman, E. de Blaghd, A. Mac Cába,[67] F. Drohan,[68] M. Mac Artain,[69] J. R. Etchingham, S. Ó Dubhghaill, .T Craven,[70] J. Robinson[71] agus Seán Ó Muirthile.[72]

Ní thugtar aon mhiontuairisc ar an díospóireacht sna cuntais ar an gcomhdháil. Dúirt scríbhneoir amháin gurbh amhlaidh a thairg Mac Néill éirí as oifig i 1915 de bhrí go raibh an iomarca idir lámha aige ach gur cuireadh ina luí air gan é seo a dhéanamh ar eagla go gceapfaí go raibh scoilt sa ghluaiseacht.[73] Níl aon fhianaise eile ar fáil faoi seo go fóill[74] ach is soiléir nach raibh Hobson sásta go raibh Mac Néill daingean go leor leis na Réabhlóidithe agus rinneadh iarracht ar S. S. Ó Conaill a ainmniú ma-Cheann Foirne.[75] Ba fhear é an Conallach nach raibh sásta ler Mac Néill ach oiread[76] agus cuireadh ar fhoireann na Ceanncheathrún é mar Chinnire Cigireachta.[77]

Ina óráid ag an gComhdháil labhair Mac Néill ar thaobh na maolaitheoirí agus chuir sé béim ar an bhfad a thógfadh sé gnó na nÓglach a chríochnú.[78] Dealraíonn sé go raibh sé ag tabhairt tacaíochta do pholasaí a dúirt Hobson faoi gurbh é féin ba chúis

[66] *ibid.*

[67] Lynch, *The I.R.B. and the 1916 Insurrection*, l. 28.

[68] Lynch, *op. cit.*, l. 37.

[69] Liosta E.D.

[70] *ibid.*

[71] Liosta E.M.G.H.

[72] Lynch, *op. cit.*, l. 36. Liosta U.N.F.

[73] Geraldine Dillon, ag tabhairt cuntais ar chomhrá lena deartháir Seosamh Pluincéad, *University Review*, Iml. ii, uimh. 9, l. 23.

[74] Mar a dúirt mé níor tugadh cead dom Lss. Mhic Néill a iniúchadh.

[75] I ndréacht de chaibidil xxv dá Stair (nár foilsíodh) tá an teip seo ar cheann de na fadhbanna a ghéaraigh 'The problem of control.' Lss. Hobson LNE 12179, l. 327.

[76] I ndréacht de chaibidil 8 de 'Stair' dá chuid, taispeánann an Conallach go raibh sé mí-shásta le beagnach gach aon duine d'fhoireann na Ceanncheathrún. Tá Ceannt ar an dream beag a fuair moladh uaidh. Bhí sé ina 'most business-like chairman' de réir an Chonallaigh (Lss. Hobson LNE 13169).

[77] Lss. an Chonchúraigh, LNE 9510.

[78] *Irish Volunteer*, 6 Samhain, 1915. Tá cóip den óráid i lámh-scríbhinn Hobson i Lss. Hobson LNE 13174 (11): 'We started out on a course of constructive work requiring a long period of patent and tenacious exertion. When things were going most easily for us I never shrank from telling my comrades that success might require years of steady perseverance.'

leis—ba é sin dul ar aghaidh ag méadú agus ag armáil na nÓglach go dtí go mbeidís sách láidir le ceannas a ghlacadh ar an tír agus saoirse a bhaint amach,[79] agus d'aontaigh an Conallach leis sa pholasaí seo.[80]

Is cosúil gur baineadh siar as pleananna na Réabhlóide agus ba mhór an fhadhb anois an smacht dúbailte a bhí ar na hÓglaigh .i. smacht an Bhráithreachais agus an Phiarsaigh, mar Stiúrthóir Eagair ar na hÓglaigh, ar thaobh amháin, agus smacht chliarlathais Mhic Néill, mar Cheann Foirne, ar an taobh eile.

Thosaigh comhráite leis an gConghaileach arís agus chuaigh cúigear ón mBráithreachas ar a laghad chun cainte leis—an Piarsach, an Cléireach, Tomás Mac Donncha, Ághas agus Seán Mac Diarmada—ach is cosúil nach ndearna siad aon socrú cinnte.[81] Ach fiú amháin mura ndearnadh aon socrú ní raibh aon eascairdeas eatarthu, agus de réir a chéile tugadh níos mó spáis san *Workers' Republic* d'imeachtaí na nÓglach, agus go háirithe do na himeachtaí a raibh páirt ag lucht an Bhráithreachais iontu.

Dúradh go raibh an Piarsach leis an óráid le haghaidh Comóradh Céad Bliain an Mhistéalaigh a thabhairt, 4 Samhain, 1915.[82] Rinneadh tagairt d'Ailbhe Ó Monacháin san *Workers' Republic*, 30 Deireadh Fómhair agus 6 Samhain, 1915, a chur i bpríosún. Agus rud atá spéisiúil go leor, óir b'annamh tagairt d'imeachtaí Chonradh na Gaeilge ann, san uimhir dheiridh a luadh tá litir i gcló ag cur i gcoinne Mhic Néill áit ar lochtaigh seisean daoine a bhí ag scréachaíl ar Alfie Byrne agus é ar ardán de chuid an Chonartha, 1 Samhain, 1915. Bhí fógra san uimhir sin freisin faoi cheolchoirm na nÓglach i nGlaschú.

Ach nocht an Conghaileach a mhífhoighid féin i 'Notes on the Front.' Dúirt sé gurbh í Éire amháin a d'fhéadfadh a chinneadh nach mbuafadh taidhleoireacht na Breataine ar airm na Gear-

---

[79] Hobson chuig McGarrity i 1934. Lss. Hobson, LNE 13171. 'This policy was to go on building an armed Volunteer force which would defend the country against any conscription, developing and relying on a tactic of guerilla fighting, and which if not forced into actions by attempt to enforce conscription or suppression by the British Government, would gradually become strong enough to take control of the country and secure its independence.'

[80] Hobson in *An tÓglach*, Meitheamh, 1931.

[81] Liam Ó Briain i *Labour News*, 8 Bealtaine, 1937.

[82] *The Workers' Republic*, 30 Deireadh Fómhair, 1915.

máine, ach go raibh Éire anois ina sclábhaí agus faitíos uirthi roimh an tíoránach.[83] Dúirt sé arís go raibh Páirtí an Rialtais Dúchais ag iarraidh a bheith ina gcuiditheoirí ag píoráideacht Impireachta na Breataine agus go raibh Mairtírigh Mhanchuin ina naimhde ag an bpíoráideacht chéanna. Thabharfadh muintir na hÉireann onóir do na Mairtírigh go ceann i bhfad.[84]

Bhí na hÚdaráis ag gríosú na ndreamanna éagsúla trí leanúint de bheith ag gabháil daoine de réir rialacha DORA; agus rinneadh gearán go minic faoi gur daoradh sé mhí príosúin ar bhall eile den Bhráithreachas—Deasún Mac Gearailt[85]—30 Deireadh Fómhair, 1915,[86] agus daoradh trí mhí príosúin ar Óglach singil—Seán Mac Amhlaidh[87]—as Trá Lí.

Bhí cuimhní ar an am a bhí imithe ag tarraingt na ngluaiseachtaí chun a chéile, go poiblí ar aon chuma; thug bás an tseanghríosóra, Pat Shelley, aontas a bhí ann roimhe sin chun cuimhne[88] agus ba léir ó na cuntais fhabhracha ar chomóradh Chuimhneachán Mhairtírigh Mhanchuin san *Workers' Republic*[89] go raibh an lucht

---

[83] *The Workers' Republic*, 6 Samhain, 1915:

' German arms will win this war, but we would not be surprised to see British Diplomacy pluck the fruits of victory from the dust of military defeat.

Ireland and Ireland alone could prevent that but Ireland now has the brand of the slave on her brow—numbing fear of the tyrant in her soul.

"The British Minister at Paris," said Andrew Jackson after the war of 1812, " threw dust in the eyes of our United States envoys, but they could not throw dust in the eyes of my Texas Riflemen of New Orleans.'

Can Ireland burst through the wits of British Diplomacy in like manner ? Who shall answer ? "

[84] *The Workers' Republic*, 20 Samhain, 1915:

' The British Empire is a piratical enterprise in which the valour of slaves fight for the glory and profit of their masters. The Home Rule Party aspire to be trusted accomplices of the piracy, the Manchester Martyrs were its unyielding foes even to the dungeon and the scaffold.

Therefore we honour the memory of the Manchester Martyrs, as future generations shall honour them.'

[85] Earnán de Blaghd chugamsa, 5 Meán Fómhair, 1962.

[86] *Nationality*, 13 Samhain, 1915. *Irish Volunteer*, 20 Samhain, 1915.

[87] *The Workers' Republic*, 27 Samhain agus 4 Nollaig, 1915.

[88] *The Workers' Republic*, 30 Deireadh Fómhair, 1915.

[89] e.g. i *The Workers' Republic*, 27 Samhain, 1915, léitear ' The celebrations in Wexford were in the hands of Captain Seán Sinnott's Irish Volunteers, a credit to Wexford and Ireland.'

oibre ar aon nós, réidh chun comhoibrithe. An 21 Samhain, 1915, tugadh cuntas ann[90] ar an mórshiúl a d'eagraigh an ghluaiseacht a bhí mar cheilt ag an mBráithreachas, an Wolfe Tone Memorial Association,[91] agus moladh na hÓglaigh, Fianna Éireann, Cumann na mBan agus na Hibernian Rifles.[92] Thug Seán Mac Diarmada an óráid an tráthnóna sin.

An tráthnóna ina dhiaidh sin, 22 Samhain, 1915,[93] d'eagraigh na Fianna cruinniú Cuimhneacháin agus ba é Hobson a thug an óráid. Bhí Mac Néill sa chathaoir agus dealraíonn sé gur ghlac sé chuige féin an deis lena thaispeáint arís gur aontaigh sé le polasaí na maolaitheoirí, polasaí Hobson agus an Chonallaigh. An lá céanna[94] bhí cruinniú Cuimhneacháin i Halla na Saoirse agus thug an Conghaileach an óráid. Ní de thaisme a léiríodh an difríocht a bhí idir dearcadh Mhic Néill agus dearcadh an Chonghailigh sa chuntas san *Workers' Republic.*[95] Dúirt Mac Néill go

---

[90] *The Workers' Republic,* 27 Samhain, 1915: 'the streets of the city were taken possession by a large procession organized by the Wolfe Tone Memorial Association. The Irish Volunteers were represented by a very large body of armed men whose smart and soldierly appearance were creditable alike to themselves and their organizers. The Fianna, the Cumann na mBan and the Hibernian Rifles also attracted a good deal of favourable attention.'

[91] Tá liosta de na hoifigigh in *Irish Freedom,* Samhain, 1913 agus is comhaltaí den Bhráithreachas iad go léir. Féach leis Geraldine Dillon i *University Review,* Iml. ii, uimh. 8, ll. 27, 28.

[92] Thaispeáin siadsan a gcairdeas le tuairisc fhada bháúil ar Chomhdháil na nÓglach i *The Hibernian,* 6 Samhain, 1915.

[93] *The Workers' Republic,* 27 Samhain, 1915.

[94] *ibid.*

[95] *ibid.* 'Professor Mac Neill said he was glad to see that the progress of the Fianna because they represented the next generation of Irishmen and in the time of the children of the Fianna or possibly their grandchildren Ireland would surely win its way to freedom. . . . There was also a commemoration in Liberty Hall. . . . Mr. James Connolly gave a resumé of the history of the Fenian Movement including a short glance at the appearance of James Stephens at Killenaule in '48.

He said in closing that the saying "England's difficulty is Ireland's opportunity," has been heard on a thousand platforms in Ireland when England was in no difficulty, but since England got into difficulties the phrase has never been heard or mentioned. If Ireland did not act now the name of this generation should in mercy to itself be expunged from the records of Irish history.'

raibh áthas air a fheiceáil go raibh dul chun cinn á dhéanamh ag Fianna Éireann mar gur cheap sé go mbeadh saoirse ag Éirinn nuair a bheadh clann na bhFianna, nó b'fhéidir clann a gclainne, fásta. Dúirt an Conghaileach gur chualathas an abairt 'is é cruachás Shasana deis na hÉireann' go minic ach nach raibh trácht ar bith air sin nuair a bhí Sasana i gcruachás. Dúirt sé mura ndéanfaí beart láithreach gur chóir ainmneacha na ndaoine a bhí beo ag an am a ghlanadh as tuairiscí ar stair na hÉireann.

I bhfocail agus i ndearcadh thaispeáin sé go raibh sé ag smaoineamh agus ag mothú mar a bhí na réabhlóidithe sa Bhráithreachas—go háirithe mar a bhí an Piarsach[96] agus Seán Mac Diarmada.[97]

Bhí a mhífhoighid féin, a fhearg is a dhóchas le feiceáil in eagarfhocal faoi chiorclán ón Lord Lieutenant chuig fostaitheoirí na hÉireann faoi earcaíocht. Dúirt sé gurbh argóint striapaí a bhí ag Mac Réamoinn agus a lucht leanúna, nuair a dúirt siad nach raibh de dhóchas ag Éirinn ach luach saothair a fháil as sásamh a thabhairt do Shasana. D'fhiafraigh sé an raibh aon léas taobh thiar den scamall dorcha sin a bhí anuas ar an tír.[98]

Tugtar leideanna le haghaidh comhoibrithe san *Workers' Republic*, 5 Nollaig, 1915. Fiafraíonn 'Cork Notes' 'nach féidir leis na hÓglaigh agus dreamanna de lucht ceirde agus lucht oibre teacht le chéile agus clóphreas agus nuachtán dá gcuid féin a rith?' Deirtear go ndúirt an Maicíneach

> go raibh dualgais ar Óglaigh na hÉireann cur in aghaidh coinscríobh le láimh láidir. Shocraigh dhá chomhdháil

---

96 Féach f.n. 59, caibidil a dó, thuas.

97 Féach ll. 62, 63 thuas.

98 *The Workers' Republic*, 27 Samhain, 1915.

'"Enlist or starve"'

'Come or we shall fetch you.'

.... Mr. Redmond and his supporters tell us that it is useless to struggle against the Empire, that we should devote all our powers to the task of pleasing the Government by services to the Empire that we might win by favours what we cannot gain by struggling, and that the sole hope of Ireland is to win reward by giving pleasure. It is a prostitute's argument. . . . And yet this argument that Ireland as a nation should seek to win her nationhood by advertising her prostitution—that is the last word in the statesmanship of the Home Rule Party and its leaders. .... Dark clouds hover over us? Is there a light beyond the cloud? Who can tell?'

d'Óglaigh na hÉireann é sin. Dúirt sé go raibh go leor oibrithe ann nach raibh i gceachtar de na cumainn mhíleata. Deir litir ó James F. Ryan 'Is é an bealach le cur in aghaidh coinscríobh ná dul isteach in Óglaigh na hÉireann, nó in Arm na Saoránach nó sna Hibernian Rifles.'

Déantar tagairt arís do chás Sheáin Mhic Amhlaidh agus tugtar cuntas ar D. Mac Con Uladh a bheith ina chathaoirleach ag Comóradh Chuimhneachán Mhairtírigh Mhanchuin i mBéal Feirste. Tá cuntas fada ann ar na himeachtaí i Loch Garman agus arís moladh mór ann ar Óglaigh na hÉireann.

Ach dealraíonn sé nach raibh an Chomhairle Mhíleata réidh lena gcuid rún a ligean leis an gConghaileach fós. Bhí deacrachtaí dá gcuid féin acu, cé gur lean an Piarsach ag daingniú poist d'fhir 'a raibh geallúint tugtha acu gníomh a dhéanamh.'[99] Tugadh post don Dálach mar Chinnire Innealtóirí sa Chéad Cathlán (Baile Átha Cliath), d'E. Ó Morcáin[100] mar 'Mhaor Campa Conganta' sa Chathlán céanna agus do Tannam mar Cheannasaí Complachta ar Chomplacht 'E' den 3ú Cathlán (Baile Átha Cliath), 24 Samhain, 1915.[101] Bhí an Conallach anois ina Chinnire Cigireachta agus é ag druidim níos gaire do Hobson.[102] Bhain sé úsáid as an tuairisc a thug sé féin agus an Dufach ar inlíochtaí Chontae Átha Cliath Theas, 19 Meán Fómhair, 1915, lena thuairim faoi easpa éifeachta míleata na gCathlán i mBaile Átha Cliath a léiriú. Is mór idir an tuairisc a thug seisean agus an ceann a thug an Piarsach san *Irish Volunteer*, 2 Deireadh Fómhair, 1915 agus deir an Conallach nach raibh de mhaith sna hinlíochtaí seo ach 'gur thaispeáin sé do Bhriogáid Bhaile Átha Cliath a laghad eolais a bhí acu.'[103] Chuir sé leis seo 'is féidir toradh mo thuairisce a mheas sa mhéid seo, ón am sin amach . . . nach ndeachaigh an Piarsach ná Tomás Mac Donncha . . . i gceannas taoibhe in inlíocht'[104] agus deir sé 'déanta na fírinne, chreid an Piarsach agus Tomás Mac Donncha,

---

[99] Féach f.n. 31, caibidil a trí, thuas.

[100] Liosta E.D.

[101] Lss. an Chonchúraigh LNE 9510.

[102] Dréacht de chaibidil 6 dá Stair (nár foilsíodh) atá anois i Lss. Hobson LNE 13168.

[103] An Conallach, *loc. cit.*

[104] *ibid.*

agus an Pluincéadach freisin go bhféadfaí staidéar a dhéanamh ar ealaín an chogaidh i leabhair.'[105]

Ní raibh cúrsaí sa Ghearmáin ag dul ar aghaidh ró-réidh ach oiread. Bhí Ruairí Mac Easmainn in ospidéal[106] agus é fós ag beartú an Bhriogáid a úsáid san Oirthear.[107] Bhí comhalta eile den Bhráithreachas—Monteith—tar éis a dhíbeartha faoi DORA.[108] Chuir an Bráithreachas chuig na Stáit Aontaithe é[109] agus as sin le cabhair ó Christensen smugláladh[110] isteach sa Ghearmáin é d'fhonn an Bhriogáid a eagrú níos fearr. Bhí sé seo le bheith ina thosach ar scéim leis an mBriogáid a neartú trí 50 ball de Chlan-na-Gael a chur isteach ann ach theip ar na socruithe chuige sin agus chuir Devoy an milleán ar Christensen.[111]

Níor luaigh aon duine sa bhaile na deacrachtaí seo le Ruairí Mac Easmainn go poiblí agus in alt fada san *Hibernian*, 4 Nollaig, 1915, agus i ndán ' Sir Roger Casement ' le Méabh Chaomhánach san *Workers' Republic*, 18 Nollaig, 1915, tá sé fós ina laoch agus an Bhriogáid ina scéim fhónta.

Bhí nithe ag titim amach níos tapúla le linn mhí na Nollag agus leath fuireachas gníomhaíochta chuig na deoraithe.

Faigheann muid cuntas faoi óráid a thug Cathal Ó Seanain i nGlaschú, 28 Samhain, 1915[112]:

> Óráid faoi Mhairtírigh Mhanchuin ag míniú staid agus dóchas na hÉireann agus ag iarraidh ar an deoraí Náisiúnach dul isteach leis na fir throda sa bhaile chun gníomh a dhéanamh ar son na hÉireann sula mbeadh deireadh leis an gCogadh.

Bhain an cathaoirleach macalla as na tuairimí seo agus

> d'impigh orthusan nach raibh iontu cheana dul isteach in Óglaigh na hÉireann agus a bheith réidh chun freagairt

---

[105] *ibid.*

[106] Lss. R. Mhic Easmainn, LNE 1690.

[107] R. Mac Easmainn chuig Bean Mhic Ghabhann (Bean Chonsal na Stát Aontaithe i Munchen) 6 Eanáir, 1916 (Lss. R. Mhic Easmainn, LNE 8506): ' my little plan for the East I hope will now go smoothly.'

[108] Lynch, *The I.R.B. and the 1916 Insurrection*, l. 60.

[109] Lynch, *op. cit.*, l. 28.

[110] Devoy, *Recollections*, ll. 435-439.

[111] Devoy, *op. cit.*, l. 401.

[112] *The Workers' Republic*, 11 Nollaig, 1915.

le hairm nuair a ghlaofadh Éire abhaile orthu. Bhí roinnt Náisiúnaithe as Glaschú imithe cheana agus bhí tuilleadh le himeacht.[113]

Ba é an rud ar cuireadh béim air ag an gcruinniú ' an toil chun troda agus an deis a thógáil buille marfach a thabhairt d'Impireacht na Breataine.'[114]

Tugadh iadsan agus deoraithe eile isteach i nGarastún Cheannmhuighe i teach na bPluincéadach. ' Ba Éireannaigh iad as Sasana agus daoine eile a tháinig go Baile Átha Cliath le bheith réidh. Bhí cuid acu ag teitheadh cheana féin.'[115] Agus suimiúil go leor, chuir cuid acu fúthu i gCeanncheathrú na Hibernian Rifles ar a mbealach chuig Ceannmhuighe nó chuig a dtithe féin, iadsan a raibh poist, etc. faighte acu.

Foilsíodh litir thábhachtach ó Ruairí Mac Diarmada san *Workers' Republic*, 11 Nollaig, 1915, inar aontaigh sé le halt a bhí ar chéad leathanach an *Republic* an tseachtain roimhe sin. Dúirt sé gur chóir úsáid a bhaint as gach rud ab fhéidir chun bearrán a dhéanamh ar an Rialtas eachtrannach, ach amháin agóid bhunreachtúil. Luaigh sé an moladh a thug Bulmer Hobson do na saighdiúirí single nuair a labhair sé ag Ceolchoirm Chuimhneachán Mhairtírigh Mhanchuin agus go rabhthas ag rá anois nár chóir dul i muinín na saighdiúirí single. Dúirt sé go raibh Óglaigh na hÉireann agus Arm na Saoránach sásta seasamh ar son an idéil chéanna—Poblacht Éireannach.

D'fhill an Conghaileach ar an téama sin an tseachtain ina dhiaidh sin[116] nuair a dúirt sé, ag plé cheist na stailce taobhaithí:

> As an eachtra sin, d'fhás an mothú sin, a bhfuil muid le fada ag obair lena aghaidh agus ag súil leis in Éirinn, go raibh na haidhmeanna céanna ag lucht náisiúnachais ann féin agus an lucht oibre.

Bhí bagairt an choinscríbh ag brú orthu agus san *Irish Volunteer*, 11 Nollaig, 1915, tugadh cuireadh chuig cruinniú poiblí frithchoinscríbh, an 15 Nollaig. Ina dhiaidh sin, bhí dhá leathanach

---

113 *ibid.*

114 *ibid.*

115 Seán ' Blimey ' Ó Conchúir luaite ag ' Patrick Lagan ' san *Irish Press*, 30 Márta, 1959.

116 *The Workers' Republic*, 18 Nollaig, 1915.

faoin ábhar san *Workers' Republic* ar an dáta céanna. De bharr na meisce réabhlóidí agus an dearcadh déchiallach a thugtar tríd síos ar Hobson agus Mac Néill, is fiú cuid mhaith den tuairisc sin a chur síos anseo

> The Resolution declared that ' We will not have conscription ' and all the speakers drove the statement home without hesitation. The contagion of the enthusiasm almost threatened to elevate Professor Mac Neill out of his professional caution into revolutionary enthusiasm. Bulmer Hobson could not resist the temptation to deliver one of the flamboyant ' Green Flag ' speeches most people thought he had forgotten. Mr. Pearse rose to the occasion as is his wont in a beautiful and inspiring deliverance. Father O'Connolly of Galway, roused his audience to fever heat by his clarion call to battle for Ireland. Mrs. Sheehy-Skeffington was convincing, sarcastic and thrilling. Arthur Griffith was short but telling in every sentence. Mr. Tom Farren of the Trades Council spoke up well for his class. Fr. Sheehy was pathetically reminiscent of the fighters of other days whose heart is still in the battle, and James Connolly of Liberty Hall delivered the gospel of the militant labour men to an audience that seemed to go wild with enthusiasm to endorse it.
>
> In the supper room, Seán Fitzgibbon presided and spoke out as incisively as ever. Commandant Mac Donagh told the audience that he could pledge his word that the Irish Volunteers *would* resist conscription by military measures... It was a great night. The free gift of a people determined to be free or die trying.

Bhí an ' mheisce ' seo chun réabhlóide níos soiléire fós sna ' Belfast Notes ' san uimhir chéanna—agus iad ar aon dul le dearcadh an Chonghailigh:

> Bhí sé ró-mhall nuair a rinne Fiontán Ó Leathlobhair gníomh. Tá buntáiste agaibhse sa mhéid sin, mar gur labhair sibh roimh an mbeart agus go bhfuil am fós ann le gníomhú. Bígí cinnte nach mbeidh lucht leanúna de dhíth oraibh in áiteanna eile taobh amuigh de Bhaile Átha Cliath. Má throideann sibhse nó aon duine eile i mBaile Átha Cliath troidfidh go leor ar fud Éireann le bhur dtaobh . . . ní féidir

réabhlóid a chur ar bun go bunreachtúil agus is cur amú agus áibhéil é leasú bunreachta trí mhodh na réabhlóide. Bíodh sé ina réabhlóid trí mhodh an éirí amach. Aontím nach fiú troid in aghaidh coinscríbh níos mó ná mar is fiú troid as son Rialtais Dúchais. Is é an t-aon rud ar fiú é ná aidhm agus cuspóir réabhlóideach a bheith agaibh agus an cuspóir sin a nochtadh agus troid ar a shon.'

Faoin am seo bhí dáta an Éirí Amach[117] socraithe ag an gComhairle Mhíleata agus faoin am seo chomh maith bhí a fhios ag Hobson[118] go raibh éirí amach le tarlú go gairid. Faoin am seo leis bhí a fhios ag Mac Néill[119] go raibh rud éigin ar bun agus, Lá Nollag, 1915, rinne sé iarracht cúrsaí a chiúnú ar an gcéad leathanach den *Irish Volunteer:*

> Chuala mé faoi chúpla cás a raibh mífhoighne dícheíllí ar Óglaigh na hÉireann. . . . Anois níl sé de cheart ag aon fhear a racht a ligean amach agus a thír a bheith thíos leis. . . . Chiontaigh muid ár naimhde i neamhshuim a dhéanamh de dhlí agus ceart. . . . Tá muide, Óglaigh na hÉireann, inár gcosantóirí ar dhlí agus cheart agus dhílseacht. Níl aon chúis againn a bheith mífhoighneach, ach, ba chóir dúinn dul ar aghaidh go muiníneach. Tá ár gcoinsias glan. Tá dea-chuspóir againn.

Is fada é seo ó dhearcadh an Chonghailigh an lá céanna ar an gcéad leathanach den *Workers' Republic*. Cúisíonn sé 1848 de bhrí gur fanadh 'go dtí go bhfuair siad an deis éagóir a chur i leith Shasana,' agus deir sé

> Is cinnte nár smaoinigh siad gur fhág sé seo faoin Rialtas é, am, láthair agus toscaí na troda a thoghadh ach nár ligeadh dó seo cosc a chur lena ngnó. Dhearbhaigh siad go hardnósach nach dtiománfaí roimh a n-am iad. . . . Theastaigh uathu a bhuanú mar fhírinne staire gur tugadh orthu éirí amach in aghaidh a dtola. . . . Níl a fhios againn an bhfuil a leithéid inár measc inniu. Má tá is contúirt iad. Níl aon

---

117 Deir Lynch, *The I.R.B. and the 1916 Insurrection*, l. 48: 'by the end of 1915.' Dúirt D. Mac Con Uladh i litir chugamsa, 15 Eanáir, 1962, 'Nov. 1915.'

118 Hobson chuig McGarrity i 1934 Lss. Hobson LNE 13171.

119 Deir Mac Néill ina ráiteas i 1917 (Lss. Hobson LNE 13174 (14)) 'about Nov. 1915 there was talk of separate action by the I.C.A.'

ghá ag Éirinn de leithscéal dleathach le haghaidh Réabhlóide .

Ina eagarfhocal filleann sé ar an téama sin faoi bhraiteoireacht i Réabhlóidí na hÉireann ag tagairt an uair seo don chabhlach Francach i gCuan Bheanntraí in 1796:

> Rinne ceannairí na nÉireannach Aontaithe braiteoireacht—ní raibh a gcuid socruithe iomlán. Rinne an Ceannasaí Francach braiteoireacht, rinne gach aon duine braiteoireacht, ach amháin Rialtas Shasana.
>
> Céad agus naoi mbliana déag ó shin, agus arís tá Éire ag breathnú thar lear agus b'fhéidir go bhfuil na daoine thar lear ag breathnú ar Éirinn agus iad ag déanamh iontais di.
>
> D'iarr na daoine amhrasacha comhartha ar Chríost ina lá. Tá siad ag iarraidh comhartha fós an lá atá inniu ann. Agus an freagra céanna sa dhá chás:
>
> ' Tá Ríocht na bhFlaitheas (An tSaoirse) istigh ionaibh '
> ' Ní féidir Ríocht na bhFlaitheas a ghabháil ach le láimh láidir '
>
> Focail neamhaí agus brí shaolta leo.
>
> Seachtain na Nollag 1796
> Seachtain na Nollag 1915.
> Ag braiteoireacht fós . . . .

Leis seo cuireann sé an cheist ' An bhfeicfidh muid bliain eile agus Éire go foighneach faoi shlabhraí ? ' Baineann sé úsáid as ' Answers to Correspondents ' chomh maith lena dhearcadh a dhéanamh soiléir. I gceann amháin bréagnaíonn sé aon naimhdeas do na hÓglaigh i mBéal Feirste, agus sa cheann eile deir sé gur rud damanta an cogadh ach nar chóir go gcuirfeadh sé sin cosc leo ag troid ar son saoirse a dtíre.[120]

Mar is gnách athluann na ' Belfast Notes ' tuairim an Chon-

---

[120] ' No ! We do not believe war is glorious, inspiring or regenerating. . . But when a Nation has been robbed it should strike back to recover her lost property. Ireland has been robbed of her freedom and to recover it should strike swiftly and relentlessly and in such fashion as will put the fear of God in the hearts of all who connived at the robbery or its continuance. . . .
No friend ! War is hell but if freedom is on the farther side shall even hell be allowed to daunt us.'

ghailigh: 'Tá bliain na trialach thart. Seo chugainn bliain na troda.'[121]

Géaraíonn an Conghaileach ar an luas san *Workers' Republic*, 1 Eanáir, 1916, uimhir inar foilsíodh na véarsaí seo:

Not Flanders or the Dardanelles
Nor yet Columbia's shore
Will be our home while England's rag
Flies hopeless Ireland o'er

We'll stand or fall with Ireland
Despite of foes or slaves
We'll stand redeemed on Irish soil
Or lie in Irish graves.

Bhí fógra ann go raibh paimfléid an Phiarsaigh *How Does She Stand* agus *From a Hermitage* le fáil. Bhí tuairisc ann faoi chúis dlí i dTrá Lí agus ba léir go raibh mórtas ar an scríbhneoir de bhrí gurbh iad na cleamhnaithe a bhí ag finné ná Óglaigh na hÉireann agus Ceardchumann Oibrithe Iompair agus Ilsaothair Éireann. Bhí eagarfhocal gríosaitheach ann inar thaispeáin an Conghaileach go mbeadh 2,000,000 saighdiúirí armáilte ag Sasana ag deireadh an chogaidh, agus dúirt sé mar dheireadh leis dá mbéarfaidí ar a bhfaill nach mbeadh an ghruaim ar chuir seisean síos uirthi ndán dóibh, go raibh dóchas ann dóibh siúd a bhí sásta a gcinniúint féin a mhúnlú.[122]

Ach an rud ba ghríosaithí a bhí ag an gConghaileach i 'Notes on the Front' ná an t-alt deiridh de chuid Shéamas Fiontán Uí

---

[121] *The Workers' Republic*, 25 Nollaig, 1915.

[122] 'Our readers are, we hope, rebels at heart, and hence may rebel at our picture of the future. If that is so let us remind them that opportunities are for those who seize them, and that the coming year may be as bright as we choose to make it. We have sketched out the future as it awaits the slave who fears death more than slavery. For those who choose to advance to meet Fate determined to mould it to their purpose that future may be as bright as our picture is dark.'

Leathlobhair[123] a fhoilsíodh san *Irish Felon*, 22 Iúil, 1848, sular cuireadh faoi chois é.

Bhí an corraí ag leathadh agus san *Hibernian*, 1 Eanáir, 1916, bhí dhá leathanach eile ann faoin gcoinscríobh agus dán faoin teideal ' The Dead who Died for Ireland ' ar a raibh na línte seo:

For to-day we have men as true
  And as fearless in the fight,
Ready to die for you,
  Eire, their guiding light;
They're the Irish Volunteers
  An army strong and brave.

San *Workers' Republic*, 8 Eanáir, 1916, bhain Brian Fagan macalla as alt an Leathlobhraigh, dhearbhaigh arís nárbh fhéidir le hÉirinn bua a fháil ar Shasana in am síochána, thaibhsigh sé ar nós an Phiarsaigh: ' D'fhéadfadh ár gcuratacht agus uaisleacht ár gcúise téamaí breátha a sholáthar d'fhilí amach anseo ' agus chríochnaigh sé le

Tá gunnaí againn, tá urchar againn,
Níl ár ndóthain de cheachtar acu againn,
Tá ár ndóthain acu againn lenár ndóthain a ghnóthú,
Le go mbeadh ár ndóthain acu againn an fhad atá
  Sasana i gcogadh agus i sáinn— ?

San uimhir chéanna rinneadh tagairt do chainteoir de chuid an lucht oibre i dTrá Lí[124] a dúirt, ' Téidís isteach in Óglaigh na

---

[123] Scríobh an Leathlobhrach: ' All the great acts of history have been done by a very few men . . . in the case of Ireland now there is but *one fact* to deal with, and *one question* to be considered. The *fact* is this, that there are at present in occupation of our country some 40,000 armed men, in the livery and service of England and the *question* is how best and soonest to kill or capture these 40,000 men.' Is léir ón úsáid a bhain an Piarsach as an Leathlobhrach i *Ghosts* agus an téarmaíocht Leathlobhrach atá i bhForógra 1916, go raibh an meas céanna ag an bPiarsach agus ag an gConghaileach air. Tá an anáil a bhí ag an mbeirt seo ar a chéile scrúdaithe ag Deasún Ó Riain i *The Man Called Pearse*, ll. 108, 109, 117, 118. Féach leis T. P. Ó Néill, *Fiontán Ó Leathlobhair* (Baile Átha Cliath, 1963), agus, ' The Economic and Political ideas of James Fintan Lalor,' san *Irish Ecclesiastical Record* Samhain, 1950.

[124] Tá na tagairtí seo go léir do Thrá Lí spéisiúil, go háirithe ós rud é gur chuir an Conghaileach Partridge síos go Trá Lí beagáinín roimh an Éirí Amach le bheith deimhin de go gcabhródh baill an Cheardchumainn leis na hÓglaigh i ndíluchtú na n-arm agus san Éirí Amach a thiocfadh as. (Ó Cathail, a bhí ina leas-Cheannfort i dTrá Lí, chuig Bean Uí Ógáin, 6 Márta, 1930, i Lss. Partridge LNE 2986).

hÉireann a sheas ar son na hÉireann,' agus ba léir gur le meas a luadh billí láimhe na nÓglach a dúirt ' Cuirfidh muide Óglaigh na hÉireann in aghaidh aon chineál coinscríbh ar gach uile bhealach is féidir '

Bhain an Conghaileach úsáid as colún na litreach[125] le hancaire a chur amach chuig na hÓglaigh:

> A Óglaigh—Níl an ceart ar chor ar bith agat. Ainneoin an ruda ar a dtugann tú ár ' Searbhas ' tá níos mó muiníne againn as Óglaigh na hÉireann ná mar atá acu astu féin. Go deimhin is é sin an locht is mó atá againn orthu.

Tá an nóta céanna aige i ' Notes on the Front '[126]:

> Tá an cháilíocht sin ag Óglaigh na hÉireann inniu ar tréigeadh a sinsear dá huireasa. Is í an cháilíocht sin: muinín iomlán ina dtír féin, iontaoibh iomlán ina cinniúint mar náisiún, agus cinnteacht iomlán go mbeadh Éire in ann teacht ón suaitheadh go léir a d'fhéadfadh tubaiste a thabhairt di.

San *Workers' Republic*, 15 Eanáir, 1916, ghlac an Conghaileach leis go raibh comhaidhm acu nuair a scríobh sé faoin teideal ' Economic Conscription.'[127]

Bhí an tÓglach S. S. de Búrca ina chomhfhreagaí rialta san *Workers' Republic* agus bhí sé seo le rá aige, an 15 Eanáir, 1916:[128]

> An dtarlóidh an rud céanna arís? Ag deireadh an chogaidh do Náisiúin Bheaga san Afraic Theas, chruthaigh an Tiarna Roseberry, nó duine éigin eile de phór na dtarbhghadhar, chun sásaimh na mBriotanach *nár theastaigh ó na hÉireannaigh iad féin a rialú nuair nár fhógair siad a neamhspleáchas nuair a bhí an Impireacht i gcontúirt! Ba í an argóint a bhí aige, ós rud é nár rug muintir na hÉireann ar a bhfaill nuair a bhí Sasana gnóthach san Afraic Theas, agus a gceart a bhaint amach, nach raibh aon ghnó acu a bheith ag caint faoina gceart, gan trácht ar é a iarraidh ar Shasana—tar éis an chogaidh*! . . .

---

125 *The Workers' Republic*, 8 Eanáir, 1916.

126 *ibid.*

127 ' If the arms of the Irish Volunteers and Citizen Army is the military weapon of, the economic conscription of the land and wealth is the material basis for, that re-conquest.'

128 Is leis-sean an cló Iodáileach.

Má fhanann muid go dtí deireadh an chogaidh—go mbuaitear ar Shasana nó ar an nGearmáin, nó go bhfógróidh siad araon a dheireadh—beidh ár bport seinnte.

Ní bheidh aon ghuth againn i gComhairle na Náisiún tar éis an chogaidh, mura . . . .

Am éigin an mhí sin dúirt an Conghaileach leis an mBúrcach ' go ngníomhódh Arm na Saoránach leis féin, faoina threoirsean taobh istigh de sheachtain.'[129] Le cead ón gConghaileach d'inis an Búrcach an méid seo dá cheannfort sna hÓglaigh—Ceannt—agus as sin bhí cruinniú i Halla na Saoirse ag Ceannt, an Rathghailleach agus an Conghaileach.

Bhí cruinnithe eile ann leis an bPiarsach agus Mac Néill ar iarratas ó Choiste Feidhmeannais na nÓglach.[130] Dúirt an Conghaileach ' go raibh sé i bhfabhar éirí amach láithreach '[131] agus go raibh Arm na Saoránach réidh le troid i mBaile Átha Cliath, ba chuma ar tháinig na hÓglaigh amach nó nár tháinig.[132] Ba bheag a dúirt an Piarsach ach i ndiaidh an chruinnithe thaispeáin sé do Mhac Néill gur aontaigh sé leis-sean,[133] rud a bhí fíor ó thaobh ' éirí amach láithreach ' ar aon nós, agus dáta réamhshocraithe ag an gComhairle Mhíleata.

Bhí an Conghaileach ag cur buartha ar an mBráithreachas. ' Go luath i mí Eanáir ' thug an Piarsach orduithe rúnda don Loinseach le tabhairt de bhéal do na ceannfoirt i gCorcaigh. Ciarraí, Luimneach agus Gaillimh faoin suíomh ba chóir dóibh a ghlacadh faoi Cháisc.[134] De bhrí, áfach, gur tugadh ' Enemy alien '[135] ar an Loinseach agus nár ligeadh dó dul thar chúig mhíle slí ó Bhaile Átha Cliath bhí orthu socruithe eile a dhéanamh faoi na horduithe. Tháinig Ardchomhairle an Bhráithreachais le chéile i mí Eanáir chomh maith agus ghlac siad le rún a mhol Seán Mac Diarmada go ' rachaimid ag troid chomh luath agus is féidir,'[136] cé nár luadh de réir dealraimh go raibh dáta socraithe

---

[129] Ryan, *The Rising*, l. 54.

[130] Ráiteas Mhic Néill i 1917. Lss. Hobson LNE 13174 (14).

[131] *ibid.*

[132] *ibid.*

[133] *ibid.*

[134] Lynch, *The I.R.B. and the 1916 Insurrection*, ll. 30, 49.

[135] Lynch, *op. cit.*, *loc. cit.*

[136] Lynch, *op. cit.*, l. 31.

cheana féin ag an gComhairle Mhíleata. Tháinig an cruinniú a raibh an Conghaileach á lorg ar lá foilsithe an *Workers' Republic* le haghaidh 22 Eanáir 1916. Ba é an lá sin 19 Eanáir 1916.[137] San uimhir a bhí díreach curtha i gcló nocht sé go raibh eolas éigin aige faoi bheartú na réabhlóidithe agus go raibh sé féin mífhoighneach chun gníomhaíochta. Dúirt sé arís go gcaithfí an deis a thapú nuair a bhí Sasana i gcogadh agus go raibh an t-am tagtha le haghaidh troda.[138]

Leagann Séamas Mac Gabhann béim ar an eolas is ar an ndearcadh céanna in alt faoin teideal gonta ' When . . . .'[139]

> Faoi láthair tá dearmaid na bhFíníní á ndéanamh arís. *Tá muid ag fanacht go dtiocfaidh airm thar lear chugainn*—ach an dtiocfaidh siad ? An gcaithfimid fanacht go dtí go mbainfear dínn na hairm atá againn agus go líonfar doinsiúin Shasana lenár dtreoraithe tofa ? A fheara na hÉireann ná fanaigí níos faide ! Cuimhnigí. *Anois* an t-am i gcónaí. *Anois* an t-am le gníomhú i gcónaí.[140]

Cuireann Méabh Chaomhánach leis an atmasféar seo le ' Straining at the Leash ':

> Unloose the leash, restraining hand,
> View, view our harried enemy,
> We wait in vain for your command

---

[137] Lynch, *The I.R.B. and the 1916 Insurrection*, l. 128.

[138] ' The Irish Volunteers who are pledged to fight conscription will either need to swallow their pledge and see the young men of Ireland conscripted or will need to resent conscription and engage the military force of England at a time when England is at peace. . . .

. . . . It is our duty, it is this duty of all who wish to save Ireland from such shame or such slaughter to *strengthen the hand of those of the leaders who are for action as against those who are playing into the hands of the enemy*.*

We are neither rash nor cowardly. We know our opportunity when we see it, and we know when it has gone . . . while the war lasts and Ireland is still a subject nation we shall continue to urge her to fight for her freedom. . . . We shall continue to teach that the time for Ireland's battle is NOW, the place for Ireland's battle is HERE. . . . We shall be no party to leading out patriots to meet the might of England at peace.'

* Is liomsa an cló Iodáileach. Mheasfá go raibh an Conghaileach ag tabhairt a fhreagra ar na pointí a bhí ag Mac Néill sa chomhrá a bhí acu níos luaithe.

[139] *The Workers' Republic*, 22 Eanáir, 1916.

[140] Is liomsa an cló Iodáileach anseo. Is leis-sean é thíos ar ' Anois.'

In fierce pursuit we fain would be
We pray you loose us—bid us go. . . .

Agus seans gurbh é a chuireadh féin a bhí ag an gConghaileach i litir sínithe ag ' M.O'R.' Iarradh ar an eagarthóir sa litir seo, coinne a dhéanamh le haghaidh cruinnithe idir M.O'R. agus beirt chomhfreagraí eile—' B.F.' agus ' J.J.B.' chun dearcadh na nÓglach a dheimhniú. Iarrann an litir seo éirí amach roimh dheireadh an chogaidh freisin.[141]

Ar lá foilsithe na huimhreach sin .i. 19 Eanáir, 1916, d'fhág an Conghaileach Halla na Saoirse agus bhí sé as láthair ar feadh cúpla lá.[142] De ghnáth tugtar ' gabháil ' ar an mbealach ar imigh an Conghaileach as radharc.[143]

Ní fios ar de bharr na huimhreach seo den *Workers' Republic* a rinneadh an ' ghabháil ' (a tugadh go mícheart air) seo ach tugann an ráiteas seo a leanas ó Éamonn de hÓir[144] an cúlra ó thaobh an Bhráithreachais de:

> Thug T. Ó Cléirigh agus S. Mac Diarmada cuairt ghearr ar S. Ó Dálaigh i Luimneach. Bhí inlíochtaí ag an gConghaileach agus Arm na Saoránach timpeall an Chaisleáin san oíche go luath i mí Eanáir. Tháinig imní ar Sheán T. Ó Ceallaigh agus D. Ó Loinsigh ar eagla go mbeadh gníomhaíocht Sasanach mar thoradh air seo. Bhain an bheirt acu agus Iníon Uí Riain—Bean Uí Mhaolchatha anois—úsáid as saorthuras Domhnaigh go Luimneach chun iarraidh ar Thomás agus Seán teacht ar

---

[141] 'The present day leaders do undoubtedly hold allegiance to Ireland as their most sacred duty, but what that means has not been defined with absolute precision, and having close connections with many of them both prior to and since the formation of the Volunteers, a private exchange of views would, I believe lead to good results. If the editor would arrange a short conference with his two correspondents ' B.F.', ' J.J.B.' and myself, the outlook would be more clearly defined.

Our opportunity has arrived, if we have but the will and the courage to use it. We are strong enough to rid ourselves for ever of English domination if we strike at the proper moment. If we wait till the war is over the task of crushing a hostile armed force will be an easy one for the English.'

[142] Liam Ó Briain i *Labour News*, 8 Bealtaine, 1937.

[143] Tugann an Brianach, *loc. cit.* agus Lynch, *op. cit.*, l. 59 araon ' arrest ' ar an mbealach ar imigh an Conghaileach as radharc.

[144] É. de hÓir chugamsa, 2 Meán Fómhair, 1962.

> ais chun labhairt leis an gConghaileach. D'fhill siad agus shocraigh siad labhairt leis an gConghaileach . . . rinne Seán Mac Diarmada na socruithe agus chuir sé Proinsias Ó Dálaigh, a bhí ag obair go lánaimsireach ar lón cogaidh don Chomhairle Mhíleata, agus E. T. de hÓir, mac léinn leighis—leis an Dálach (chun iarraidh ar an gConghaileach teacht chuig cruinniú). . . . Ní rabhamar armáilte.

Ní raibh aon cheist ann mar sin faoi ' ghabháil ' an Chonghailigh. Iarradh air teacht chuig cruinniú. Tháinig. Lean an cruinniú ar feadh cúpla lá ach ní féidir a rá go raibh an Conghaileach ina phríosúnach ag an am.

Is é an míniú is féidir a bhaint as na doiciméid seo ná (a) go raibh tuiscint éigin idir an Conghaileach agus an Chomhairle Mhíleata nó ní bhainfeadh sé úsáid as focail ar nós 'leis féin' agus 'faoina threoir féin ' ag tagairt dó d'ionsaí Arm na Saoránach ' taobh istigh de sheachtain ' ; (b) go raibh an tuiscint seo faoi theannas éigin nó go raibh an Conghaileach páirteach sna pleananna don Éirí Amach a bhí beartaithe do Mheán Fómhair, 1915, go raibh sé buartha faoin teip sin agus anois ó bhí eolas éigin aige faoi na scéimeanna nua bhí sé ar bís go ligfidís a rún leis go hiomlán; (c) go raibh baill den Bhráithreachas imníoch faoina chuid ráscántachta agus eagla orthu faoi thoradh air i measc na nÓglach; (d) dá bharr sin agus de bhrí go raibh a gcuid pleananna aibidh go leor, thionól siad comhdháil agus ligeadh isteach é sa rún ina iomláine. Is amhlaidh a chuaigh sé faoi mhion nan Bhráithreachais agus tugadh isteach ar an gComhairle Mhíleata é.[145]

Thaispeáin sé a shásamh leis an toradh seo i ' Notes on the Front ' san *Workers' Republic*, 29 Eanáir, 1916:

> Beidh ár gcuid nótaí gearr an tseachtain seo. Tá an cheist soiléir agus rinne muid ár gcion chun í a shoiléiriú. Ní chuirfeadh aon rud a déarfadh muid anois leis na hargóintí a chuireamar os comhair ár léitheoirí le cúpla mí; ná ní luífimid ró-throm ar an scéal.
>
> I nglacadh go sollúnta lenár ndualgas agus leis an mórfhreagracht a ghabhann leis, chuir muid an síol le súil agus le dóchas go n-aibeodh sé agus go dtiocfadh bláth an ghnímh air sula mbeadh muid mórán níos sine.

---

[145] Lynch, *The I.R.B. and the 1916 Insurrection*, l. 48.

Tá muid réidh le haghaidh nóiméid agus le haghaidh uair an aibithe sin, le haghaidh an lae thorthúil bheannaithe sin, thar lá ar bith.

An mbeidh tusa réidh ?

agus a dhaingne in eagarfhocal a raibh macalla Emmet ann:

Aithníonn muid go bhfuil saoirse náisiúnta iomlán riachtanach chun forbairt iomlán a dhéanamh ar neart an náisiúin agus tá muid réidh go hoscailte agus go hiomlán le haghaidh na coimhlinte a mbeidh gá léi chun a hionad i measc náisiúin an Domhain a ghnóthú d'Éirinn.

An 5 Feabhra, 1916,[146] thug Cathal Ó Seanain, a Thuairisceoir Tuaisceartach agus a chomchomhalta anois sa Bhráithreachas, léirmheas sínithe ar bhailiúchán gearrscéalta leis an bPiarsach. Thrácht sé ar fheabhas an Phiarsaigh sa litríocht agus a dhúthracht sa pholaitíocht:

Is máistir é ar cheann acu. Aspal é don cheann eile. Agus mar sin féin—mar sin féin—dá airde ár meas ar a chuid scríbhneoireachta, nach mar dhuine d'Aspail na Réabhlóide, Éirí Amach Ionchollaithe, is mó atá cion againn air agus gá againn leis, inniu.

Tá fógra d'óráid an Phiarsaigh ar son Chiste Trealaimh na nÓglach ann, 6 Feabhra, 1916, agus feictear ansin, freisin, gur ionann ar fad aidhm an Phiarsaigh agus an Chonghailigh. Úsáideann an Conghaileach téama Mhic Dara[147] i ' Notes on the Front ':

Ach tá mothú an truaillithe a rinneadh ar a muintir imithe go domhain i gcroí na hÉireann—chomh domhain agus chomh náireach sin nach bhféadfadh aon rud níos lú ná tuile dhearg an chogaidh a meas orthu féin a thabhairt ar ais do mhuintir na hÉireann nó a gradam náisiúnta a bhuanú. Aithníonn muid go humhal, gan aon easurraim, go bhféadfaí a rá fúinne mar a dúradh ar Chalvaire faoin gcine daonna uilig, ' Níl aon tslánú ann gan doirteadh fola.'

Agus amhail is nach raibh daoine corraithe go leor ghríosaigh na hÚdarais arís iad chun feirge, agus an uair seo chun gnímh.

---

[146] *The Workers' Republic*, 5 Feabhra, 1916.

[147] ' Old men, you did not do your work well enough. One man can free a people as one man redeemed the world. I will take no pike. I will go into the battle with bare hands. I will stand up before the Gall as Christ hung naked before men on the tree ' (Ls. de *The Singer* i Lss. an Phiarsaigh LNE 7389).

Gabhadh T. Mac Suibhne agus T. Ceannt sa deisceart[148] agus i nGlaschú gabhadh Robinson, an comhalta den Bhráithreachas a bhí i gceannas na nÓglach ann agus Reader as Fianna Ghlaschú maraon leis.[149] Ag cruinniú earcaíochta i nGaillimh dúirt an Tiarna Wimborne ' Ireland has done well but it will have to do better ' rud ar ghlac an *Hibernian*[150] ar a laghad leis mar bhagairt coinscríbh. Thug an *Hibernian*[151] tomhas a láimhe dó trí thosú ar ' Ireland's Roll of Honour ' de na daoine a fuair bás nó a gortaíodh (e.g., mar thoradh ar na gunnaí a thabhairt i dtír i mBinn Éadair), a gabhadh nó a díbríodh faoi DORA, éacht foghach iriseoireachta ar annamh a déantar tagairt dó.

An 22 Eanáir, 1916, rinneadh sciuird póilíní ar theach na Cuntaoise Markievicz. Tá cuntas faoi i *Nationality*, 24 Eanáir, 1916. Bhí de thoradh air go ndearna na hÓglaigh slógadh sciobtha láithreach, ar fhaitíos go ndéanfadh na hUdaráis níos mó ionsuithe. Séard a dúirt an *Workers' Republic* faoi seo ná

> Rinne Óglaigh na hÉireann slógadh chomh luath agus a tugadh an focal dóibh agus tuigeann muid gurbh é an slógadh sciobtha ab fhearr a rinne siad fós é.
>
> Agus tá sé sin tábhachtach. Nach bhfuil ? (29 Eanáir, 1916).

An 5 Feabhra, 1916, scríobh Séamas Mac Gabhann faoi dhíoltas agus cogadh. Rinneadh tagairt do phaimfléad Ruairí Mhic Easmainn—*Ireland, England and the Freedom of the Seas*—tagairt bháúil; d'fhill an Conghaileach ar théama na híobairte le

> Thogh cinniúint, nach raibh baint againn lena múnlú, an ghlúin seo d'ardghníomh na féiníobairte—chun bás a fháil más gá, le go mairfidh ár gcine saor.
>
> Arbh fhiú muid ár dtoghadh ? Ní féidir an cheist sin a fhreagairt ach trínár bhfreagra ar an nglaoch.

agus thug sé an freagra seo a leanas ar chomhfhreagraí: ' san áit nach bhfuil complacht d'Arm na Saoránach cheana téigh isteach in Óglaigh na hÉireann.' B'fhada ó aighneas 1914 a bhí Halla na Saoirse tagtha.

---

148 *Nationality*, 29 Eanáir, 1916.
149 *Nationality*, 12 Feabhra, 1916.
150 *The Hibernian*, 12 Feabhra, 1916.
151 *ibid.*

Thart ar 5 Fheabhra, 1916,[152] fuair Clan-na-Gael teachtaireacht ón gComhairle Mhíleata ag iarraidh orthu teagmháil a dhéanamh le hOifig na Gearmáine agus a rá leo go raibh Éirí Amach beartaithe do Dhomhnach Cásca, 23 Aibreán, 1916, agus ag iarraidh orthu long arm a sheoladh ón nGearmáin. Cúpla lá ina dhiaidh sin tháinig Philomena, deirfiúr an Phluincéadaigh le tuilleadh eolais agus na códanna don fhreagra a bheadh á sheoladh ar ais go hÉirinn. Gan mhoill sheol Direachtóireacht Réabhlóide Chlanna-Gael a n-achainí chuig Bernstorff agus lean siad é seo le meamram fada, 16 Feabhra, 1916.[153] Tháinig comhaontú ón nGearmáin, ' naoi lá tar éis an teachtaireacht ó Éirinn iad a shroichint.'[154]

Rinne Mac Néill iarracht eile ar shíocháin a instealladh san atmasféar seo agus polasaí cosanta in ionad polasaí ionsaithe a chur ar aghaidh. Tar éis chomhdháil Eanáir, dúirt an Piarsach le Mac Néill ' go raibh sé cinnte go dtabharfadh sé féin ar an gConghaileach a phlean (do réabhlóid gan mhoill) a chaitheamh as a cheann '[155] agus ina dhiaidh sin arís dúirt sé le Mac Néill ' gur éirigh leis (an Piarsach) leis an gConghaileach '[156]—rud a bhí déanta aige, ar ndóigh mar a chonaiceamar thuas, nuair a tugadh an Conghaileach isteach ar an gComhairle Mhíleata ag an gcruinniú a thosaigh an 19 Eanáir, 1916.[157] Ní nach ionadh, níor tugadh an mioneolas do Mhac Néill. Bhí Hobson, an Connallach agus an Giobúnach fós ag iarraidh ar Mhac Néill ráiteas soiléir polasaí a cheanglódh iad[158] a leagan amach. Ba leisc le Mac Néill ' easpa muiníne a thaispeáint '[159] ach cé go bhfuair sé dearbhú nach raibh ' aon phlean d'éirí amach . . . glactha '[160] ní raibh sé sásta leis seo agus i lár mí Feabhra[161] sheol sé ' meamram fada chuig an bPiarsach ag plé polasaí ghinearálta agus ar cur béime ar an

---

[152] Devoy, *Recollections*, ll. 458-9.
[153] Spindler, *The Mystery of the Casement Ship*, ll. 248-250.
[154] Devoy, *op. cit.*, l. 461.
[155] Ráiteas Mhic Néill i 1917. Lss. Hobson LNE 13174 (14).
[156] Mac Néill, *loc. cit.*
[157] Féach l. 141 thuas.
[158] Mac Néill i 1917 Lss. Hobson LNE 13174 (14).
[159] *ibid.*
[160] *ibid.*
[161] Hobson i ndréacht do chaibidil **xx** dá Stair (nár foilsíodh). Lss. Hobson LNE 12179, ll. 160-162.

gcontúirt a bhain le foirmlí réamhcheaptha a bheith á dtreorú.'[162] Cé gur seoladh an meamram seo chuig an bPiarsach go pearsanta léigh sé é ag an gcéad chruinniú eile den Choiste Feidhmeannais ach ' ní raibh aon díospóireacht ann.'[163] Mheas an Conallach ' gur dhíospóireacht an rud deiridh a theastaigh ó chuid den Choiste Feidhmeannais.'[164] Bhí na measarthachtaithe ag tathaint ar Mhac Néill cruinniú eile a thionól agus tionóladh é i dteach Mhic Néill. Bhí meamram fada ullmhaithe ag Mac Néill don ócáid[165] ach cé gur mhair an cruinniú ar feadh an lae go léir níor léigh Mac Néill an meamram[166] ar chor ar bith ach chuir sé i dtaisce i dtarraiceán é le linn an chruinnithe.[167] Níorbh é an meamram sin ' a bhí ina ábhar díospóireachta ag an gcruinniú 'mar a dúirt an tAth. F. X. Martin.[168] Mar a dúirt Hobson, ' Bhí go leor deáthréithe i Mac Néill ach ní thabharfadh sé aghaidh ar raic agus ba mhór an deacracht é seo dá chompánaigh ' (.i. na measarthachtaithe).[169] Mar sin cé go ndúirt Hobson go bhfuarthas a thuilleadh geallta ag an gcruinniú nach raibh éirí amach beartaithe[170] d'fhág sé an cruinniú ' agus tuairim aige nár fuasclaíodh an fhadhb, agus go rabhamar díreach mar a bhíomar roimhe sin.'[171] Bhí na measarthachtaithe, nó mar a thug Hobson orthu—iadsan a bhí ' i bhfabhar polasaí mar a bhí ag Fabius '[172] ag impí ar Mhac Néill comhdháil speisialta a thionól.[173] Theip orthu san iarracht agus dúirt Hobson gurbh é seo an dara rud a chuidigh le ' fadhb an

---

[162] Mac Néill i 1917, *loc. cit.*

[163] An Conallach i ndréacht do chaibidil xiv dá Stair (nár foilsíodh). Lss. Hobson LNE 13168. Féach leis Hobson, *loc. cit.*

[164] An Conallach, *loc. cit.*

[165] Lss. Hobson LNE 13174 (15). Cuireadh an meamram seo i gcló i *IHS*, iml. xii, uimh. 47.

[166] Ní thagraíonn Mac Néill don chruinniú seo ina ráiteas i 1917 atá i Lss. Hobson LNE agus a cuireadh i gcló i *IHS*, *loc. cit.*

[167] Hobson chugamsa, 12 Eanáir, 1964.

[168] *IHS*, iml. xii, uimh. 47, l. 230.

[169] Litir chugamsa, 12 Eanáir, 1964.

[170] Litir ó Hobson chuig an Ath. F. X. Martin, O.S.A., 17 Márta, 1960 luaite i *IHS*, iml. xii, uimh. 47, l. 230.

[171] *ibid.*

[172] Hobson i ndréacht (nár foilsíodh) chaibidil xx dá Stair. Lss. Hobson LNE 12179, l. 159.

[173] Hobson i ndréacht (nár foilsíodh) chaibidil xx dá Stair. Lss. Hobson LNE 12179, l. 161.

cheannais ' a ghéarú[174]—ba é an chéad rud gur ' theip orthu Ginger (Ó Conaill)a bheith acu mar Cheann Foirne '[175] in ionad Mhic Néill. Ba é an fáth a thug Mac Néill le gan comhdháil speisialta a thionól ná ' ní dhéanfadh sé ach aighneas a chothú i measc na saighdiúirí '[176] agus b'fhíor dó is dócha. Sa mheamram nár bhain sé úsáid as i mí Feabhra ba shoiléir go raibh fhios aige faoi na fadhbanna a bhain le cloí le polasaí cosanta in ionad polasaí ionsaithe:

> Sa chéad áit, chaithfimid a dhearbhú dúinn féin . . . más féidir linn ár gcearta a bhaint amach trí bheith réidh le troid ar a son ach gan troid a dhéanamh, gurb é ar ndualgas é sin a dhéanamh agus nach mbeidh náire orainn faoi. Tá a fhios agam go bhfuil sé deacair é seo a chur ina luí ar na fir atá eagraithe mar fhórsa míleata, faoi airm mhíleata agus iad traenáilte i gcleachtaí míleata. B'fhéidir nach dtuigfidís é agus go gceapfaidís gur cur i gcéill a bhí ina gcáilíochtaí míleata in intinn a dtreoraithe. . . . Ach caithfear cuimhneamh, más fórsa míleata iad Óglaigh na hÉireann nach fórsa míleatach iad agus gurb é a gcuspóir cearta agus saoirse na hÉireann a bhaint amach agus gurb shin é an méid.[177]

Bhí sé ag brath mar sin ar chumhacht na n-argóintí le foireann na ceannchearthrún. Is soiléir ón meamram nár aontaigh sé le tuairimí an Chonghailigh agus an Phiarsaigh. Dúirt sé nach raibh an tír ná na hÓglaigh ullamh chun réabhlóide agus

> Is mian liom, mar sin, go dtuigfear go bhfuil mé go láidir in aghaidh aon mholadh a dhéanfaí éirí amach a chur ar bun agus an scéal mar atá sé . . . cuirfidh mé in aghaidh aon mholadh mar sin le mo neart uile go gníomhach, ní go fulangach. Ní ghéillfidh mé ná ní éireoidh mé as oifig ná ní sheachnóidh mé trioblóid agus mé ag cur ina aghaidh.[178]

---

[174] Hobson i nótaí do chaibidil xxv dá Stair. Lss. Hobson LNE 12179, l. 327.

[175] *ibid.*

[176] Hobson i ndréacht (nár foilsíodh) de chaibidil xx dá Stair. Lss. Hobson LNE 12179, l. 162.

[177] Lss. Hobson LNE 13174 (15).

[178] *ibid.* Is suimiúil an tagairt a rinne sé do ' I will not give way or resign ' óir bhí daoine ag súil go n-éireodh sé as oifig nuair a thiocfadh an cath.

——→

Ach mar a dúirt mé níor úsáid sé an meamram seo agus gan é a úsáid d'fhág sé na measarthachtaithe mísházta faoin a righne a bhí sé.

Mar a bhí an scéal, ba ' fhórsa míleatach ' é an Bráithreachas, bhí sé seanbheartaithe acu réabhlóid a eagrú, bhí a gcuid pleananna ag aibiú agus bhí comhaltaí acu sna poist ba thábhachtaí sna hÓglaigh. B'fhéidir gur de bharr iarrachtaí seo na measarthachtaithe a rinne siad níos mó fós chun a ngreim ar na hÓglaigh a dhaingniú. An 8 Márta, 1916[179] glacadh le Mac Niocaill[180] agus S. Mag Fhloinn[181] mar Chaptaen agus Leaschaptaen na nInealtóirí sa 4ú Cathlán i mBaile Átha Cliath. Chuathas níos faide fós agus

> socraíodh dul chuig na hoifigigh uilig nach raibh sa Bhráithreachas cheana agus iarraidh orthu dul isteach san eagraíocht gan bacadh le gnáthbhealach iontrála na gciorcal. . . Is cosúil nár chuir oifigigh an Bhráithreachais ina aghaidh nuair a socraíodh gurbh iad Oifigigh na nÓglach a tháinig isteach ar bhealach mí-rialta a bheadh ina nOifigigh Airm nuair a tharlódh an tÉirí Amach dá dtarlódh sé. . . . I ngach ceantar Cathláin, cuireadh ár gcuid fear . . . in aithne do na hoifigigh (nua)[182]

---

179 Lss. An Chonchúraigh LNE 9510.

180 Liosta E.M.G.H. Liosta E.D.

181 Liosta E.M.G.H.

182 E. T. de hÓir chugamsa, 2 Meán Fómhair, 1962. Ní raibh an Suibhneach ná Brennan-Whitmore riamh sa Bhráithreachas. Is dócha nár iarradh riamh orthu de bhrí go raibh sé amuigh orthu nár aontaigh siad le cumainn rúnda, rud a nocht an Suibhneach i 1905 do Alice Milligan (Lss. Milligan LNE 1649) agus rud a dhein Brennan-Whitmore soiléir ' in the early formative years of the I.V.' (Litir chugamsa, 30 Deireadh Fómhair, 1962) nuair nach raibh a fhios aige fiú go raibh an Bráithreachas fós ann. Dá ainneoin sin bhí iontaoibh ag an Bhráithreachas astu araon—ba mhinic an Suibhneach ag scríobh d' *Irish Freedom* agus bhí Brennan-Whitmore ar

---

Féach mar a scríobh Séamas Ó Maoileóin faoi óráid Mhic Néill ag Loch Goir in oirthear Luimní: ' Dúirt sé go raibh sé féin ró-aosta le bheith ina cheannfort ar arm agus nach raibh sé oilte a dhóthain ar shaighdiúireacht nuair a thiocfaidh an gleo ' ar seisean, ' beidh ormsa éirí as agus slí a dhéanamh do shaighdiúir.' .. (*B'fhiú an Braon Fola*, l. 34).

Bhí níos mó arm ar fáil leis; de réir uimhreacha na bpóilíní bhí 69 raidhfil, 259 gunna gráin agus 138 gunnán níos mó ag na hÓglaigh, 29 Feabhra, 1916, ná mar a bhí acu, 31 Nollaig, 1915.[183] Arís ní fios dúinn cé as a bhfuair siad iad. B'fhéidir go raibh a thuilleadh smugláła ar siúl. Mar a deir Nathan[184] níl 'goid raidhfilí ón arm—rud a ndearnadh go leor de, de réir dealraimh' áirmhithe acu sna huimhreacha seo. Tagraíonn sé leis do ghoid armlóin a bhí faoi bhealach, d'armlón a dhéanamh de mhion-raidhfilí agus do cheannach raidhfilí ó shaighdiúirí 'a bhí ag teacht go hÉirinn ar saoire.' Agus, 31 Márta, 1916,[185] de réir na bpóilíní, bhí 68 raidhfil, 332 gunna gráin agus 78 gunnán agus piostal sa bhreis ag na hÓglaigh ar an méid a bhí acu i mí Feabhra.

Idir an dá linn bhí téama na réabhlóide ag teacht ó Shéamas Ó Conghaile fós agus scríobh sé san *Workers' Republic*, 19 Feabhra, 1916, go raibh muintir na hÉireann réidh chun troda arís cé gur buadh orthu míle uair; go raibh siad ag cur fáilte roimh eachtra mhór na haoise.[186]

San uimhir chéanna[187] tá argóint i gcoinne dhearcadh Hobson agus na measarthachtaithe ag S. S. de Búrca, Óglach a bhí ina scríbhneoir rialta don *Workers' Republic*:

> An bhfanfaimid go dtí deireadh an chogaidh nó an mbéarfaimid ar an bhfaill a chuir na flaithis chugainn ANOIS? Tháinig na smaointe seo isteach i mo cheann agus mé ag cuimhneamh ar fhocail Náisiúnaí chlúitigh. Seo iad na focail: 'Tá faitíos ar Impireacht na Breataine muid a chur faoi chois faoi láthair—leanfaimid orainn ag druileáil agus éileoidh muid ár saoirse nuair a bheidh deireadh leis an gcogadh. . . .' Ní theastaíonn ó Rialtas na Breataine aon trioblóid é bheith in Éirinn *anois*. An ndéanfadih sibh

---

fhoireann an Phluincéadaigh.

[183] *Royal Commission Enquiry-Evidence*, l. 124.

[184] *Royal Commission of Enquiry-Evidence*, l. 4.

[185] *op. cit.*, l. 124.

[186] 'The Irish race rises responsive to the call of battle, the beat of the drums seems to set its blood tingling through its veins, to feel its feet once more set upon adventurous paths. A thousand times defeated the Irish race once more pants to challenge its destiny.

And this is the spirit in which we hear the call to the Great Adventure of our generation.'

[187] *The Workers' Republic*, 19 Feabhra, 1916.

rud ar Sheán Buí, búistéir bhur sagart agus bhur muintir, trí fhanacht socair go dtí go mbeidh sé i riocht deireadh a chur libh ? Cabhraigh le hÉirinn a fiacha a íoc le Sasana—chun cuntais '98 agus cuntais na mban agus na bpáistí a choscair Sasana, a ghlanadh. Anois—nó ní dhéanfar go deo é !

An ndéanfaidh tusa rud ar bith ar son na hÉireann?

Tá sé chomh maith a thabhairt faoi deara ag an bpointe seo gurbh fhíor-annamh aon rud chomh réabhlóideach ná chomh corraitheach leis seo ar an *Irish Volunteer* faoi stiúir Hobson agus Mhic Néill ach amháin nuair a bhí an-teannas ann. Is furasta mar sin tábhacht an chuntais seo ar óráid de chuid an Phiarsaigh a fheiceáil. Dúirt an Piarsach:

> Níor cheart dó a rá go mb'fhéidir go bhfaighidís gairm chun slógaidh go luath. Ba mheasa a rá nach bhfaighidís gairm chun slógaidh go deo. Smaoinigh siad ón gcéad lá go bhféadfadh sé go mbeadh orthu troid.[188]

Ní fios an raibh an Chomhairle Mhíleata ag gríosú an Chonghailigh lena ndearcadh agus a bpolasaí a chraobhscaoileadh ach níl fianaise dá laghad ann gur chuir siad ina aghaidh. D'inis sé dá chomhfhreagraí sa Tuaisceart, a bhí sa Bhráithreachas, go raibh dáta socraithe don éirí amach[189] agus d'fhill seisean ar théama na ' hEachtra Móire ' san *Workers' Republic*, 20 Feabhra, 1916, nuair a dúirt sé ' tá fir agus mná óga anseo agus iad ag tnúth le hEachtra Mhór. Agus tá súil acu í a fháil.'

An 26 Feabhra, agus an 4 Márta, 1916 tagraíonn an *Workers' Republic* do chúis Mhic Amhlaidh i dTrá Lí. Scríobhadh leathanach faoi san *Hibernian*, 11 Márta, 1916, agus d'eagraigh an A.O.H. (I.A.A.) tabhairt amach i dTrá Lí, an Piarsach mar óráidí, d'fhonn airgead a chosanta a bhailiú dó.[190]

An 27 Feabhra, 1916, labhair an Conghaileach leis na hÓglaigh i mBéal Feirste[191] agus an 1 Márta, 1916, ba é an Piarsach an

---

[188] *Irish Volunteer*, 19 Lúnasa, 1916. Ba ar an 6 Feabhra, 1916 a tugadh an óráid seo. Féach an léirmheas a rinne an Loinseach uirthi i *The I.R.B. and the 1916 Insurrection*, ll. 221-222.

[189] Cathal Ó Seanain, *An tÓglach*, Cáisc, 1961.

[190] *The Workers' Republic*, 4 Márta, 1916.

[191] *ibid.*

príomhóráidí ag comóradh Emmet sa chathair chéanna. Dúirt Cathal Ó Seanain faoi seo:

> Sholáthraigh na hÓglaigh gardaí armáilte. Tháinig aoibh an-mhaith ar an lucht éisteachta go luath san oíche nuair a chúlaigh póilín faoi dheifir roimh thaobh an ghnó de bheaignit.
>
> Chorraigh óráid an Phiarsaigh an croí ina lucht éisteachta agus b'fhiú an fear agus an ócáid í. . . . Ba léir gur dhuine de mhór-Mháistrí na linne é ón mbealach ar cheangail sé Tone agus Tomás Dáibhis agus Fiontán Ó Leathlobhair agus an Mistéalach le chéile mar aithreacha nua-Náisiúnachais na hÉireann agus ón mbealach daonlathach, náisiúnta ar chraobhscaoil sé soiscéal na bhfear sin. . . .
>
> Chomhlánaigh óráid an Phiarsaigh óráid an Cheannfoirt Uí Chonghaile, nó mar a dúradh cheana, chomhlánaigh a cheannsan ceann an Phiarsaigh.[192]

An 11 Márta, 1916, rinne an Conghaileach mionscrúdú ar na cúiseanna gur theip ar 1798, 1848 agus 1867 agus dúirt sé:

> Is é 4 Márta an dáta ar a gcomórtar iarracht chróga Roibeard Emmet in Éirinn, is é 6 Márta cothrom lae éirí amach na bhFíníní in 1867.
>
> An mbeidh aon tábhacht náisiúnta le Márta, 1916, do mhuintir na hÉireann ?
>
> An mbeidh ár gclann ag comóradh iarrachta, ag ceiliúradh bua nó ag caoineadh deis nár tógadh ?
>
> Cá bhfios dúinn anois ?

An 18 Márta, 1916, d'iarr sé ' Aontas Fórsaí ' i ' Notes on the Front ':

> Tá muid ag an gcrosbhealach. Tá fórsaí uile an smachta polaitíochta agus sóisialta tagtha le chéile chun ár ndaoirse a bhuanú. Nach n-aontóidh na fórsaí uile atá ag tnúth le saoirse shóisialta agus pholaitíochta chun deireadh chur lenár ndaoirse ?

I léirmheas fada ar *Ghosts* leis an bPiarsach san uimhir chéanna léitear:

> Scrúdaíonn . . . an t-údar . . . seasmhacht phrionsabal an scarúnachais i bpolaitíocht na hÉireann síos go dtí an lá

[192] *The Workers' Republic*, 11 Márta, 1916.

inniu, agus ar a bhealach solabhartha féin, taispeánann sé gurbh iad na hócáidí a raibh an prionsabal sin in uachtar barr láin Náisiúntacht na hÉireann díreach mar ba í an ócáid nár tugadh aird ar an bprionsabal sin tréimhse an mheath mhorálta a bhfuil fonn ar fhir agus ar mhná na hÉireann a ligean i ndearmad.

Tá fáilte roimh an bpaimfléad seo a athmhúsclaíonn muid agus muid ag meath agus ba chóir é a scaipeadh ina mhílte.

Bhí alt fada corraitheach le Séamas Mac Gabhann san *Workers' Republic*, 18 Márta, 1916, faoin teideal ' Open Letter to the Young Men of Ireland ' inar lean sé cur síos ar Stair na hÉireann le himpí ar an lucht oibre. D'iarr sé cabhair orthu sa troid le deireadh a chur le cumhacht Shasana in Éirinn. Dúirt sé nach bhfaighidís féin saoirse shóisialta an fhad a bhí Éire ceangailte le Sasana ach go raibh idéal níos uaisle ann ar chóir dóibh troid ar a shon— díoltas a bhaint amach ar an seacht gcéad bliain éagóra a rinneadh ar an tír.[193]

An 17 Márta, 1916, bhí paráid agus léirbhreithniú ag na hÓglaigh i bhFaiche an Choláiste agus bhí na Ceannfoirt go léir ón gCeanncheathrú i láthair. Dúirt an Conallach faoi seo gurbh é an chéad uair é a raibh Mac Néill agus Hobson i láthair ag imeacht dá leithéid agus gur thrua nár tháinig siad chuig imeachtaí míleata roimhe sin mar gur thug sé an bharúil do na hÓglaigh nach raibh spéis acu ach i bpolaitíocht.[193a]

---

[193] ' We of the Separatist party in Ireland seek the severance of the English connection. Ireland united to England can never hope to solve a social system that will ensure the complete freedom to every Irish man and woman. Therefore it is in your interest, my friend, that you should assist us in overthrowing English power in Ireland.

But there are other and loftier reasons why we must achieve National Independence. There is the great tradition of love and hatred, love for Ireland and hatred for her enemies. There is the duty we owe to posterity to leave it to a nobler heritage than that which has fallen us. There is the inborn craving for vengeance for over seven centuries of insult and rapine and wrong. There is the glory of fighting for an ideal and the still greater glory of dying for its achievement.'

[193a] ' Mac Neill and Hobson both appeared at this review. This was the first time either had appeared at a purely military function. This habit of being absent from such had a bad effect: it tended to spread the feeling that they did not take the military side of the Volunteers in earnest and that

⟶

Le linn na paráide bhí Arm na Saoránach i Halla na Saoirse faoi arm réidh le cabhair a thabhairt do na hÓglaigh dá gcuireadh na hÚdaráis isteach orthu.[194]

Agus amhail is nach mbeadh an teannas teann go leor thug na hÚdaráis, a bhí ag lorg a thuilleadh fear chun déileáil le hÉirinn ag an am seo[195]—thug na póilíní sciuird faoi thithe roinnt de na hÓglaigh,[196] mar a dúirt an *Workers' Republic* go searbhasach 'ag lorg fomhuireáin, eitleáin agus airgead Gearmánach.'[197] Tharla griolsa idir na póilíní agus na hÓglaigh ar an Tulach Mhór.[198] Tugadh sciuird eile ina dhiaidh seo ar an gclólann, 24 Márta, 1916, a chuir an *Gael, Honesty* agus *Spark* i gcló agus rinneadh damáiste do na hinnill.[199] Mar gheall ar an sciuird seo, tháinig ball den D.M.P. isteach sa 'Workers' Co-operative Society' ag 31 Cé Eden le cóipeanna den *Gael* a ghabháil ach chuir an Conghaileach an ruaig air le gunnán.[200] Ar eagla nach raibh anseo ach tús gníomhaíochta ag na póilíní rinne Arm na Saoránach slógadh ar 150 comhalta go dtí Halla na Saoirse taobh istigh d'uair a chloig. Bhí na hÓglaigh corraithe freisin agus d'fhan siad faoi airm i mBaile Átha Cliath go dtí 2 a.m., 25 Márta, 1916.[201]

Bhí líon na nÓglach ag méadú go tapaidh faoin am seo[202] agus bhí siad 'ag súil ar feadh an ama go ndéanfaí iarracht an ghluais-

[194] *The Workers' Republic*, 1 Aibreán, 1916.

[195] *Royal Commission of Enquiry—Evidence*, l. 22.

[196] *op. cit.*, l. 58.

[197] *The Workers' Republic*, 25 Márta, 1916.

[198] *ibid.*

[199] *Royal Commissions of Enquiry—Report*, l. 5.

[200] *The Workers' Republic*, 1 Aibreán, 1916.

[201] *ibid.*

[202] Hobson i ndréacht de chaibidil xviii (nár foilsíodh) dá Stair 'for some weeks before the insurrection five or six news corps came into existence each week.' Lss. Hobson LNE 12179, l. 126.

they were merely acting the part of politicians. The new departure was welcomed by many who thought Mac Neill was not taking his due place at the head of affairs; the regrettable thing was that such a policy had not been adopted by him long before.' (Dréacht de chaibidl xiv dá stair (nár foilsíodh) Lss. Hobson LNE 13168). Cé nach bhfuil an ceart aige faoi Mhac Néill—bhí sé i láthair ag mustar na nÓglach ag Loch Goir i Luimneach i Meán Fómhair, 1915 (féach l. 117 thuas) agus ag smaoineamh gurbh é an Conallach a bhí le bheith ina Cheann Foirne in ionad Mhic Néill dá n-éireodh leis an bpairtí 'Fabian' (rud nár tharla, féach l. 147 thuas) is léargas tábhachtach é ar smaointe na measarthachtaithe ag an am sin.

eacht a chur faoi chois.'[203] Níor chabhraigh cuntas i bpáipéar nuachta amháin[204] faoi na sciuirdeanna ar 24 Márta leis an teannas a mhaolú:

> Bhí an t-oifigeach a bhí i gceannas gharastún Bhaile Átha Cliath réidh le go máirseálfadh cathlán saighdiúirí go dtí Halla na Saoirse, ach chuir an Rialtas an t-ordú sin ar ceal ag an nóiméad deiridh.

agus ba chíocrach mar a tharraing an *Workers' Republic* an cuntas seo chucu féin.[205] Ní raibh an cuntas gan bonn mar is léir ón méid a dúirt Price, an Stiúrthóir Faisnéise i gCaisleán Átha Cliath, leis an Royal Commission of Enquiry nuair a nocht sé gur mhol an Foleifteanant go ngabhfadh 100 saighdiúir agus 100 póilín Halla na Saoirse.[206]

Bhí Mac Néill corraithe ag na nithe seo freisin agus tháinig imní air faoi airm na nÓglach. Dúirt sé:

> Má bhaintear dínn iad le forneart, déanfaidh muid an troid is fearr is féidir linn. Ná bíodh aon dearmad ná míthuiscint ann faoi sin. Mar a dúirt mé an tseachtain seo caite, b'fhéidir go dtiocfar orainn gan fhios anois is arís, ach nuair nach dtiocfar aniar aduaidh orainn, cosnóidh muid ar gcuid arm lenár mbeo.[207]

Dúirt an Conghaileach faoin bparáid a bhí ag na hÓglaigh, 17 Márta:

> Ba chomharthaí iad uile go léir go bhfuil cúis na saoirse sa phointe is airde arís in Éirinn.
>
> Níl teipthe ar an gcúis . . . tá croí na hÉireann chomh glan agus a bhí riamh. . . .
>
> Éireoidh muid arís.[208]

agus anois bhí sé seo le rá aige faoin sciuird póilíní, 24 Márta, 1916:

> Shíl Rialtas na Breataine éacht a dhéanamh a mhillfeadh na Fórsaí Náisiúnta agus a chuirfeadh a gcuid

---

[203] Hobson i ndréacht de chaibidil xx (nár foilsíodh) dá Stair. Lss. Hobson LNE 12179, l. 163.

[204] *The Northern Whig*, 28 Márta, 1916.

[205] *The Workers' Republic*, 1 Aibreán, 1916.

[206] *Royal Commission of Enquiry—Evidence*, l. 59.

[207] *Irish Volunteer*, 1 Aibreán, 1916.

[208] *The Workers' Republic*, 25 Márta, 1916.

nuachtáin go léir faoi chois, ach ghníomhaigh siad gan tuiscint do thraenáil breá fhir armáilte na hÉireann.

Mar sin tá deireadh leis an gcéad Chaibidil. Cé a scríobhfas an chéad cheann eile?[209]

Thagair S. S. de Búrca do 'Óglaigh na hÉireann—ábhar dóchais d'Éirinn—i gcónaí' san *Hibernian*[210] agus bhí ceannfort na Hibernian Rifles níos láidre fós nuair a scríobh sé:

> Tá Dia sna Flaithis. . . Bí cinnte go dtiocfaidh A dhíoltas ar an tíoránach agus ar na tréatúirí in am tráth. Cá bhfíos nach anois féin an t-am sin? Tá clog na cinniúna tar éis bualadh—titfidh tíoránach amháin agus ansin beidh sé de cheart ag náisiún beag amháin ar a laghad anáil a tharraingt, maireachtáil agus é féin a fhorbairt! A Dhia! cén fhad! Cén fhad![211]

Agus amhail is gur theastaigh ó na hÚdaráis na gluaiseachtaí réabhlóideacha a dhéanamh níos lasánta fós, bhí siad le triúr comhalta den Bhráithreachas a bhí ina n-eagraithe ag na hÓglaigh—an Maolíosach, an Blaghdach, agus an Monachánach—a dhíbirt agus níor ceadaíodh don Chuntaois Markievicz dul isteach go Trá Lí.[212] Marach gur ghearán Páirtí an Rialtais Dúchais faoi seo ghabhfadh na póilíní a thuilleadh daoine.[213] Sa bhaile tionóladh cruinniú poiblí agóide, 6 Aibreán, 1916.[214]

Bhí an Chomhairle Mhíleata gníomhach ar feadh an ama agus

> Tugadh Ceannfoirt na gCathlán go Baile Átha Cliath tuairim is sé sheachtain roimh an Éirí Amach agus dúradh leo a bheith réidh le haghaidh slógadh agus inlíocht mhór a dhéanfaí faoi Cháisc.[215]

Is dócha gurbh í seo an ócáid ar cinntíodh na mionphleananna ar cuireadh cosc ar an Loinseach iad a dháileadh i mí Eanáir.[216] D'eisigh an Piarsach, mar Stiúrthóir Eagair, a chuid Orduithe

---

209 *The Workers' Republic*, 1 Aibreán, 1916.

210 *The Hibernian*, 1 Aibreán, 1916.

211 *ibid.*

212 *Irish Volunteer*, 1 Aibreán, 1916. *The Workers' Republic*, 1 Aibreán, 1916.

213 *Royal Commission of Enquiry—Evidence*, l. 5.

214 *Irish Volunteer*, 8 Aibreán, 1916.

215 E. T. de hÓir chugamsa, 2 Meán Fómhair, 1962.

216 Féach l. 139 thuas.

Ginearálta don inlíocht, an 3 Aibreán, 1916[217] agus thart ar 1 Aibreán, 1916, bhí Seán Mac Diarmada ag eagrú scrúdú ar an gcóras teileafóin, d'fonn é a bhriseadh nuair a bheadh gá leis.[218]

Mheas Hobson go raibh na deacrachtaí á n-úsáid ag lucht na Ceanncheathrún le horduithe a eisiúint agus le ' gníomhú ar bhealach a léirigh go raibh siad ag réiteach le haghaidh éirí amach.'[219] D'iarr sé cruinniú speisialta d'fhoireann na Ceanncheathrún agus tháinig an cruinniú sin le chéile i dteach Mhic Néill,[220] 5 Aibreán, 1916.[221]

Mhol Hobson ag an gcruinniú seo:

> Nach n-eiseoidh aon duine den fhoireann ordú ar bith nár bhain le gnáthmhionchúrsaí an lae, mura bhfuil sé sínithe ag Mac Néill mar Cheann Foirne.[222]

D'aontaigh gach aonduine a bhí i láthair leis seo—ní raibh ach an Pluincéadach as láthair agus bhí seisean breoite san ospidéal ag an am.[223] Mheas na measarthachtaithe—Hobson, an Giobúnach, an Rathghailleach, an Conchúrach agus an Conallach—go raibh ' fadhb an cheannais ' réitithe acu faoi dheireadh leis seo.[224] Ach b'fhurasta do na réabhlóidithe aontú leo sa mhéid seo mar bhí a gcuid socruithe aibidh go leor agus na horduithe d'inlíocht na Cásca eisithe cheana féin trí na hÓglaigh agus tríd an Bhráithreachas. Ach ainneoin go raibh an dá dhream sásta, bhí an fhadhb ann fós agus bhí sí go mór ina constaic arís le linn na Seachtaine Móire.

Bhí imeachtaí na nÚdarás ag cuir leis an teannas fós agus bhí na hÓglaigh leagtha amach ar a neart a thaispeáint in aghaidh bhagairtí na bpóilíní, go dtí go gcuirfidís deireadh leo. Níos luaithe ná seo, mar bharr ar bhabhta eile gabhála ag na póilíní, d'eisigh

---

217 *Irish Volunteer*, 8 Aibreán, 1916.

218 Lynch, *The I.R.B. and the 1916 Insurrection*, ll. 31, 78.

219 Hobson i ndréacht de chaibidil xx (nar foilsíodh) dá Stair. Lss. Hobson LNE 12179, l. 163.

220 Hobson, *op. cit.*, l. 164.

221 Tá an dáta i Lss. Hobson LNE 13174 (17). Tá ' Papers in Eoin's handwriting recd. fr. his solicitor ' mar theideal ag Hobson orthu. Bhí triail Mhic Néill ann i mí Bealtaine, 1916.

222 Hobson i ndréacht de chaibidil xx dá Stair. Lss. Hobson LNE 12179, l. 164.

223 Hobson, *op. cit.*, l. 165.

224 *ibid.*

Comhairle Ghinearálta na nÓglach forógra, 16 Eanáir, 1916, agus dúirt siad:

> Sáraíonn an gníomh seo bunchearta mhuintir na hÉireann agus ní ghéillfidh Óglaigh na hÉireann dó.[225]

Rinne Mac Néill óráid dhaingean dhúshlánach ag an gcruinniú agóide, 6 Aibreán, 1916. Seo cuntas air ón *Irish Volunteer*, 8 Aibreán, 1916:

> Má theastaigh ón Rialtas Óglaigh na hÉireann a chur faoi chois, bhí bealach amháin a bhféadfaidís é a dhéanamh. Cuiridís amach a gcuid saighdiúirí ina n-aghaidh (gárthaíl fhada os ard). ' Tugaidís amach fórsaí na Coróinach inár n-aghaidh agus troidfidh muid iad (gárthaíl). Cibé acu an mbeidh muid cothrom leo, nó an mbeidh duine againn in aghaidh beirte, no cúigear nó fiche nó daichead duine acu, tagaidís inár n-aghaidh agus ní sheachnóidh muid iad (bualadh bos). Agus go dtí go dtabharfaidh siad a gcuid fórsaí amach inár n-aghaidh leanfaidh muid lenár gcuid ullmhuithe mar a rinne muid go dtí seo ' (bualadh bos).

Bhí cuntas ar an óráid seo san *Hibernian*, 8 Aibreán, 1916, freisin agus bhí dhá leathanach den uimhir sin tógtha suas leis na horduithe díbeartha.

Ag Halla na Saoirse tugadh comhartha eile ar chomhaidhm nuair a socraíodh go n-ardófaí an Bhratach Ghlas os cionn an fhoirgnimh agus dúirt an Conghaileach faoi seo:

> Is í cúis na hÉireann cúis an Lucht Oibre, is í cúis an Lucht Oibre cúis na hÉireann. Ní féidir iad a scaradh óna chéile. Teastaíonn saoirse ó Éirinn. Teastaíonn ón Lucht Oibre go mbeadh Éire ina máistreás ar a cinniúint féin. . . .
>
> Ó tá sé ar intinn againn go gcomhlíonfadh an náisiún dualgas chomh hard agus chomh beannaithe sin, nach cóir agus nach ceart dúinne, an lucht oibre, troid ar son saoirse an náisiúin ó rialtas eachtrannach, an chéad rud atá riachtanach le go ndéanfaí forbairt gan bhac ar na cumhachtaí náisiúnta a bhfuil gá ag ár n-aicme leo.[226]

Tá ' Love Song to Freedom ' aige san uimhir chéanna, a thugann ' Fornocht Do Chonac Thú ' an Phiarsaigh chun cuimhne go minic, go háirithe an chuid deiridh de:

---

[225] Cóip i lámhscríbhinn Hobson i Lss. Hobson LNE 12179, l. 135.

[226] *The Workers' Republic*, 8 Aibreán, 1916.

Yes Freedom, I love you, my soul thou hast fired
With the flame that redeems from the day,
Thou hast given to me as to Moses inspired
A glimpse of the land bright as day,
Whither Labour must journey, though each foot
  of the road
Sweated blood from the graves of our best
Where, built upon Justice and Truth, the abode
Thou preparest awaits the oppressed.

Tá léirmheas san uimhir seo leis, ag Sheehy-Skeffington, ar dhráma leis an gConghaileach 'Under Which Flag' a léiríodh, 26 Márta, 1916, agus mothaítear uaidh go raibh Mac Dara[227] ag siúl arís i Réabhlóid na hÉireann ag an am:

> Tá fíorspiorad an tírghrá ann; agus faoi láthair, ní fhéadfaí ceacht níos fearr a mhúineadh d'óigfhir na hÉireann ná an ceacht atá ann. Dráma é faoi shaol na tuaithe in Éirinn in aimsir Éirí Amach na bhFíníní. . . . Is iad bratacha an teidil ar ndóigh, bratach na hÉireann agus bratach na hImpireachta. Deir an Dónallach, mac feirmeora, sa Chéad Ghníomh go bhfuil sé chun dul isteach in Arm Shasana, ach ag deireadh an tríú gnímh, tar éis dá chuid tuismitheoirí, a leannán agus an sean-náisiúnaí dall, Brian Mac Mathúna, an bóthar ceart a thaispeáint dó, téann sé isteach i bhfórsa troda Bhráithreachas Phoblacht na hÉireann ina ionad.

Agus amhail is gur chun béim a chur ar an gcomhaidhm é, bhí léirmheas ann ag 'D.R.' (Deasún Ó Riain, is dócha) ar *The Separatist Idea* leis an bPiarsach. Mhol sé an sainmhíniú a thug an Piarsach ar an náisiúnachas agus an cuntas a thug sé ar náisiúnachas Tone. Dúirt sé gurbh annamh a scríobhadh píosa Litríochta Náisiúnta chomh fiúntach leis.[228]

---

[227] Léiríodh dráma leis an bPiarsach faoi ré na bhFíníní ag deireadh mí Feabhra (*The Workers' Republic*, 26 Feabhra, 1916).

[228] 'Mr. P. H. Pearse . . . has gone back on our definitions for us. He seeks for a truthful definition of nationality with an eloquent and sincerity peculiarly his own. In a brilliant and searching study of Tone's political and democratic ideas he traces the growth of the Irish conception of freedom as it developed in that apostle of Irish Revolution. . . . Seldom has such a contribution to Nationalist Literature united such profound thought, ringing eloquence and the truth which is in those who serve nations and causes rising from the dust.'

Ní raibh deireadh cloiste ó na hÚdaráis fós. Ghabh siad Óglach as Lios Tuathail[229] agus chuir siad cosc ar chomhalta eile den Bhráithreachas a bhí ina Oifigeach sna hÓglaigh—Cotton—dul isteach i gContae Chiarraí.[230] Dúirt Príomh-Choimisinéir na bPóilíní i dtuairisc ' Ceapaim gur chóir dianbhearta a chuir ina suí chun teorainn a chur lena gcuid ghníomhaíochtaí '[231] agus bhí an Príomh-Rúnaí agus an Tiarna Leifteanant ag cíoradh na ceiste cén chaoi arbh fhearr gníomhú de réir na tuairisce sin. Moladh díarmáil an 12 Aibreán, 1916,[232] agus an 14 Aibreán, 1916, d'iarr an Stiúrthóir Faisnéise cosc a fhógairt ar na hÓglaigh agus iad a dhíarmáil.[233]

San atmasféar seo a scríobh Tomás Mac Donncha (a bhí anois ar an gComhairle Mhíleata)[234] san *Irish Volunteer*, 15 Aibreán, 1916:

> Ta barr slua, traenála agus arm ag Óglaigh na hÉireann anois ar fhórsaí na bpóilíní uile; ní theithfidh fir Bhaile Átha Cliath arís roimh ionsaí smaichtíní . . . má thugann an Rialtas a gcuid fórsaí amach in aghaidh Óglaigh na hÉireann, beidh fir Bhaile Átha Cliath nach bhfuil traenáilte agus armáilte, ag rith chun cabhrú leis na hÓglaigh lena lámha nochta; má thagann siad in am tabharfar trealamh agus traenáil dóibh le go bhféadfaidh siad seasamh go fearúil ar son a dtíre. Ba é mian gach uile Éireannach ag am éigin an deis a fháil a bhí ag laochra an Náisiúin. Tá a fhios ag gach Náisiúnaí Éireannach gurb iad Óglaigh na hÉireann sliocht na bhfear a sheas sa Bhearna Baoil i ngach ré. Is onóir é maireachtáil agus bás a fháil ar son na cúise céanna.

Mar seo a bhí an t-asmasféar nuair a foilsíodh Doiciméad clúiteach an Chaisleáin a líomhnaigh go raibh na hÚdaráis ar tí taoisigh eaglaise is gluaiseachtaí náisiúnta éagsúla ar fud na tíre a ghabháil. Más fíor é nó murab ea is cinnte gur léirigh an doiciméad seo tuairimí chuid mhaith de mhuintir an Chaisleáin,[235] a fuair eolas, 18

---

[229] *The Workers' Republic*, 8 Aibreán, 1916.

[230] *The Workers' Republic*, 15 Aibreán, 1916.

[231] *Royal Commission of Enquiry—Report*, l. 11.

[232] *ibid.*

[233] *Royal Commission of Enquiry—Evidence*, l. 58.

[234] Lynch, *The I.R.B. and the 1916 Insurrection*, l. 48.

[235] Féach nóta 233 thuas.

Aibreán, 1916—cé narbh eolas cruinn é—faoi imeachtaí loinge Gearmánaí a raibh airm ar bord aici agus go raibh seans ann go ndéanfaí éirí amach ' Satharn na Seachtaine Móire.'[236]

Léadh an doiciméad ag cruinniú de Bhardas Átha Cliath[237] agus tharraing an Pluincéadach[238] anuas é ag cruinniú speisialta d'Fhoireann na Ceanncheathrún, 18 Aibreán, 1916, agus ag cruinniú den Choiste Feidhmeannais an lá ina dhiaidh sin. Ón dara cruinniú seo cuireadh an t-ordú ginearálta seo a leanas mar aon le cóip de Dhoiciméad an Chaisleáin chuig gach cór Ōglach sa tír:

> Tá scéala faighte againn go bhfuil plean ag an Rialtas chun Óglaigh na hÉireann a chur faoi chois. Braitheann sé ar ordú ón Rialtas cén lá a gcuirfear an plean i bhfeidhm.
>
> Mura bhfaigheann sibh aon eolas cinnte ón gCeanncheathrú beidh sibh ag faire go hairdeallach ar aon iarrachtaí an plean seo a chur a bhfeidhm. Má bhíonn sibh sásta go bhfuil sé seo ar tí tarlú beidh sibh réidh chun cosanta.
>
> Is í an aidhm a bheidh agaibh airm agus eagraíocht Óglaigh na hÉireann a chosaint agus rachaidh sibh i mbun oibre de réir an chuspóra sin.
>
> Ar an iomlán, socróidh sibh go gcosnóidh bhur gcuid fear iad féin agus a chéile i ngrúpaí beaga le go seasfaidh siad in aghaidh ionsaí chomh fada agus is féidir.[239]

Scríobh Hobson faoi fhoilsiú Dhoiciméad an Chaisleáin ' Chuir sé le teannas an atmasféir agus d'ullmhaigh sé intinn an phobail le haghaidh coimhlinte idir Óglaigh na hÉireann agus fórsaí an Rialtais '[240] agus ó thaobh na Comhairle Míleata, ba mhaith sin. Thart ar 11 Aibreán, 1916, bhí na pleananna don réigiún timpeall ar Thrá Lí ag Stac ón bPiarsach[241] agus an 18 Aibreán, 1916, chuir an Piarsach an Giobúnach síos go Trá Lí le díluchtú na n-arm a eagrú.[242] Bhíothas ag súil le Cotton ann[243] ach cuireadh cosc air

---

[236] *Royal Commission of Enquiry—Report*, l. 11.

[237] *Evening Mail*, 19 Aibreán, 1916.

[238] Ryan, *The Rising*, l. 67.

[239] Téacs i ndréacht de chaibidil xxi (nár foilsíodh) dá Stair ag Hobson. Lss. Hobson LNE 12179, ll. 203, 204.

[240] Hobson, *op. cit.*, l. 204.

[241] Ráiteas an Leas-Cheannfoirt Uí Chathail i 1917. Lss. 10493 LNE.

[242] Ráiteas an Cheannfoirt Colivet i 1917, Lss. 10493 LNE.

[243] Ráiteas an Leas-Cheannfoirt Uí Chathail, *loc. cit.* Bhí Cotton ina Leas-Cheannfort gníomhach i dTrá Lí i 1915 (Ryan, *The Rising*, l. 80).

faoi D.O.R.A.[244] Ní raibh an Giobúnach eolach ar na pleananna don Éirí Amach agus ba chosúil go raibh dearmad ar an bPiarsach é a chur ó dheas—is é sin mura raibh sé ag smaoineamh ar an gcleachtadh a bhí ag an nGiobúnach i ndíluchtú na n-arm ag Baile Uí Ghionnáin, 3 Lúnasa, 1914. Chuaigh an Giobúnach i gcomhairle le Colivet, an Ceannfort i Luimneach, duine de na comhaltaí nua den Bhráithreachas,[245] 18 Aibreán, 1916,[246] agus mar thoradh ar sin chuaigh Colivet go Baile Átha Cliath áit ar dhaingnigh an Piarsach na socruithe agus na horduithe don éirí amach dó, 19 Aibreán, 1916.[247] De réir cosúlachta bhí an fhadhb a d'éirigh as aineolas an Ghiobúnaigh réitithe.

Ach bhí fadhbanna níos measa fós le sárú sula bhféadfaí éirí amach a dhéanamh.

Ba é an armlong ón nGearmáin an chéad fhadhb. D'fhág an *Aud* an Ghearmáin le teacht go hÉirinn, 9 Aibreán, 1916,[248] agus an fomhuireán ina raibh Ruairí Mac Easmainn agus é ar intinn aige an t-éirí amach a chosc nó dul isteach inti dá dteipfeadh air,[249] cúpla lá ina dhiaidh sin. Ba é a socraíodh leis an nGearmáin go dtiocfadh an long i dtír idir 20 agus 23 Aibreán, 1916.[250] Ach shocraigh an Chomhairle Mhíleata, agus dáta an éirí amach ag druidim leo, an teacht i dtír agus an t-éirí amach a shioncróiniú—ar fhaitíos, is dócha, go dtiocfadh leis na póilíní agus na saighdiúirí díluchtú éifeachtach a lot. Chuige sin sheol an Chomhairle Mhíleata teachtaireacht le Philomena Pluincéad a shroich oifig Devoy 14 Aibreán, 1916.[251] Leag an teachtaireacht seo béim ar nár chóir don long teacht i dtír roimh 23 Aibreán, 1916.[252] Cé gur cuireadh an teachtaireacht seo ar aghaidh go dtí an Ghearmáin, 15 Aibreán,

---

[244] *The Workers' Republic*, 15 Aibreán, 1916.

[245] Liosta E.D. Féach l. 148 thuas.

[246] Ráiteas Colivet i 1917. *loc. cit.*

[247] *ibid.*

[248] Lynch, *The I.R.B. and the 1916 Insurrection*, l. 121. Spindler, *The Mystery of the Casement Ship* (Eagrán Anvil Books, 1965), l. 30.

[249] Meamram fada Ruairí Mhic Easmainn le linn a thrialach. Lss. Green LNE 10464.

[250] Devoy, *Recollections*, l. 458. Ryan, *The Rising*, l. 102. Spindler, *op. cit.*, l. 202.

[251] Devoy, *op. cit.*, ll. 462-463. Ryan, *op. cit.*, l. 105.

[252] Devoy, *op. cit.*, l. 463. Ryan, *op. cit.*, l. 102. Lynch, *op. cit.*, l. 121.

1916,[253] níorbh fhéidir an t-ordú a chur i gcrích mar nach raibh gléas radio ar an *Aud* agus nárbh fhéidir teagmháil a dhéanamh leis an bhfomhuireán.[254] Thug lucht Sheirbhís Rúnda na Stát Aontaithe sciuird ar oifig na Gearmáine i Nua-Eabhrac, 18 Aibreán, 1916, agus ar na doiciméid a thóg siad ina seilbh, bhí an teachtaireacht a tháinig le Philomena Pluincéad.[255] Is dócha gurbh é seo an foinse as a bhfuair Caisleán Átha Cliath an t-eolas neamhchruinn an lá sin.[256] (Nóta eile anseo. An 5 Aibreán. Sheol an Cunta Pluincéad teachtaireacht ó Berne faoi na socruithe nua ach níor deineadh tada fúthu de réir cosúlachta.)

An fhadhb eile a bhí ann, an seancheann faoi smacht dúbailte. Chuala Mac Néill ráfla as na Stáit Aontaithe, 6 Aibreán, 1916,[257] go raibh éirí amach le bheith ann go luath sa Samhradh. Ar 14 Aibreán, 1916, fuair sé cóip den *Chicago Citizen*, 25 Márta, 1916, agus san *Irish Volunteer*, 22 Aibreán, 1916, shéan sé go raibh an socrú sin ann. Ach suimiúil go leor, bhí níos mó ná nod ó Thomás Mac Donncha san uimhir chéanna, faoin gcineál inlíochta a bheadh ann faoi Cháisc nuair a dúirt sé:

> Ba chóir é a bheith suntasach. Agus ní hamháin gurb í an Cháisc í; is é cothrom lae Chluain Tarbh é, 23 Aibreán.

Dúirt mac léinn sa choláiste le Mac Néill níos déanaí gur ordaíodh dó droichead mór áirithe a phléascadh.[258] Ar 10 p.m. Déardaoin na Seachtaine Móire dúirt an Conallach le Hobson go bhfuair sé eolas ' gur thug P. Mac Piarais orduithe do comphlachtaí Óglach ar fud na hÉireann éirí amach a thosú an Domhnach ina dhiaidh sin.'[259] Ar an bpointe, chuaigh an Conallach, Hobson, agus an Dufach i gcarr tigh Mhic Néill agus thug siad a dtuairisc dó. Thart ar mheán oíche chuaigh Hobson, an Conallach agus Mac Néill

---

[253] Devoy, *op. cit.*, l. 463.

[254] Devoy, *op. cit.*, l. 464. Spindler, *op. cit.*, l. 204.

[255] Devoy, *op. cit.*, l. 463.

[256] *Royal Commission of Enquiry—Report*, l. 11. Féach l. 160 thuas.

[257] Dáta ó pháipéir Mhic Néill ag an Ath. F. X. Martin, *IHS*, iml. xii, uimh. 47, l. 256.

[258] Liam Ó Briain, *Cuimhní Cinn*, l. 70.

[259] Hobson i ndréacht de chaibidil xxi (nár foilsíodh) dá Stair Lss. Hobson LNE 12179, l. 205. Sa dréacht tá líne trí na focail ' agus Seán Mac Diarmada a bhí ' i ndiaidh ainm an Phiarsaigh.

tigh an Phiarsaigh.[260] D'éiligh Mac Néill an fhírinne air faoi scéim an droichead a phléascadh agus faoin éirí amach.[261] D'admhaigh an Piarsach an fhírinne faoin dá rud agus níor éirigh le Mac Néill a thabhairt air an smaoineamh a chaitheamh as a cheann.

D'fhill Hobson agus an Conallach le Mac Néill ar a theachsan agus dréachtaíodh sraith orduithe ann. Cuireadh an Conallach go Cúige Mumhan leis na horduithe seo a leanas agus an dáta 21 Aibreán, 1916, orthu uile.[262]

1. Rachaidh an Ceannfort Ó Conaill go Corcaigh ar an gcéad traein inniu. Déarfaidh sé leis an gCeannfort McCurtin (*sic*) nó mura bhfuil seisean ann, roghnóidh sé oifigeach éigin le dul leis go Ciarraí. Beidh ceannas iomlán ag an gCeannfort Ó Conaill ar na hÓglaigh i gCúige Mumhan. Cuireann sé seo aon orduithe, a thug an Ceannfort Mac Piarais nó aon duine eile roimhe seo, ar ceal, agus ní bheidh feidhm ach leis an ordú a thabharfaidh an Ceannfort Ó Conaill nó duine a fuair údarás uaidh.
   Beidh sé de chumhacht ag an gCeannfort Ó Conaill oifigigh ' de chéim ar bith a ainmniú ' le bheith os cionn oifigigh de chéim ar bith, a údarás féin nó cuid de a thabhairt do dhuine ar bith, ó thaobh Óglaigh na hÉireann i gCúige Mumhan.
2. Tabharfaidh oifigigh sa Mhumhain tuairisc don Cheannfort Ó Conaill má iarrann sé í, faoi aon orduithe speisialta a fuair siad agus faoi aon socruithe a rinne siad de réir na n-orduithe sin.

Mar aon leo seo eisíodh ordú ginearálta a dhaingnigh ordú an 19 Aibreán, 1916,[263] faoi céard a bhí le déanamh dá dtosódh na hÚdaráis a n-ionsaí ach a chuir ' na horduithe speisialta uile a d'eisigh an Ceannfort Mac Piarais '[264] ar ceal, agus ordú speisialta faoi údarás Hobson

---

[260] Meamram Mhic Néill i 1917. Lss. Hobson. LNE 13174 (14).

[261] Sonraí ó Ls. i Lss. Hobson LNE 13174 (17) a bhfuil an teideal seo ag Hobson orthu ' Papers in Eoin's handwriting recd. fr. his solicitor.'

[262] Téacs ón dréacht de chaibidil xxi de Stair Hobson, *loc. cit.*, ll. 213, 214.

[263] Féach l. 160 thuas.

[264] Téacs de dhréacht Hobson do chaibidil xxi (nár foilsíodh) dá Stair. *loc. cit.*, ll. 209, 210.

orduithe áirithe a eisiúint de réir na n-orduithe thuas, agus déanfaidh gach oifigeach agus gach fear d'Óglaigh na hÉireann de réir orduithe Hobson mar a déarfar leo ainneoin aon dualgais eile nó aon orduithe a eisíodh ar aon bhealach eile.[265]

D'fhág an Conallach agus Hobson teach Mhic Néill thart ar 5 a.m. 21 Aibreán, 1916,[266] agus chuaigh an Conallach go Corcaigh 'cúpla uair a chloig níos déanaí.'[267] Chuaigh Hobson go dtí an Cheanncheathrú le horduithe dó na cóir éagsúla a leagan amach.

Ba chosúil go raibh an t-éirí amach curtha ar ceal. Idir an dá linn bhí an Piarsach gníomhach. Theagmhaigh sé le Tomás Mac Donncha agus le Seán Mac Diarmada[268] agus chuaigh an triúr acu tigh Mhic Néill thart ar 8 a.m. 21 Aibreán, 1916.[269] Chuaigh Seán Mac Diarmada chun cainte le Mac Néill ina sheomra codlata. Dúirt sé leis faoin armlong agus chuir sé ina luí air nach raibh dul as cogadh.[270] Cuireadh ina luí air freisin nach dtabharfaí aon aird ar orduithe an Chonallaigh agus Hobson.[271] Seo mar atá cuntas Mhic Néill féin ar na nóiméid sin:

> Thug sé le fios dom nach bhféadfaí troid a sheachaint agus dúirt mé más mar sin a bhí agus go gcaithfeadh muid troid nó go gcuirfí faoi chois muid, go raibh mé sásta troid.[272]

Dréachtaíodh ordú nua. Chuir Seán Mac Diarmada á chlóscríobh é le go síneodh Mac Néill é lena chur ar fud na tíre.[273] Séard a bhí ann:

> Ní féidir gníomhaíocht an Rialtais chun Óglaigh na hÉireann a chur faoi chois a sheachaint anois—d'fhéadfadh sé tosú nóiméad ar bith; tá siad ag ullmhú lena aghaidh. Caithfidh muid a bheith ar ár n-aire go dtí go mbeidh muid

---

265 Hobson, *op. cit.*, l. 211.

266 Hobson chuig McGarrity i 1934. Lss. Hobson LNE 13171.

267 Hobson sa dréacht do chaibidil xxi, *loc. cit.*, l. 214.

268 Lynch, *The I.R.B. and the 1916 Insurrection*, l. 51.

269 Lynch, *op. cit.*, *loc. cit.* Meamram Mhic Néill i 1917 (Lss. Hobson LNE 13174 (14)).

270 *ibid.* Féach leis an sliocht as cuimhní cinn Mhic Néill (nár foilsíodh) atá i *I.H.S.* iml. xii, uimh. 47, l. 262 faoin armlong.

271 Meamram Mhic Néill i 1917, *loc. cit.*

272 *ibid.*

273 *ibid.*

Bonn Chriú an Aud

cinnte go bhfuil muid sábháilte. Ní fiú tada ráitis an Rialtais sna nuachtáin nó in áit ar bith eile anois.[274]

Idir an dá linn chuaigh Mac Néill go dtí Ceanncheathrú na nÓglach, chuir sé a chéadorduithe do Hobson[275] ar ceal agus dúirt sé leis ' gur chosúil go raibh coimhlint dosheachanta.'[276] Ansin thosaigh Mac Néill ag ullmhú ' le dul isteach le hÓglaigh Bhaile Átha Cliath.'[277] Sa cheanncheathrú thosaigh Hobson ag ' dó litreacha agus páipéar le . . . nach bhfaigheadh Údaráis na Breataine eolas ar imeachtaí na nÓglach ar fud na tíre.'[278] Níos déanaí an lá céanna (21 Aibreán, 1916) gabhadh Hobson ar orduithe na Comhairle Míleata agus coimeádadh é go dtí déanach ar 24 Aibreán, 1916.[279]

Thart ar mheán lae Aoine an Chéasta (21 Aibreán, 1916). fuair an Loinseach agus Ághas cóip den chéad ordú a thug Mac Néill don Chonallach[280]—ordú nár cuireadh ar ceal de réir cosúlachta[281]; b'fhéidir nárbh fhéidir é sin a dhéanamh ó bhí an Conallach imithe go Corcaigh sular athraigh Mac Néill a bhreithiúnas. Nochtadh céard a bhí ann don Chléireach agus don Chonghaileach ach maolaíodh ar a bhfaitíos nuair a thug Tomás Mac Donncha tuairisc dóibh thart ar 1 p.m. faoi céard a tharla san agallamh le Mac Néill an mhaidin sin.[282] Chuir Seán Mac Diarmada teachtaireactaí chuig áiteanna éagsúla ar fud na tíre—orthu sin bhí ceann go Corcaigh ' Tá an Ceannfort Mac Curtáin agus an Ceannfort Mac Suibhne le dul ar aghaidh leis an Éirí Amach ' a fuair an freagra ' Abair le Seán go bpléascfaidh muid linn an fhad a sheasann an stuif.'[283]

---

[274] Cóip de i Lss. Hobson LNE 12179, l. 217.

[275] Meamram Mhic Néill i 1917, *loc. cit.* Hobson chuig McGarrity in 1934 Lss. Hobson LNE 13171.

[276] Hobson chuig McGarrity i 1934, *loc. cit.*

[277] Meamram Mhic Néill i 1917, *loc. cit.*

[278] Hobson chuig McGarrity i 1934, *loc. cit.* Féach leis an dréacht de chaibidil xxi dá Stair (*loc. cit.*), l. 215. (nár foilsíodh).

[279] Hobson chuig McGarrity i 1934, *loc. cit.* *Seán T.*, ll. 176-178.

[280] Lynch, *The I.R.B. and the 1916 Insurrection*, l. 50.

[281] Scríobh Mac Néill ina mheamram i 1917 (*loc. cit.*) ' I do not remember whether I sent an order in writing to recall O'Connell whom I had sent to the South.'

[282] Lynch, *op. cit.*, ll. 50, 51.

[283] Lynch, *op. cit.*, l. 51. De bharr ghabháil an *Aud* ba bheag ' stuif ' a bhí acu. Thug Séamas Ó Riain an teachtaireacht seo go Corcaigh (O'Donoghue, *Tomás Mac Curtain*, l. 78).

Dhealraigh sé go raibh an bealach chun réabhlóide réidh arís. Ach bhí ' corraíola geolaíocha ' chun na socruithe a lot arís agus páirteanna chuid de na haisteoirí a athrú.

Tháinig an *Aud*, 20 Aibreán, 1916,[284] agus cé go bhfaca Óglach ó Chaisleán Griaire an lá sin í níor aithin sé í. An 21 Aibreán, 1916, thart ar 3 a.m., tháinig Ruairí Mac Easmainn, Monteith agus Bailey i dtír.[285] Ar 4.30 p.m. an lá sin bhí a fhios ag Stac i dTrá Lí gur gabhadh Ruairí Mac Easmainn[286] agus ar 5.30 p.m. gabhadh é féin.[287] D'fhág sé sin an Cathalach mar Chinnire ar na hÓglaigh sa cheantar sin—fear nach raibh eolas aige faoi na socruithe.[288] Cuireadh Partridge agus Mullins trí Mhala agus Luimneach leis an scéala agus le tuilleadh orduithe a lorg.[289] Agus ag an am seo bhí an *Aud* á tógáil ó chósta Chiarraí faoi gharda ag long de chabhlach na Breataine.[290]

Bhí an nuacht faoi theip na harmloinge agus faoina gabháil sna páipéir maidin Dé Sathairn, 22 Aibreán, 1916.[291] I dtosach bhí de bharr ar an nuacht seo gur:

> chabhraigh (sí) lena chur ina luí orm (Mac Néill) nach raibh leigheas ar an scéal—cé go raibh mé sásta páirt a ghlacadh san éirí amach ní fhaca mé aon dóchas go n-éireodh leis.[292]

Thug an Pluincéadach cuairt ar Mhac Néill an mhaidin sin leis an bhForógra a phlé leis.[293] Ag an am seo bhí an Giobúnach ar a bhealach as Luimneach, tar éis an nuacht faoin *Aud* a léamh, ar an traein go Baile Átha Cliath ag lorg a thuilleadh orduithe[294] agus bhuail sé leis an Lochlannach a bhí ag dul go Baile Átha Cliath ar an traein freisin.[295] Ar shroichint Bhaile Átha Cliath dóibh

---

[284] Ryan, *The Rising*, l. 110. Spindler, *op. cit.*, l. 211.

[285] Ryan, *op. cit.*, ll. 88, 93.

[286] Ráiteas an Chathalaigh i 1917 Lss. 10493 LNE.

[287] *ibid.* Féach leis Ryan, *op. cit.*, l. 101.

[288] An Cathalach, *loc. cit.*

[289] *ibid.*

[290] Ryan, *op. cit.*, l. 93. Spindler, *op. cit.*, l. 124.

[291] *Freeman's Journal*, 22 Aibreán, 1916. *Cork Examiner*, 22 Aibreán, 1916.

[292] Meamram Mhic Néill i 1917, *loc. cit.*

[293] *ibid.*

[294] Ráiteas Colivet i 1917. Lss. 10493 LNE.

[295] An Giobúnach (eag. M. S. Ó Luinneacháin), *Irish Times*, 19 Aibreán, 1949.

rinneadar iarracht teagmháil a dhéanamh le Hobson.[296] Thart ar 5.15 p.m. tháinig siad tigh Mhic Néill—thiomáin an Rathghailleach ina charr iad[297] agus

> tar éis dul i gcomhairle d'aontaíomar go bhféadfaí éirí amach a sheachaint fós. Tugadh an aird is mó ar thuairim an Ghiobúnaigh faoin scéal.[298]

Tionóladh cruinniú ag 9 p.m. an tráthnóna sin chun teachtairí a ainmniú chun orduithe breise, a choiscfeadh na hÓglaigh ó éirí amach, a dháileadh.

Agus amhail is nach mbeadh an t-ualach orduithe trom go leor, tar éis do Partridge agus Mullins[299] an scéal a chíoradh leis an bPiarsach agus an Conghaileach chuir siad teachtaireachtaí i gcódfhocail go Trá Lí ag 12.45 p.m.[300] agus 2.30 p.m. ag dearbhú an éirí amach. Fuair Colivet ordú dearbhaithe, 22 Aibreán, 1916, trí Laura Ní Dhálaigh.[301] Ach an lá céanna fuair sé nuacht chinnte go raibh deireadh leis an armlong. Thaispeáin Óglaigh Lios Tuathail cén dochar a rinne cailleadh an *Aud* nuair a sheol siad teachtaireacht go Trá Lí ag 7 p.m. (22 Aibreán, 1916) ag rá '*nach ndéanfaidís aon rud gan cúnamh thar lear.*'[302] Rinne Óglaigh Thrá Lí iarracht ar iad a chur ar a suaimhneas agus ar 2 a.m. an oíche sin dhealraigh sé gur éirigh leo.[303] Bhí Mullins tar éis teacht ar ais as Baile Átha Cliath ar 11 p.m. ag dearbhú go mbeadh an t-éirí amach ann.[304]

Ón gcruinniú a thionól Mac Néill chuaigh teachtairí amach go dtí áiteanna éagsúla agus an t-ordú seo a leanas acu leis an dáta 22 Aibreán, 1916, air:

---

[296] An Lochlannach chuig an Athair F. X. Martin, 22 Meitheamh, 1960, luaite ag an Ath. Martin i *I.H.S.*, iml. xii, uimh. 47, l. 265.

[297] *ibid.*

[298] Meamram Mhic Néill i 1917, *loc. cit.*

[299] Féach l. 166 thuas.

[300] Ráiteas an Chathalaigh 1917, *loc. cit.*

[301] Ráiteas Colivet i 1917, *loc. cit.*

[302] Ráiteas an Chathalaigh (is leis-sean an cló Iodáileach).

[303] *ibid.*

[304] *ibid.*

> Na hÓglaigh meallta ar fad. Cuireann sé seo gach ordú le haghaidh ghníomhaíochta ar ceal agus ní tharlóidh gníomhaíocht ar chuntar ar bith.[305]

Le linn don chruinniú a bheith ann tháinig an Piarsach,[306] Tomás Mac Donncha,[307] agus an Pluincéadach[308] chun cainte le Mac Néill ach theip orthu socrú a dhéanamh. Chuaigh an triúr ansin go dtí 27 Sráid Hardwicke—ceanncheathrú Sheáin Mhic Dhiarmada don oíche sin—agus d'aontaigh siad uile agus Diarmaid Ó Loinsigh go mbeadh an t-éirí amach ann d'ainneoin gach ar tharla.[309] Níor fhan an Conghaileach, Ceannt ná an Cléireach ina dtithe féin an oíche sin agus theip ar na taoisigh eile teagmháil a dhéanamh leo agus shocraíodar cruinniú a thionól i Halla na Saoirse an mhaidin ina dhiaidh sin, is é sin Domhnach Cásca, 23 Aibreán, 1916.[310]

Chun treise a chur leis na horduithe chun an t-éirí amach a chosc chuaigh Mac Néill isteach in oifig an *Sunday Independent* agus shocraigh sé go mbeadh an fógra seo ar an bpáipéar don lá sin:

> Ar eagla na contúirte, cuirim gach Ordú a tugadh d'Óglaigh na hÉireann don lá amárach, Domhnach Cásca, ar ceal leis seo, agus ní bheidh aon pharáideanna, máirseáil, ná imeachtaí eile ag Óglaigh na hÉireann. Déanfaidh gach Óglach go díreach de réir an ordaithe seo.
>
> Eoin MacNéill
> Ceann Foirne, Óglaigh na hÉireann

Ón gcruinniú i Halla na Saoirse eisíodh orduithe, 23 Aibreán, 1916, chuig na ceannfoirt éagsúla ag daingniú ordú Mhic Néill[311]

---

[305] Cóip i Lss. Hobson LNE 12179, l. 218 agus 13174 (16). Agus chun béim a chur ar thragóid seo na n-orduithe bréagnaitheacha ba é Séamas Ó Riain a thug an teachtaireacht go Corcaigh—an té a bhí tar éis ordú Sheáin Mhic Dhiarmada an 21 Aibreán, 1916, a thabhairt ó dheas leis (nóta 282 thuas). (O'Donoghue, *Tomás Mac Curtain*, l. 90).

[306] An Lochlannach chuig an Ath. F. X. Martin, 29 Meitheamh, 1960, uaite ag an Ath. Martin i *I.H.S.* iml. xii, uimh. 47, l. 268.

[307] Meamram Mhic Néill i 1917, *loc. cit.*

[308] *ibid.*

[309] Lynch, *The I.R.B. and the 1916 Insurrection*, l. 52.

[310] *ibid.*

[311] Lynch, *op. cit.*, l. 53.

ach a dúirt leo ' a bheith réidh le haghaidh a thuilleadh orduithe.'[312] Ba é an fáth a bhí leis seo;

> chun a chinntiú nach dtosódh aonaid taobh amuigh de cheantar na Cathrach ag gníomhú sula bhféadfadh Cathláin Bhaile Átha Cliath a bheith ina n-ionaid le haghaidh Luan Cásca.[313]

Bhí cúis eile leo. Ba amhlaidh a shocraigh an Chomhairle Mhíleata leanúint leis an éirí amach, 24 Aibreán, 1916,[314] agus theastaigh uathu cibé amhras a bheadh ar na hÚdaráis a mhaolú.[315]

Tar éis tamaill dhiscréidú chuir an Piarsach an teachtaireacht seo chuig Mac Néill ar 5.5 p.m. 23 Aibreán, 1916[316]:

> Tá an Ceannfort Mac Donncha le bualadh isteach chugat tráthnóna inniu. Chuir sé na paráideanna i mBaile Átha Cliath inniu ar ceal le húdarás uaimse. Dhearbhaigh mise d'ordúsa á gcur ar ceal mar ní ghlacfadh na treoraithe leis gan dearbhú uaimse.[317]

Bhuail Tomás Mac Donncha isteach chuig Mac Néill an tráthnóna sin agus bhí comhrá cairdiúil acu le chéile—gan tagairt a dhéanamh ar ndóigh do na socruithe nua a bhí déanta ag an gComhairle Mhíleata.[318] Mheas Mac Néill ' go raibh gach rud socraithe '[319] agus ó thaobh na ndlíodoirí ní raibh fuarlitir a chuid orduithe deiridh sáraithe acu.

Ach bhí teachtairí bailithe ag Craobh an Chéitinnigh an oíche sin agus ar 8 p.m. cuireadh chun bóthair iad le nóta ón bPiarsach a dúirt go gonta ' Tosóidh muid an gnó ag meán lae inniu, Dé Luain. Déanaigí mar a treoraíodh daoibh.'[320] Bhí an tÉirí Amach ar bun.

---

[312] Ráiteas Colivet agus Ráiteas MicGhiollarnátha i 1917, Lss. 10493 LNE.

[313] Lynch, *op. cit.*, l. 53.

[314] *ibid.*

[315] *ibid.*

[316] *ibid.*

[317] *ibid.*

[318] Ráiteas a scríobh Tomás Mac Donncha ar 8 p.m. 23 Aibreán, 1916. Tá macasamhail de i gcló sa *Capuchin Annual*, 1942, os comhair l. 368.

[319] Ls. i Lss. Hobson LNE 13174 (17) agus an teideal ' Papers in Eoin's Handwriting recd. fr. his solicitor ' orthu ag Hobson.

[320] Lynch, *op. cit.*, *loc. cit.*

IARFHOCAL

FIR faille ab ea lucht an Bhráithreachais sa tréimhse seo agus mar scarúnaithe bhíodar oilte sa seanchreideamh gurbh é cruachás Shasana deis na hÉireann. Cé gur bheag a rinne siad féin le Sasana a chur i gcruachás d'aithnigh siad an seans, an tábhacht agus an réamhshampla a bhí in Óglaigh Uladh agus bhí siad sásta fear measartha ar nós Mhic Néill agus aithne air ar fud na tíre a fháil le comhoibriú leo i nglacadh an tseans sin. Ó bhunú Óglaigh na hÉireann bhí siad gafa leo ach le linn na chéad mhíonna chuaigh an ghluaiseacht agus an teoiric ó smacht orthu agus nuair a tháinig éileamh Mhic Réamoinn ní raibh a n-eagras féin in ann an cleamhnas lena lucht leanúna a sheachaint. Ní raibh sé soiléir cén chaoi a mbainfí amach saoirse na hÉireann trí na hÓglaigh go dtí gur chuir plota dhráma na staire Sasana i gcruachás i mí Lúnasa, 1914. Dar leis an mBráithreachas, nó ar a laghad lena Ard-Chomhairle, bhí an staid chlaisiceach sroichte agus d'fhógair an Ardchomhairle cogadh. Cé gurbh fhada naimhdeach do na hÓglaigh iad, thosaigh Arm na Saoránach faoin gConghaileach ag druidim níos cóngaraí do na hÓglaigh i nglacadh na deise a thug an Cogadh Domhanda dóibh araon. Bhí na Hibernian Rifles ar an dul céanna.

Cabhraigh brú an Rialtais chun earcaíochta, an faitíos roimh choinscríobh, na díbirtí agus na gabhálacha faoi DORA, cabhraigh siad go léir le teacht le chéile na n-eagraíochtaí éagsúla.

Ach an fhad a bhí an Bráithreachas ag cur a gcuid fear isteach sna poist ba thábhachtaí sna hÓglaigh b'ábhar éadóchais dóibh é nochtadh polasaí cosanta, measartha Hobson, a bhí le cabhair a fháil i leathadh an pholasaí sin agus i ndul i gcoinne pleananna na réabhlóidithe, ó chomhaltaí eile den Bhráithreachas—an Conchúrach, an Dufach, an Conallach agus an Lochlannach. Sa mhéid seo bhí Mac Néill, an Giobúnach agus an Rathghailleach leis freisin cé nuair a tháinig an t-éirí amach agus ainneoin go ndearna sé iarracht é a chosc, ghlac an Rathghailleach páirt fir ann, agus ba ann a fuair sé bás.

Ba tríd an bPiarsach mar Stiúrthóir Eagair agus trí na comhaltaí eile den Bhráithreachas a bhí ina gcinnirí ar na hÓglaigh sna cóir éagsúla, a bhí na hÓglaigh le dul isteach san éirí amach. Chun go mbeadh sé seo níos furasta, go luath i 1916 tugadh an chuid is mó de na taoisigh nach raibh ina gcomhaltaí cheana, isteach sa Bhráithreachas agus dar leis an bPiarsach ba gheallúint fhoirmiúil é go n-éireoidís amach.

Ach cé gur coinníodh an rún go docht ar feadh na míonna, ar deireadh thiar d'éalaigh an scéal orthu agus ba bheo agus ba léanmhar a bhí fadhb an smachta dhúbailte ansin. Lean an Chomhairle Mhíleata lena gcuid pleananna ach le cailleadh an *Aud*, le gabháil Stac agus an fústar deiridh d'orduithe contráilte cuireadh na socruithe chomh mór sin as eagar gur laghdaíodh neart na Hibernian Rifles trí thranglam 23 Aibreán, ó 70 a bhí réidh chun cogaidh go dtí thart ar 30 ar Luan Cásca[1] agus b'shin in ainneoin nach raibh siadsan faoi theannas ar bith ó thaobh dílseachta.

Sa Deisceart agus san Iarthar bhí an iomarca ag brath ar theacht na n-arm. Mar thoradh ar theip an *Aud* bhí na sonraí faoi scaradh amach na bhfórsaí gan bhrí go minic agus ba bheag é lón cogaidh na nÓglach.[2] Bhí an iomarca ag brath, leis, ar chomhaltas den Bhráithreachas agus níor sháraigh na hOifigigh sna hÓglaigh (go háirithe Colivet) an fhíortharraingt ar a ndílseacht a tharla de bharr na n-orduithe agus na socruithe contráilte a tháinig as Baile Átha Cliath, ná ar an olc a rinne na teachtaireachtaí a tháinig ó Monteith agus Ruairí Mac Easmainn, cailleadh Stac i gCiarraí agus ina dhiaidh sin an t-easpa nuachta faoi céard a bhí ag tarlú i mBaile Átha Cliath i rith Sheachtain na Cásca, do mheanma na saighdiúirí.

Tharla foghníomhaíocht i nGaillimh, i Loch Garman, in Ashbourne, agus teagmhais ba lú tábhacht in áiteanna eile. Tháinig óglaigh ó Mhá Nuad go Baile Átha Cliath agus daoine aonaracha ón tuaisceart ach taobh istigh de sheachtain bhí deireadh leis an ngníomhaíocht mhíleata.

---

[1] Ráiteas gan dáta ó S. Ó Scoilleáin (an ceannfort) chuig an Loinseach. Lss. an Loinsigh LNE 11131.

[2] Is suimiúil gur cuireadh le méid na ngunnaí i mBaile Átha Cliath trí luach £314 de raidhfilí a ghoid, ó na hÓglaigh Náisiúnta. (Na Réamonnaigh). Lss. an Mhórdhaigh LNE 9241.

Ach athraíodh cúrsa stair na tíre seo an tseachtain sin le torthaí gur sain-eol dúinn iad. B'fhéidir, ámh, gur chuir na scoilteanna agus na gar-scoilteanna, an fhearg agus an paisean a dúisíodh sna heagraíochtaí éagsúla mar gheall ar na deacrachtaí a bhí le sárú acu sa tréimhse seo 1913-1916, síolta an aighnis, a ba mheasa go mór, a tharla i 1922-1923.

AGUISÍN I

Lss. 10915LNE.

Ráiteas le P. J. O'Mara (i gclóscríbhinn), 27 Aibreán, 1934.
Easter Monday, 24 April, 1916

'A' Company. Battalion Dublin Brigade mobilized at 10 a.m.

Place of Mobilization—Earlsfort Terrace. Full arms and equipment with one day's rations to be carried. . . .

Captain J. O'Connor reported to the Battalion Commander Commdt. E. de Valera, who was in Erne Street when he rejoined his Company, he called for our attention and informed us that we were going into the fight, that the Republic was proclaimed and if any Volunteers wished to withdraw they could so so; two Volunteers withdrew after being disarmed, were sent home, one Volunteer took a weakness and was assisted into a house, he rejoined his Company later. . . .

AGUISÍN II

Tuairisc Luimnigh. Lss 10493LNE.

Ráiteas le M. Colivet, 22 Meán Fómhair, 1917.

. . . I will first outline the position here just before Easter. I had in Limerick Company four Battalion areas and in Clare four more. The orders I held before Easter were to hold the line Limerick-Killaloe and Limerick city if possible and owing to the presence of 800 military, a Battery of artillery and over 100 Constabulary, my plans arranged for occupying the North shore of the Shannon at the city, together with the bridge, with the intention of retiring into Clare if compelled to do so. The Castleconnell men to occupy the Limk.-Killaloe line, and conform to the movements of the City Battn. The Galtee Battn. to make the Galtee Mts. their base of operations and the Western Boys to fight on their own ground. The Clare men to form for a base for me to rest on.

Three weeks before Easter I got orders to hustle things and roughed out the Battn. and Brigade organization. On Tuseday of Holy Week Seán Fitzgibbon came to me with orders that arms were to be landed in a week or less with orders that I was to receive them at Abbeyfeale, take what I wanted and send the rest to Galway and this meant insurrection.[1] I told him of my previous arrangements and he advised me to go to H.Q. to Commdt. Pearse and get *clear and definite instructions*[2] as to what I was to do. I took those instructions to be " *receive those goods at Abbeyfeale and bring them to Crusheen.*" I went to Pearse on Wed. and he ordered me to *drop all other arrangements and orders* and concentrate on this and confirmed my orders as above stated, adding that I was to start at 7 p.m. Sunday. I said " *of*

---

[1] Caithfear glacadh leis an gclásál deiridh mar aguisín de chuid Colivet, ní mar chuid d'orduithe an Ghiobúnaigh, mar ní raibh pleananna an Éirí Amach ar eolas aige-sean.

[2] Is leis-sean an cló Iodáileach tríd síos.

course this means insurrection when those arms are got.'' He said '' *Yes* '' and told me to proclaim a Republic & after securing things in my own district to move East as soon as possible, I enquired if *men* were coming and he would not give me a definite reply. I asked '' Am I to take it 'men' are coming.'' He replied '' No.'' I asked '' Am I to take it men are *not* coming '' He again replied '' No.'' The impression left in my mind was that '' men '' *were* coming but that he was precluded by some promise or agreement from saying so.

I returned and made my plans for carrying out those orders. On Sat. morning the *Cork Examiner* reported *re* Casement's boat and later news came along of the loss of the car at Killorglin, the loss of the '' *Aude*,'' (*sic*) and the capture of Stack, Collins and Casement.

Fitzgibbon hurried off to Dublin for instructions and I sent messengers to Tralee for information and later to Dublin with the information gained in Tralee. Fitzgibbon arranged a code message with me as to whether things were '' off '' or '' on.'' (I received the code meaning things were '' *off* '' on *Sunday afternoon*.) I waited all day *Saturday* for definite instructions from H.Q. and receiving none I sent orders cancelling all arrangements for the moment in my command, but arranging to give further orders later. On *Sunday morning* Commdt. *O'Rahilly* arrived with written orders from Eoin Mac Neill '' Volunteers completely deceived. All orders for to-morrow Sunday are entirely cancelled,'' and informed me of a difference of opinion at H.Q. *mentioning the arrest of Hobson. He stating a meeting had taken place and it had been decided to cancel all arrangements*. I immediately sent out orders finally cancelling arrangements in all outside Battalions, and took the City Battn. to Killonan for '' camp out,'' with the intention of proceeding normally as if nothing had happened.

I omitted to mention that on Sat. night I got word *definitely* from Tralee that the arms were gone and this was confirmed by The O'Rahilly.

I also mention here that late on *Sat. night* I got news through *Miss Laura Daly* that '' *everything was all right* '' and that there '' were men and officers coming,'' that we had received the Papal Blessing, and that '' Mac Neill was splendid.'' O'Rahilly's news rather staggered me and showed me a very serious cleavage at

H.Q., but I was glad that some "*modus vivendi*" had evidently been found.

On ***Sunday morning*** also Lieut. Gubbins returned from Dublin with two motor lorries sent down by Seán MacD. (I had asked for some through Fitzgibbon.) On Sunday midnight Lieut. Ford returned from Dublin with orders from ***Pearse cancelling all arrangements but asking me to be ready for*** further orders. On Monday morning Lieut. Whelen returned from a second trip to Tralee having seen Monteith and brought word from the latter that ***no men were coming***, that the arms sent us were gone, that the Germans were out for "cheap Irish blood"[3] and that the best we could do was to try and bluff through. About *1.30 or 2 p.m. Monday* I received from Pearse a message running as well as I can remember. "Dublin ***Brigade goes into action at noon to-day*** (*Monday*). *Carry out your orders.*"

I was in a quandary. I called a meeting of the officers available. My orders from Pearse were almost stereotyped "receive arms at Abbeyfeale and bring them to Crusheen" involving of course, the obvious consequences. These orders could not be carried out—it was a physical impossibility. I had only three ways of looking at it (1) Pearse was unaware the vessel was gone, (2) others were coming (3) or, the cleavage at H.Q. had broken into open hostilities and the Citizen Army, with Pearse and perhaps some small section of the I.V. had started the insurrection and wished me to join them in opposition to orders received from Mac Neill.

I concluded the latter was the more likely of the three & reasoned thus (1) From the point of view of military discipline—MacNeill was Chief of Staff (as well as President) and senior to Pearse. His orders were therefore binding. (2) From the point of view of

---

[3] Ba é seo tuairim Shane Leslie leis—cf. litir uaidh chuig Seán Mac Réamoinn an 20 Bealtaine, 1916 agus istigh léi an ráiteas a foilsíodh sa *New York Tribune* an 8 Bealtaine, 1916, faoin teideal 'Germany needed leaders of Ireland's Folly Dead.' Dúirt Leslie sa ráiteas: 'Germany's expenditures of money and propaganda in America had not seriously affected the Irish here. A certain number pocketed German money and gave slight return. . . . But Germany always requires blood for money and so many Irish martyrs were bargained for . . . the idealistic youth of Ireland were entrapped by vain promises and the miserable execution of their leaders is the trump card Germany had. . . .' (Lss. Mhic Réamoinn LNE).

feasibility. I had then 100 men thoroughly tired and very many wet to the skin, in no position to carry on anything in the nature of local insurrection that would not be in the nature of a tragic farce; completely cut off from the other battalions and in a place utterly useless for such a purpose, and completely out of gear with the arrangements previously made for such a contingency as conscription. In all my brigade area I had roughly 2,000 men of whom approx. 500 were armed. Such as they were they were then completely dispersed.

I concluded therefore that nothing could be done and this was the unanimous opinion of all officers present as well as those who subsequently came on the scene.

On *Tuesday* I called a meeting of the Board, the Battalion staff, the Company Commanders and all officers who had any knowledge of the previous events and by a majority of *10 to 6* it was decided that nothing could be done. During the week the *Mayor sent for me* and after several interviews conveyed a demand for our arms from *Col. Weldon* (Commanding Govt. forces in district which then consisted of 2,000 infantry, 2 Batteries of artillery and other smaller units). They completely held the city since Monday or Tuesday, occupying all strategic points, holding all roads and bridges (barricaded). Meetings of the combined Board and officers as above took place and these demands were refused. This went on until Friday of the week after Easter Week—practically a fortnight—during which time I learnt of the surrender in Dublin, Enniscorthy, Cork & C. I held out until a point at which I saw that Weldon was tired of negotiations and was going to raid for arms and for such a length of time as gave ample opportunity for assistance to arrive from elsewhere if such had been arranged. I *then called a final meeting which decided to surrender arms to the Mayor for the peace of the city. . . .*

AGUISÍN III

Ciarraí. . . . Lss. 10493LNE.

Ráiteas ó P. Ó Cathail, Leas-Cheannfort, Trá Lí. Lámhscríbhinn.

Good Friday 21st April writer informed at 12 noon by M. J. O'Connor Tralee that A. Stack wanted 3 cyclists sent to Ardfert and would not say for what purpose. Four cyclists were armed with revolvers and sent out at 1 p.m. to await instructions from A.S. at Ardfert.

At 4.30 p.m. I was sent for by A.S. to his digs and he informed me of the landing of Casement. *Con Collins,* M. Doyle (Tralee), M. J. O'Connor were also present. After about five minutes conversation I left to see Miss Cregan (who had brought stuff the night before) off by train at his request and at once after train had left went to rink and found A. Stack, Doyle, Healy, M. J. O'Connor, Melinn all of Tralee and O'Mahony of C. Island discussing the matter it being then 5.30 p.m. I offered to get section of cyclists for rescue but this stopped by A.S. as it meant interfering with Sunday's arrangements and it was absolutely certain at the time the police did not know Casement whom we could easily rescue on Sunday. At 5.30 a message arrived from barracks R.I.C. that *Con Collins wished to see Stack. I told him he would not be allowed out if he went there.*[1] I took revolver (auto) and about 100 rounds from him and he looked through his papers and said he had nothing of importance on him. I asked for instructions if we should rescue him he said no, *but to take someone else into my confidence re Sunday* and the same was to take place should I be arrested myself. He asked Melinn to send Partridge to Dublin via Mallow and I sent W. Mullins via Limerick with full information . . . of the landing and arrest of Casement and that Austin Stack had been called to barracks and in my opinion would be detained there.

Saturday 22nd: 1 p.m. Received message from A.S. of Bailey's hiding place and sent messenger (E. Barry) at 1.30 p.m. to

[1] Is leis-sean an cló Iodáileach tríd síos.

Domey (?) but he arrived late the person in whose charge Stack had left him had practically turned the man out of doors. At 12.45 received wire from W. Mullin, Dublin, stating to go ahead with the work and this was confirmed from by later message from Partridge at 2.30 p.m. I met messenger from Limerick (Whelan) at 2 p.m. and considered he had little information as he could not tell me where the Limerick men were to be on the following day. At same time met Shea (Castle-Gregory) who was seeing after the pilot and he informed me that the pilot and the men with him refused to do anything. At 7 p.m. received message from *M. Griffin* (*Listowel*) that at a meeting in Listowel they decided that would *do nothing without foreign aid*. I sent two cyclists to him at 8 p.m. with message that I should be calling often to L. on the following evening and would hold him responsible if he had not at least twenty men ready. The messengers returned at 2 a.m. on Sunday morning with verbal replies he would do his best. Had volunteer to meet Mullins by last train at 11 p.m. and got him escorted to Rink. He gave an account of his interview with Pearse, McDermott and Connolly and confirmed his wire to go ahead with arrangements. I had Monteith brought at 10 o'clock from A.O.H. hall to Rink and Monteith, Healy, Doyle, Mullins and myself remained until 2 a.m. discussing arrangements for the following day.

Sunday 23rd I sent Mullins at 9.30 p.m. to Fenit cycling to get information and he returned with information that cruisers were lying off the bay. The Dingle Battn. (about 120 men) arrived between 11 a.m. and 12 noon and the Ballymacelligot and Keel corps shortly after. We had in the drill hall that *day between 400-500 men* at 3 p.m.

At 12.30 messenger left from Limerick (Whelan) with information that he had left messages from Dublin with
stating that arrangements for the day were cancelled. I at once called to see the message which was written in the private note of Eoin Mac Neill to the effect ' Volunteers completely deceived all arrangements for the day Easter Sunday cancelled ' signed Eoin MacNeill, Chief of Staff.

I returned to rink and sent out dispatch cyclists with this cancelling order to *Castleisland, Castlegregory, Listowel & Killarney.* Cyclists met at Killarney Pierce McCann and Fr. H. coming direct to Tralee with the same message.

The Volunteers had a parade at 3.30 p.m. and remained at sports field under canvas until 7.30 p.m. when they returned to rink. The Tralee Battalion escorted Ballymacelligot out of town as I had arranged for getting Monteith away from Tralee that night by this means, it being pretty dark at this time, about 9 o'clock. The *Dingle Batt.* remained in Hall that night and left Tralee by the *7 a.m. train on Monday.*

Monday 24th : W. Mullins told me at 5 p.m. that a priest wished to see me at office and *Fr. Ryan Tralee* called on me at *6.15 p.m.* He informed me that Casement asked him to have messages sent to Dublin stopping the rising as the Germans were only using the rising for their own ends and did not intend to send any other assistance. He came to stop the rising and if he failed he wanted to be in the middle of the fight and not safe in Germany. He did not wish his identity to be known until he had left town. He had left money (gold) and papers of importance which Ryan described at the fort of Ardfert. That evening *a person named McCarthy* called on me and *stated he found papers* in a hole in a fort and decribed papers as Fr. Ryan had done and stated that he was afraid to keep them and burned them. At the time I was satisfied that the papers were burnt but believe now that they are still to the good and that the *person holding them* feared the money would also be looked for. The chap that called on Mr. McCarthy did not find the papers & may have only got local information or have been sent with the news. McCarthy has a brother in the police.

Tuesday 25th

I met Miss Thompson at 10.45 a.m. with message signed by P.H.P. that the Volunteers were going out in Dublin at 1 p.m. Monday & asking to have orders carried out. I asked her when she got the message & *she stated Sunday night from her brother.* She could have been in Tralee by the 1st train from Dublin on Monday at 12.45 p.m. but did not arrive until the 4.30 p.m. The message was addressed to myself care of . . . & she looked him up & he happened to be away & was afraid to ask anybody about myself. She saw him on Tuesday morning & he opened letters &

& sent her with it to myself. I handed her over to stay with one of our girls Miss Hurley. *I sent messenger to Limerick* by 11.45 a.m. train (*Joe Burke* present address 9 Upper Mallow St. Limk.) as he was going back from Tralee I asked him to see the officer in charge in Limerick & wire me what they were doing. When I got Dublin message I knew that if Cork & Limerick were out that I should have word to that effect & reasoned that they were arranging for joint action & hence my own reason for striving to get in touch at once. Burke met a chap called *Kivlehan* & I believe now that he took very little notice of our message.

I sent cyclists to *Killarney* at 2 p.m. with same message for *Cork* that if possible I should like to have 6 hours to mobilize the county but if they could not give me that, that we should be satisfied with less. Killarney sent message to Rathmore by cyclist, & Rathmore sent horsemen to Millstreet & we did not receive reply as I understand the message *was not sent from Millstreet* by the chap who received it. *Twomey* I think is his name. I had the county, Dingle C.island Killarney *standing to arms* all Tuesday night to be dismissed at 4 a.m. on Wed. morning with instructions to turn out at any moment as I had *no reply from Cork or Limerick.*

Wednesday 26th. One of our Volunteers *T. Shaughnessy* told me he was going to Limerick by the 12 train & I asked him to get information as to what Limerick were doing & to give us an idea where we could meet them. I sent Miss N. Hurley by 2 o'clock *to Cork* as I feared my message of Tuesday was not delivered. She got the same message. *Shaughnessy returned to Rink at 10 p.m. & stated he had met Fr. Hayes at NewCastleWest & that Limerick were not going to do anything.* Miss Hurley returned at 11 p.m. She had been speaking to Curtin & McSweeney and *they were not prepared to do anything* as the Cork city Volunteers they stated *they were caught like rats in a trap* surrounded by military; they Curtin & MacS. informed Miss H. that there was also another lady with them from Limerick & that Limerick did not intend to do anything. *I believe Cork City could not move but believe Limerick could & as they shut us off from Clare I sent Shaughnessy again on Thursday* asking them to move & we would join them at once & have probably county corps from Cork with us. Again he only went to *Newcastle West* & met *Fr. H.* who told him Limerick did not intend to do anything unless attacked when he (Fr. H.) *suggested that the county corps resort to a kind of guerilla warfare.* Meantime, I sent word to the different *Batt. Comdts.* (*Thurs.* 27th) in the county that *Limerick & Cork refused to do anything & called a meeting for Friday evening to arrange if Kerry could move without them.*

Friday 28th Dingle, Castleisland, Cahirciveen, Listowel & myself & two compy. officers Healy & Doyle from Tralee (Killarney did not send a representative) met at the Hall at 9 p.m. The Listowel man had a verbal message from Limerick from Fr. H. Newcastle coming from Dublin from *Eoin MacNeill* to the effect that "*all rifles were to be planted.*" We went into the question of rifles, shot guns, etc. & the amount of ammunition for same. We have about *800 men* we could depend on with arms for *about 600* & for each rifle about 25 rounds of 303 & for each shot gun about 28 rounds (exclusive (*sic*) including about 17,000 rounds that I could lay my hands on & that we should commandeer). It appeared to the meeting that nothing *could be done as at the most we could only last half an hour & it was decided unanimously to defer any action until we had definite word from outside or an attempt should be made on the arms.*

Saturday 29th. No information except notice at barracks purported to be surrender of Dublin signed by Pearse.

Sunday 30th. Confirmation of surrender & meeting of officers when it was decided to bury rifles. Mon. Tuesday, Wednesday, Thursday and Friday, nothing doing.

Saturday 29th April (Tá líne trí 6th May). T. MacSweeney called on writer about 1.30 p.m. He had permit to travel from Cpt. Dickie and informed me that Cork had arranged with Lord Mayor & Bishop to have rifles etc. keep (*sic*) by a neutral. I think he mentioned Lord Mayor & they were to receive them back. He suggested the same arrangm. for Kerry. *I refused & asked him could he depend on the word of Cpt. Dickie or any military man & he appeared to think I was not far out. . . .*

(Leathanach ag deireadh ráiteas Phádraig Uí Chathail)

'*Memo.* A. Stack informed me on 11 April *re* Easter Sunday and I went up to Dublin the following day as he (Stack) understood P. H. Pearse intended having a meeting of Munster men on that evening *re* arrangements. I saw Pearse on Thursday and

Saturday he told me he intended sending down a man to help at landing. Lawlor, B. Mellows or Fitzgibbon & if it were the latter he would only think it was a gun-running feat. I did not ask for details as I assumed A. Stack had these & I never asked Stack for any full particulars—a big mistake on my part—but my reason was that I asked to be put in charge of cyclists to seize Fenit & I did not wish to know too much information fearing that if any leakage occurred I should be suspected of giving away information as Pearse had very little knowledge of myself.

Writer feels that Kerry were treated very badly by Cork & Limerick from the point of view that both knew that A. Stack was arrested and nobody to look after the county & was surprised that nobody was appointed to look after Munster. I believe Cork city could not move but consider Limerick could & keep (*sic*) us back from Clare.'

Dialann a scríobh P. Ó Cathail
(Leathanach gearrtha ag a bhun agus ag a bharr)

In report to C. Brugha (1) Terry Mac. visited Tralee on April (gearrtha anseo) May 6th as stated. On Easter Sunday night (2) I expected Cotton (gearrtha anseo) on the border of Kerry (Limerick) & of course he should have known all details & would have taken charge here. Cotton was at that time in Belfast. He was in Dublin on Mon. morning heard from T. McDonagh that you were going out at one o'clock & wired his mother that he was going home that evening. His explanation to myself in Wakefield was that his mother was unwell & that he could not travel towards Kerry on Saturday. His idea in leaving Dublin was to get back to Belfast & try & get around to meet Mellows & Monahan in Galway. I think it only fair to ourselves to mention this. Personally I was not satisfied with his explanation, as all of us here had as much respect for our people & would have left them without any notice. The Cotton business is of course a matter for yourselves in Dublin to deal with as you think fit, but from a Kerry point of view it is my own opinion that work connected with the county should be intrusted (*sic*) solely to local men. (3) Besides Twomey in Mill-Mill street, a young man named Hickey & the man in charge there Meany got our first message for Cork & appeared to have ignored it (gearrtha anseo). . . .

FOINSÍ

A. Foinsí Lss.

B. Foinsí Oifigiúla agus Díospóireachtaí Parlaiminte.

C. Nuachtáin agus Tréimhseacháin.

D. Cuimhní Cinn agus Foilseacháin eile na ndaoine a bhí gníomhach sa tréimshe 1913-1916.

E. Leabhair agus Ábhair Thaighde eile.

NÓTA FAOI FHOINSÍ LSS.

Páipéir Hobson

Is rí-thábhachtach an bailiúchán é seo agus eolas ann faoi imeachtaí ó 1905 go dtí *c.* 1948. Chuir sé lena thairbhe domsa go raibh dréachtanna nár foilsíodh dá stair agus nótaí chuige sin ann. Mar gheall ar an stair sin tá mórán litreacha ann ó Eoin Mac Néill *et al.*, litreacha ba mhinic a thug léargas dom ar smaointe daoine tábhachtacha ag crosbhealaí stair Óglaigh na hÉireann. Ba chara mór le Ruairí Mac Easmainn é agus bhí an-chuid comhfhreagrais eatarthu, comhfhreagras a mhéadaigh a thuilleadh nuair a chomhoibrigh Hobson le W. J. Maloney agus a leabhar *The Forged Casement Diaries* á scríobh aige. I measc na bpáipéar seo freisin tá cnuasach cóipeanna clóscríofa de litreacha Phádraig Mhic Phiarais chuig Joseph McGarrity—cóipeanna a chuir McGarrity chuig Colm Ó Lochlainn le go bhfoilseofaí iad—rud nach ndearnadh. Rud an-tábhachtach sa bhailiúchán seo an ráiteas fada a thug Hobson do McGarrity sa bhliain 1934 ina ndéantar scrúdú cúramach ar pháirt Hobson sna hÓglaigh, ar an mbaint a bhí aige lena ' dheartháracha ' sa Bhráithreachas tar éis lucht leanúna Mhic Réamoinn a theacht isteach ar an gCoiste Sealadach agus tugtar cuntas cruinn faoina ndearna sé agus go leor faoina ndearna Eoin Mac Néill i rith na Seachtaine Móire, 1916. Tá cuid de pháipéir

Mhic Néill as an mbailiúchán seo foilsithe cheana ag an ollamh le stair na meánaoise i gC.O.Á.

Páipéir an Mhórdhaigh

Scríobh Muiris Ó Mórdha stair na tréimhse chomh maith ach ó mo thaobhsa de tá míbhuntáiste amháin sa stair sin agus sna nótaí a bhailigh sé chuici, is é sin go ndeachaigh sé leis na hÓglaigh Náisiúnta nuair a tharla an scoilt i Meán Fómhair, 1914. Beidh a chuid páipéar luachmhar ó thaobh screaptra amach anseo mar tá eolas iontu ar mhionphointí eagrais na nÓglach tríd an tír go léir (go háirithe faoi eagras na nÓglach Náisiúnta), dátaí cruinnithe, paráideanna, agus inlíochtaí mar aon le liosta de na daoine ba thábhachtaí sa ghluaiseacht i ngach áit. Léigh Eoin Mac Néill an leabhar sular foilsíodh é agus scríobh siad roinnt litreacha suimiúla chuig a chéile ag an am sin. Rud atá an-tábhachtach ó mo thaobhsa de go dtagann sé go han-tsoiléir as na litreacha sa bhailiúchán (choimeád an Mórdhach cóipeanna carbóin dá chuid litreacha féin) cén dearcadh go beacht a bhí ar mórchuid de na daoine ba thábhachtaí a chuaigh le Mac Réamoinn sa scoilt. Tá eolas sa bhailiúchán ar an tréimhse ó 1861 go dtí *c.* 1940.

Páipéir an Loinsigh

Tá an chuid is mó den bhailiúchán seo foilsithe cheana sa leabhar a chuir Florrie O'Donoghue in eagar tar éis bhás an Loinsigh. Ach chomh maith leis sin tá ann an comhfhreagras a bhí idir Diarmaid Ó Loinsigh agus Le Roux nuair a bhí seisean ag scríobh a leabhair faoi Thomás Ó Cléirigh agus gach a ndúirt an Loinseach faoin leabhar nuair a foilsíodh é. Bhí comhfhreagras mór aige nuair a bhí sé ag bailiú ábhair dá leabhar féin agus don ' Rolla ' a bhí an-úsáideach domsa.

Páipéir Iniúchadh Luimnigh, 1917

Bailiúchán an-tábhachtach é seo de ráitis a bailíodh i 1917 faoin riocht ina raibh na hÓglaigh sa deisceart am an Éirí Amach. Cuireadh tréas i leith na nÓglach i Luimneach agus tháinig Con Collins ón Ardoifig i 1917 chun an cheist a chíoradh agus is iad seo na páipéir a scríobhadh i ngeall ar an iniúchadh sin.

Páipéir Green

Tá go leor litreacha ó Ruairí Mac Easmainn chuig Alice Stopford Green idir 1905 agus 1916 sa bhailiúchán seo agus iad lán d'eolas tábhachtach faoi dhearcadh Ruairí Mhic Easmainn ar an Éirí Amach i 1916 agus faoi aothuithe eile i stair na nÓglach. Bhí sé de nós aige cibé eagla nó dóchas nó smaointe a bhí aige a nochtadh di agus ba mhór an méid eolais faoi nithe tábhachtacha a chuir sé chuici ina chuid litreacha.

Páipéir Mhic Réamoinn

Is beag ábhar úsáideach domsa a bhí sa chnuasach mór seo, seachas an comhfhreagras a bhí ag Mac Réamoinn nó ag a rúnaí lena lucht leanúna sna Stáit Aontaithe faoi ghnó idir Éire agus Meiriceá. Tá roinnt eolais le fáil iontu faoi na hÓglaigh Náisiúnta. An rud is suimiúla fúthu nár tharla mé fiú ar thagairt amháin iontu don Bhráithreachas ná do Shéamas Ó Conghaile. Comhartha é seo ar an achar a bhí sé imithe ó chaidreamh le saol na hÉireann.

Páipéir an Phluincéadaigh

Ní ró-thábhachtach domsa a bhí na páipéir seo ach amháin go raibh mionphointí iontu faoi úsáid thalamh na bPluincéadach ag Larkfield agus go bhfuil dialann ann a scríobh Joseph Mary Plunkett ar a thuras go dtí an Ghearmáin i 1915. Tá roinnt nótaí agus comhfhreagras suimiúil dá chuid ann freisin.

Páipéir Ruairí Mhic Easmainn

Tá raon mór de dhialanna agus de litreacha faoin teideal seo agus faoi uimhreacha éagsúla i gclár LNE. B'iontach an t-ualach litreacha a scríobh Ruairí Mac Easmainn agus mheasfá gur chaith sé roinnt uair gach lá ag scríobh a chuid dialanna.

Páipéir Cheannt

Tá roinnt nótaí a scríobh sé le haghaidh léachtanna anseo.

Páipéir Berkeley

Roinnt comhfhreagrais úsáideach agus clóscríbhinn dá chuimhní cinn faoi 1914.

Dialann 1916 (Lss. 10915)

Faoin teideal seo tá roinnt ráiteas a thug seanóirí mar fhreagra ar iarratas ó údaráis Arm an tSaorstáit i 1934. Ina measc tá na nótaí a scríobh tuairisceoir ag cruinniú i 1934 inar thrácht Frank Henderson, Oscar Traynor agus Joseph O'Connor ar an Éirí Amach. Cuireann ráiteas a shínigh Joseph O'Connor le tábhacht na bpáipéar seo.

Bhí luach imeallach le páipéir Thomás Mhic Donncha, páipéir an Phiarsaigh, páipéir an Cheallaigh, páipéir Shinn Féin agus páipéir Alice Milligan. Is beag tairbhe a bhain mé as na bailiúcháin eile a léigh mé.

Bhí deacrachtaí ag baint le comhaltas an Bhráithreachais. Bhí roinnt eolais i bpáipéir Hobson agus is foinse thábhachtach é leabhar Dhiarmaid Lynch, *The I.R.B. and the 1916 Insurrection.* Seans go mbeidh níos mó eolais ar fáil amach anseo nuair a fhoilseofar na freagraí a fuair Búró na Staire Míleata óir cuireadh ceist ar na daoine an raibh siad ina gcomhaltaí den Bhráithreachas. Thug Éamonn de hÓir cabhair dom sa mhéid go raibh a fhios aige cé na daoine dá lucht aitheantais féin a bhí sa Bhráithreachas ar liostaí d'oifigigh na nÓglach a bhailigh mé. Déanfar tagairt don liosta seo mar ' Liosta ED.' Rinne Éamonn Martin agus G. Ua Huallacháin an rud céanna orm. Tabharfar ' Liosta EMGH ' ar a liosta sa leabhar. Mhol Éamonn Martin dom breathnú ar liosta na ndaoine a raibh scaireanna acu sa United National Foresters Co. Ltd. agus lig leachtaitheoir an chomhlachta, N. V. Ó hÓgáin, dom an liosta a iniúchadh i 57 Sr. Uí Chonaill, Uacht. Le go mbeadh an Foresters' Hall ina seilbh acu rinne an Bráithreachas saghas ' take over bid ' trí ' scaireanna a cheannach ar ordú ón eagraíocht ' (Martin chugamsa, 12 Meán Fómhair, 1962). Tabharfar ' Liosta UNF ' ar an liosta seo.

A. Tá na Páipéir seo i LNE

Lss. Æ.
Lss. Berekely.
Lss. Bigger.
Lss. F. S. Bourke.
Lss. J. J. Bourke.
Lss. Ruairí Mhic Easmainn.
Lss. Ceannt.
Lss. Childers.

Lss. faoi Thoghchán Cho. an Chláir.
Lss. faoi Óglaigh Chorcaí.
Dialann Oifigeach an R.I.C. i Loch Garman (Lss. 7945).
Dialann 1916 (Lss. 10915).
Lss. Downey.
Lss. Fay.
Lss. an Ghearaltaigh.
Lss. Mhic Giolla Phádraig.
Lss. Chonradh na Gaeilge.
Lss. Gavan Duffy.
Lss. Green.
Lss. an Ghríofaigh.
Lss. Heuston.
Lss. Hobson.
Lss. Holloway.
Lss. de hÍde.
Lss. an Irish Convention.
Lss. an Irish Race Congress.
Lss. Thuairisc Luimnigh, 1917.
Lss. an Loinsigh.
Lss. Thomáis Mhic Dhonncha.
Lss. Mhic Dhomhnaill.
Lss. an tSuibhnigh.
Lss. Markievicz.
Lss. an Mhaolíosaigh.
Lss. Milligan.
Lss. Moloney.
Lss. an Mhórdhaigh.
Lss. an Bhrianaigh.
Lss. an Chonchúraigh.
Lss. an Chonchobhraigh.
Lss. an Cheallaigh.
Lss. Partridge.
Lss. an Phiarsaigh.
Lss. an Phluincéadaigh.
Lss. Mhic Réamoinn.
Lss. Shinn Féin.
Lss. St. John Ervine.
Lss. St. John Gogarty.
Lss. de Faoite.
Lss. an U.I.L.

Mar aon leis na foinsí in LNE, bhí mé in ann úsáid a bhaint as Stair na bhFianna a scríobh Éamon Ó Máirtín (sa chlóscríbhinn), as liosta na ndaoine a raibh scaireanna acu sa United Irish Foresters' Co. Ltd. agus as litir ó Bhean Éamoinn Cheannt a thug an Dr. R. Dudley Edwards ar iasacht dom. Mar aon leo seo uilig bhailigh mé ráitís ó W. J. Brennan-Whitmore, Earnán de Blaghd, Éamonn de hÓir, G. Ua Huallacháin, D. Mac Con Uladh, Bulmer Hobson, Éamon Ó Máirtín agus ó Dheasún Ó Riain a shoiléirigh a lán de na deacrachtaí a bhí agam.

B. Foinsí Oifigiúla agus Díospóireachtaí Parlaiminte

Royal Commission into the circumstances connected with the Landing of Arms at Howth on July 26th, 1914, Londain, 1914.
Royal Commission on the Rebellion in Ireland. Report and Evidence. Londain, 1916.

Royal Commission on the arrest and subsequent treatment of Mr. Francis Sheehy Skeffington, Mr. Thomas Dickson and Mr. Patrick James McIntyre, Londain, 1916.
Documents Relative to the Sinn Féin Movement, Londain, 1921.
Hansard. (Don tréimhse 1913-1916).
Mion-Tuairisg an Cheud Dála.

C. NUACHTÁIN AGUS TRÉIMHSEACHÁIN

An Barr Buadh.
Annual Register.
The Belfast Newsletter.
The Catholic Bulletin.
Clare Journal.
Cork Examiner.
Cork Free Press.
Cork Constitution.
Daily Express (Baile Átha Cliath).
Drogheda Independent.
Dundalk Democrat.
East Galway Democrat.
Echo (Inis Córthaidh).
Eire.
Enniscorthy Guardian.
Evening Telegraph.
Evening Mail.
Evening Herald.
Freeman's Journal
Free Press (Loch Garman).
An Gaedhal.
Gaelic American.
Galway Express.
The Hibernian.
Honesty.
Irish Catholic.
Irish Citizen.
Irish Independent.
Irish Freedom.
Irish Times.
Irish Volunteer.
Irish Worker.
The Kerryman.
The Leader.
Leinster Leader.
Limerick Chronicle.
Limerick Leader.
Meath Chronicle.
Nationality.
The National Volunteer.
New Ireland.
Scissors and Paste.
Sinn Féin.
The Spark.
Sunday Freeman.
Sunday Independent.
Volunteer Gazette.
Westmeath Independent.
The Worker.
The Workers' Republic.

Mar aon leo sin d'iniúch mé *Poblacht na hÉireann,* 1922-3; *An Phoblacht,* 1925-1936; *The Irish Nation,* 1916-7; *Labour News,* 1937; *An tÓglach,* 1931, 1961 agus *An Cosantóir,* 1945. Tá tagairt sa téacs d'ailt shuimiúla eile.

D. Cuimhní Cinn agus Foilseacháin eile na ndaoine a bhí gníomhach sa tréimhse, 1913-1916

Aberdeen, J. C. G. agus I. M., *We Twa*, Londain, 1925.

Ashe, Thomas, *Orations. . . . at Casement's Fort—on 5th August, 1917*, N.F., 1917.

Béaslaí, Piaras, *Michael Collins and the Making of a New Ireland*, 2 Iml., Baile Átha Cliath, 1926.

Blunt, Wilfred Scawen, *My Diaries*, 2 Iml., N. D., Londain.

Brennan, Robert, *Allegiance*, Baile Átha Cliath, 1950.

Brennan-Whitmore, W. J., *With the Irish in Frongoch*, Baile Átha Cliath, 1917.

Casement, Sir Roger, *Objects of an Irish Brigade in the Present War*, N.D., N.F.

——— *Ireland, Germany and Freedom of the Seas*, Nua-Eabhrac, 1914.

Sir Roger Casement's Diaries, Eag. Dr. C. E. Curry, München, 1922.

Clarke, Thomas, *Glimpses of an Irish Felon's Prison Life*. Eag. P. S. O'Hegarty, Baile Átha Cliath, 1922.

Collins, Michael, *The Path to Freedom*, Baile Átha Cliath, 1922.

Colum, Pádraig, *Arthur Griffith*, Baile Átha Cliath, 1959.

——— *The Road around Ireland*, Nua-Eabhrac, 1930.

Colum, Pádraig agus Ed. J. O'Brien, (Eag.), *Poems of the Irish Revolutionary Brotherhood*, Boston, 1916.

Connolly, James, *Erin's Hope : The End and the Means*, Baile Átha Cliath, 1897.

——— Eag. *'98 Readings*, Baile Átha Cliath, 1898.

——— *Labour and Easter Week*, Eag. Desmond Ryan, Baile Átha Cliath, 1949.

——— *Labour in Ireland : Labour in Irish History. The Reconquest of Ireland*, Baile Átha Cliath, 1917. (Réamhrá le R. Lynd).

——— *Labour, Nationality and Religion*, Baile Átha Cliath, 1910.

——— *A Socialist and War, 1914-1916*, Eag. P. J. Musgrove, Londain, 1941.

——— *Socialism and Nationalism*, A selection from his writings with notes and introduction by Desmond Ryan, Baile Átha Cliath, 1948.

Connolly-O'Brien, Nora, *The Rebellion of 1916 or The Unbroken Tradition*, Nua-Eabhrac, 1918.
——— *Portrait of a Rebel Father*, Baile Átha Cliath, 1935.
Daly, Martin, *Memories of the Dead*, Baile Átha Cliath, N.D.
De Blaghd, Earnán, *Trasna na Bóinne*, Baile Átha Cliath, 1957.
De Búrca, Séamas, *The Soldier's Song*, Baile Átha Cliath, 1957.
Devoy, J., *Recollections of an Irish Rebel*, Nua-Eabhrac, 1929.
Diarmuid O'Donnabhain Rossa, 1831-1915: souvenir, Baile Átha Cliath, 1915.
Dunraven, (W. T. Wyndham-Quin), *Past Times and Pastimes*, Iml. II, Londain, 1922.
Figgis, Darrell, *Recollections of the Irish War*, Londain, 1927.
Fitzgerald, Desmond, *The Success of Easter Week*, Londain, 1927.
Gaffney, T. St. John, *Breaking the Silence*, Nua-Eabhrac, 1930.
Green, A. S., *Irish Nationality*, Londain, 1929.
Griffith, Arthur, (Eag.), *Thomas Davis, the thinker and the teacher*, Baile Átha Cliath, 1914.
M. Doheny, *The Felon's Track*, réamhrá le A. Griffith, Baile Átha Cliath, 1914.
Griffith, Arthur, (Eag.), *Jail Journal*, le John Mitchel, Baile Átha Cliath, 1913.
Healy, T. M., *Letters and Leaders of My Day*, 2 Iml., Londain, 1928.
Henry, R. M., *The Evolution of Sinn Féin*, Baile Átha Cliath, 1920.
Hobson, Bulmer, *To the Whole People of Ireland. The Manifesto of the Dungannon Club, Belfast*, Béal Feirste, 1905.
——— *The Creed of the Republic*, Béal Feirste, 1907.
——— *The Flowing Tide*, Béal Feirste, N.D.
——— *Defensive Warfare*, Béal Feirste, 1909.
——— *A short history of the Irish Volunteers*, Baile Átha Cliath, 1918.
Lynd, Robert, *Ireland a Nation*, Londain, 1919.
Lyons, G. A., *Some Recollections of Arthur Griffith and his times*, Baile Átha Cliath, 1923.
Lynch, Arthur, *Ireland: Vital Hour*, Londain, 1915.
Lynch, Diarmuid, *The I.R.B. and the 1916 Insurrection* (eag. Florence O'Donoghue), Corcaigh, 1957.
Mac Donagh, Thomas, *When the Dawn is Come*, Baile Átha Cliath, Cliath, 1908.

Mac Donagh, Thomas, *The Poetical Works,* réamhrá le James Stephens, Baile Átha Cliath, 1916.

Mac Entee, Seán, *Episode at Easter,* Baile Átha Cliath, 1966.

Mac Neill, Eoin, *Shall Ireland be Divided,* Baile Átha Cliath, 1915.

Mac Swiney, T., *Principles of Freedom,* Nua-Eabhrac, 1921.

Milroy, Seán, *Memories of Mountjoy,* Baile Átha Cliath, 1917.

Monteith, Robert, *Casement's Last Adventure,* Chicago, 1932.

Mac Lysaght, E. E., *Sir Horace Plunkett and his place in the Irish Nation,* Baile Átha Cliath, 1916.

Mac Manus, Shaun B., *Yesterdays,* Baile an tSionainn, 1964.

Newman, A. (ainm cleite do H. M. Pim), *What Emmet means in 1915,* Baile Átha Cliath, 1915.

——— *Ascendancy While You Wait,* Baile Átha Cliath, 1915.

——— *Why the Manchester Martyrs Died,* Baile Átha Cliath (? 1915).

——— *What It Feels Like,* Baile Átha Cliath, 1915.

Ó Briain, Liam, *Cuimhní Cinn,* Baile Átha Cliath, 1951.

O'Brien, Conor, *From Three Yachts, a Cruiser's Outlook,* Londain, 1928.

O'Brien, W., M.P., *The Downfall of Parliamentarianism,* Baile Átha Cliath, 1918.

——— *Evening Memories,* Baile Átha Cliath, 1920.

——— *Golden Memories,* Baile Átha Cliath, 1929.

——— *The Irish Revolution and how it came about,* Baile Átha Cliath, 1923.

——— *The Responsibility for Partition,* Baile Átha Cliath, 1921.

——— *Sinn Féin and its Enemies,* Baile Átha Cliath, 1917.

O'Brien, W. agus Desmond Ryan, (Eag.), *Devoy's Post Bag,* Iml. I, Baile Átha Cliath, 1948; Iml. II, Baile Átha Cliath, 1953.

O'Brien, W., *Nineteen-Thirteen—Its Significance,* Baile Átha Cliath, 1934

O'Casey, Seán, *Drums Under the Window,* Londain, 1945.

——— (mar P. Ó Cathasaigh), *The Story of the Irish Citizen Army,* Baile Átha Cliath, 1919.

Ó Ceallaigh, Seán T., *Seán T.* (Eag. P. Ó Conluain), Baile Átha Cliath, 1963.

O'Connor, Sir James, *History of Ireland, 1798-1924*, Iml. II, Londain, 1925.
O'Donoghue, F., *No Other Law*, Baile Átha Cliath, 1944.
——— *Tomás Mac Curtáin*, Trá Lí, 1958.
O'Duffy, E., *The Wasted Island*, Baile Átha Cliath, 1919.
O'Hegarty, P. S., *A Short Memoir of Terence Mac Swiney*, Baile Áth Cliath, 1922.
——— *Sinn Féin, an illumination*, Baile Átha Cliath, 1919.
——— *The Victory of Sinn Féin*, Baile Átha Cliath, 1924.
——— *A History of Ireland under the Union, 1801-1922*, Londain, 1952.
Ó Maoileoin Séamas, *B'fhiú an Braon Fola*, Baile Átha Cliath, 1958.
Ó Mórdha, Muiris, *Tús agus Fás Oglách na hÉireann* (aistr. L. Ó Rinn), Baile Átha Cliath, 1936.
O'Rahilly, The, *The Secret History of the Irish Volunteers*, Baile Átha Cliath, 1915.
O'Shannon, C., (Eag.), *Fifty Years of Liberty Hall*, Baile Átha Cliath, 1959.
Pearse, Mary B., (Eag.), *The Home Life of Pádraic Pearse*, Baile Áth Cliath, 1935.
Easter Fires: Pages of Personal Records of 1916. The Fight in the G.P.O., Dublin, as seen by Seán Mac Entee, Dr. Séamas Ryan and living memories of Pádraic Pearse by his sister, Port Láirge, 1943.
Pearse, P. H., *Ghosts*, Baile Átha Cliath, 1916.
——— *The Separatist Idea*, Baile Átha Cliath, 1916.
——— *The Spiritual Nation*, Baile Átha Cliath, 1916.
——— *The Sovereign People*, Baile Átha Cliath, 1916.
——— *From a Hermitage*, Baile Átha Cliath, 1915.
——— *The Murder Machine*, Baile Átha Cliath, 1916.
——— *How Does She Stand?*, Baile Átha Cliath, 1915.
——— *Collected Works: Plays, Stories, Poems*, Londain agus Baile Átha Cliath, 1917.
——— *Songs of the Irish Rebels and specimens from an Irish Anthology*, Baile Átha Cliath, 1918.

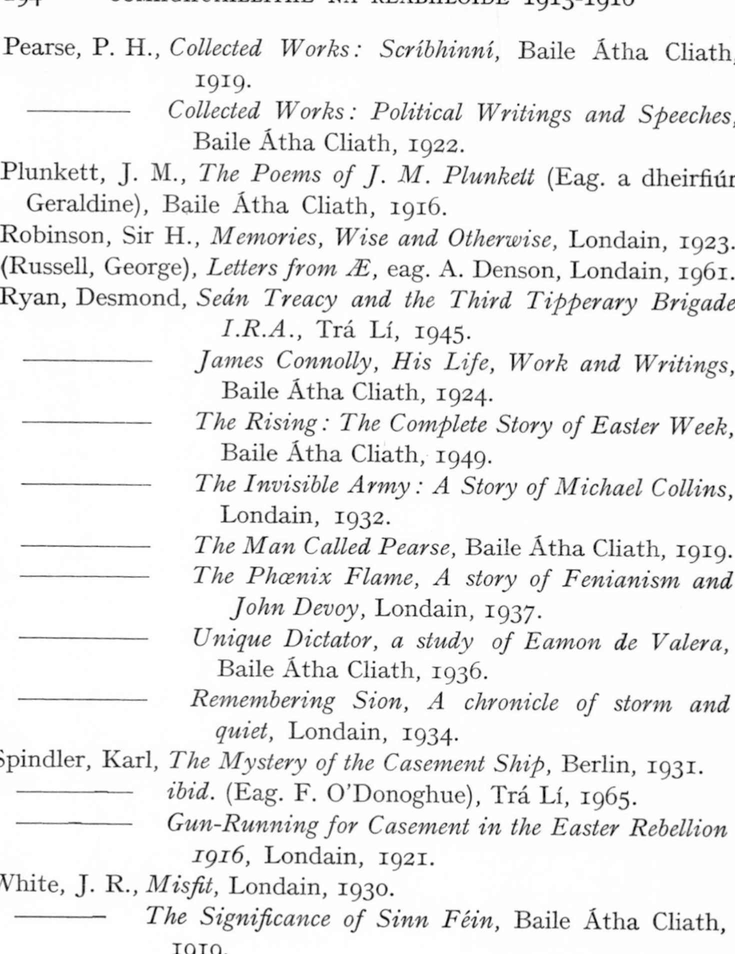

Pearse, P. H., *Collected Works: Scríbhinní*, Baile Átha Cliath, 1919.

——— *Collected Works: Political Writings and Speeches*, Baile Átha Cliath, 1922.

Plunkett, J. M., *The Poems of J. M. Plunkett* (Eag. a dheirfiúr Geraldine), Baile Átha Cliath, 1916.

Robinson, Sir H., *Memories, Wise and Otherwise*, Londain, 1923.

(Russell, George), *Letters from Æ*, eag. A. Denson, Londain, 1961.

Ryan, Desmond, *Seán Treacy and the Third Tipperary Brigade I.R.A.*, Trá Lí, 1945.

——— *James Connolly, His Life, Work and Writings*, Baile Átha Cliath, 1924.

——— *The Rising: The Complete Story of Easter Week*, Baile Átha Cliath, 1949.

——— *The Invisible Army: A Story of Michael Collins*, Londain, 1932.

——— *The Man Called Pearse*, Baile Átha Cliath, 1919.

——— *The Phœnix Flame, A story of Fenianism and John Devoy*, Londain, 1937.

——— *Unique Dictator, a study of Eamon de Valera*, Baile Átha Cliath, 1936.

——— *Remembering Sion, A chronicle of storm and quiet*, Londain, 1934.

Spindler, Karl, *The Mystery of the Casement Ship*, Berlin, 1931.

——— *ibid.* (Eag. F. O'Donoghue), Trá Lí, 1965.

——— *Gun-Running for Casement in the Easter Rebellion 1916*, Londain, 1921.

White, J. R., *Misfit*, Londain, 1930.

——— *The Significance of Sinn Féin*, Baile Átha Cliath, 1919.

Mar aon leo seo, d'iniúch mé litreacha, ailt etc. leis an mBéaslaíoch (*Irish Independent*, 15 Eanáir, 1953, 29-31 Bealtaine, 1957 agus 24-27 Aibreán, 1961), le Bean Éamoinn Cheannt (*The Leader*, 20 Aibreán, 1946), le Geraldine Dillon (*University Review*, Iml. II agus III), leis an nGiobúnach (*Irish Times*, 18-30 Aibreán, 1949, Eag. M. S. Ó Luinneacháin), leis an nGóganach (*Comhar*, Aibreán, Bealtaine, Meitheamh, 1958 agus *Irish Times*, 26 Samhain, 1963), le Hobson (*Sunday Press*, 1 Bealtaine, 1960), le

Mac Manus (*Donegal Democrat*, trí 1964 agus 1965), le Mac Néill (tagairtí agus athchoimrithe ag an Athair F. X. Martin i *I.H.S.*, iml. XII, uimh. 47), leis an Lochlannach (*Dublin Magazine*, Iml. XXIV, Uimh. 3), le Cathal Ó Seanain (*Evening Press*, 24-26 Aibreán, 1961) agus leis an Rianach (*Irish Press*, 24-26 Aibreán, 1961).

E. Leabhair agus Ábhar Taighde eile

Arthur, Sir George, *General Sir John Maxwell*, Londain, 1932.

Barker, Ernest, *Ireland in the last fifty years*, 1866-1916, Londain, 1919.

Barton, Sir Dunbar, *Timothy Healy, memories and anecdotes*, Baile Átha Cliath, 1933.

Bergin, J. J., *History of the Ancient Order of Hibernians*, Baile Átha Cliath, 1910.

Boyle, J. P., *The Irish Rebellion of 1916*, Londain, 1916.

Briollay, Sylvain, *Ireland in Rebellion*, Baile Átha Cliath, 1922.

Bromage, Mary C., *De Valera and the March of a Nation*, Londain, N.D.

Bryant, Arthur, *English Saga, 1840-1940*, Glaschú, 1961.

Burns, Elinor, *British Imperialism in Ireland*, Baile Átha Cliath, 1931.

Butler, Mathew, *Eamon de Valera, a Biographical Sketch*, Port Láirge, 1932.

(Cahill, foils.), *The Sinn Féin Leaders of 1916*, Baile Átha Cliath, 1917.

Carty, James, *Ireland, a documentary record from the Great Famine to the Treaty, 1851-1921*, Baile Átha Cliath, 1951.

Caulfield, Max, *The Easter Rebellion*, Londain, 1965.

Childs, Sir Wyndham, *Episodes and Reflections*, Londain, 1930.

Chatterton, E. K., *Danger Zone*, Londain, 1934.

Clarkson, J. Dunsmore, *Labour and Nationalism in Ireland*, Nua-Eabhrac, 1925.

Colvin, Ian, *The Life of Lord Carson*, Iml. II, Londain, 1934.

Creel, George, *Ireland's Fight for Freedom*, Nua-Eabhrac, 1919.

Cronin, Seán, *Our Own Red Blood*, Baile Átha Cliath, 1966.

D'Alton, E. A., *History of Ireland*, Leath Iml. VII agus VIII, Londain, 1925.

Davies, Noelle, *Connolly of Ireland, patriot and socialist*, Caernarvon, (1945 ?).

Desmond, Shaw, *The Drama of Sinn Féin*, Londain, 1923.

Donovan, T. M., *A Popular History of East Kerry*, Baile Átha Cliath, 1931.

Duff, C., *Six Days to Shake an Empire*, Londain, 1966.

Dwane, D. T., *Early Life of Eamon de Valera*, Baile Átha Cliath, 1922.

(Eason, foils.), *The Rebellion in Dublin*, Baile Átha Cliath, 1916.

(Educational Company, Dublin, foils.), *The Poets of 1916*, Baile Átha Cliath, 1931.

Ervine, St. John Greer, *Craigavon, Ulsterman*, Londain, 1949.

Escouflaire, R. C., *L'Irlande, ennemie . . .?* Paris, 1918.

Fox, R. M., *History of the Irish Citizen Army*, Baile Átha Cliath, 1943.

——— *Labour in the National Struggle*, Baile Átha Cliath, 1945.

——— *Rebel Irishwomen*, Baile Átha Cliath, 1935.

——— *James Connolly: The Forerunner*, Trá Lí, 1947.

——— *Jim Larkin: The Rise of the Underman*, Londain, 1957.

——— *Louie Bennett, Her Life and Times*, Baile Átha Cliath, 1958.

Fyfe, Hamilton, *T. P. O'Connor*, Londain, 1934.

Goblet, Y. M., *L'Irlande dans la crise universelle*, Paris, 1918.

Gordon, Edith, *The Winds of Time*, Londain, 1934.

Greaves, C. D., *The Life and Times of James Connolly*, Londain, 1961.

Gwynn, Dennis, *The Life and Death of Roger Casement*, Londain, 1930.

——— *The Life of John Redmond*, Londain, 1932.

——— *De Valera*, Londain, 1933.

——— *The History of Partition. 1912-1925*, Baile Átha Cliath, 1950.

——— *Edward Martyn and the Irish Revival*, Londain, 1932.

Gwynn, Stephen, *John Redmond's Last Years*, Londain, 1919.

Hackett, Francis, *The Story of the Irish Nation*, Baile Átha Cliath, 1924.

——— *Ireland: A study in Nationalism*, Nua-Eabhrac, 1919.

Hammond, J. L., *C. P. Scott of the 'Manchester Guardian,'* Londain 1934.

Hayden, M. T. and G. A. Moonan, *A Short History of the Irish People*, Baile Átha Cliath, 1926.

(Hely, foils.), *The Sinn Féin Revolt*, Baile Átha Cliath, 1916.

Hogan, David, *The Four Glorious Years*, Baile Átha Cliath, 1953.

Hone, J. M., *W. B. Yeats*, Londain, 1942.

Hull, Eleanor, *A History of Ireland and her People*, Iml. II, Londain, 1931.

Hyde, Montgomery, *Trial of Roger Casement*, Londain, 1960.

Ireland, J. de Courcy, *The Sea and the Easter Rising*, Baile Átha Cliath, 1966.

Ireland, T., *Ireland, Past and Present*, Nua-Eabhrac, 1942.

(Irish Times, foils.), *Sinn Féin Rebellion Handbook, Easter, 1916*, Baile Átha Cliath, 1916.

Johnson, Thomas, *A Handbook for Rebels*, Baile Átha Cliath, 1918.

Joly, J., *Reminiscences and Anticipations*, Londain, 1920.

Jones, F. P., *History of the Sinn Féin Movement and of the Irish Rebellion*, Nua-Eabhrac, 1919.

Jones, T., *Lloyd George*, Londain, 1951.

Joy, M., (Eag.), *The Irish Rebellion of 1916 and its Martyrs*, Nua-Eabhrac, 1916.

Le Roux, L. N., *L'Irlande Militante, La Vie de Patrice Pearse*, Rennes, 1932.

——— *Patrick H. Pearse*, Aistr. D. Ryan, Baile Átha Cliath, 1932.

——— *Tom Clarke and the Irish Freedom Movement*, Baile Átha Cliath, 1936.

Leslie, Shane, *The Irish Tangle for English Readers*, Londain, 1946.

Mac an Bheatha, Proinsias, *Tart na Córa*, Baile Átha Cliath, N.D.

Macardle, Dorothy, *The Irish Republic*, Londain, 1937.

Mac Coll, Rene, *Roger Casement*, Londain, 1960.

Mac Donagh, Michael, *The Home Rule Movement*, Baile Átha Cliath, 1920.

——— *The Life of William O'Brien*, Londain, 1928.

Mackey, H. D., (Eag.), *The Crime against Europe*, Baile Átha Cliath, 1958.

Mac Manus, Lily, *White Light and Flame*, Baile Átha Cliath, 1929.

Maloney, W. J., *The Forged Casement Diaries*, Baile Átha Cliath, 1936.

McHugh, R., *Dublin, 1916*, Londain, 1966.

McKenna, An tAth. L., *The Social Teaching of James Connolly*, Baile Átha Cliath, 1920.

Mac Thormaid, B. M., *Deathless Glory*, Baile Átha Cliath, 1966.

Martin, F. X., O.S.A., (Eag.) *The Irish Volunteers 1913-1915*, Baile Átha Cliath, 1963.

——— *The Howth Gun-running, 1914*, Baile Átha Cliath, 1964.

(Maunsel & Co., foils.), *Poets of the Insurrection*, Baile Átha Cliath, 1918.

Murray, R. R. agus H. A. Law, *Ireland*, Londain, 1924.

Norway, Mrs. H., *The Sinn Féin Rebellion as I saw it*, Londain, 1916.

Noyes, Alfred, *The Accusing Ghost of Roger Casement*, Nua-Eabhrac, 1957.

Ó Broin, Leon, *Dublin Castle and the 1916 Rising*, Baile Átha Cliath, 1966.

O'Connor, B., *With Michael Collins in the Fight for Irish Freedom*, Londain, 1929.

O'Connor, G., *James Connolly*, Baile Átha Cliath (1917 ?).

Ó Dubhghaill, M., *Insurrection Fires at Easter Tide*, Corcaigh, 1966.

O'Faoláin, Seán, *Constance Markievicz*, Londain, 1934.

——— *The Life Story of Eamon de Valera*, Baile Átha Cliath, 1933.

O'Flaherty, L., *The Life of Tim Healy*, Londain, 1927.

O'Halloran, A. J., *Limerick's Fighting Story*, Trá Lí, 1948.

Ó hÓdhráin, M., *An Tine Bheo*, Baile Átha Cliath, 1965.

Ó Lúing, Seán, *Art O Gríofa*, Baile Átha Cliath, 1953.

——— *John Devoy*, Baile Átha Cliath, 1961.

O'Neill, Brian, *Easter Week*, Londain, 1936.

Parmiter, G. de C., *Roger Casement*, Londain, 1936.

Paul, W., *The Irish Crisis*, Londain, N.D.

Paul-Dubois, L., *Le Drame Irlandais*, Paris, 1927.

Phillips, W. A., *The Revolution in Ireland, 1906-1923*, Londain, 1923.

Pim, F. W., *The Sinn Féin Rising*, Baile Átha Cliath, 1916.
Pim, Sheila, *The Wood and the Trees*, Londain, 1966.
Redmond-Howard, L. G., *Sir Roger Casement: a character sketch without prejudice*, Baile Átha Cliath, 1916.
——— *Six Days of the Irish Republic, 1916*, Londain, 1916.
Regan, John X., *What made Ireland Sinn Féin*, N.F., N.D.
Robinson, Lennox, *Bryan Cooper*, Londain, 1931.
Sellwood, A. V., *The Red Gold Flame*, Londain, 1966.
Sheehan, D. D., *Ireland since Parnell*, Londain, 1921.
Spender, J. A. agus Cyril Asquith, *Life of Henry Asquith, Lord Oxford and Asquith*, Iml. II, Londain, 1932.
Stephens, James, *Arthur Griffith, Journalist and Statesman*, Baile Átha Cliath, 1922.
——— *The Insurrection in Dublin*, Baile Átha Cliath, 1916.
Tansill, C. C., *America and the Fight for Irish Freedom, 1866-1922*, Nua-Eabhrac, 1957.
Taylor, Rex, *Michael Collins*, Londain, 1958.
Tery, Simone, *En Irlande, de la Geurre d'Indépendence à la Guerre Civile (1914-1923)*, Páras, 1923.
Thomson, Sir Basil, *Queer People*, Londain, 1922.
Turner, E. R., *Ireland and England, in the Past and at Present*, Nua-Eabhrac, 1920.
Tynan, Katherine, *The Years of the Shadow*, Londain, 1919.
Vane, Sir F. F., *Agin the Governments: memories and adventures*, Londain, 1931.
Wells, W. B. and N. Marlowe (Joseph Hone), *A History of the Irish Rebellion of 1916*, Baile Átha Cliath, 1916.
Wells, W. B., *John Redmond*, Londain, 1919.
——— *Irish Indiscretions*, Báile Átha Cliath, 1923.
Williams, Desmond, (Eag.), *The Irish Struggle*, Londain, 1966.
Wright, Arnold, *Disturbed Dublin*, Londain, 1914.

DAOINE